LISA SCOTT

Raben

Buch

Als eine Explosion die Cafeteria der Schule erschüttert, in der sie als »Pausen-Mom« arbeitet, ist Rose McKenna gezwungen, eine blitzschnelle Entscheidung zu treffen: Soll sie nach ihrer Tochter Melly sehen, die sich in der Toilette eingeschlossen hat, oder zuerst die beiden Mädchen in Sicherheit bringen, die ihre Tochter wegen eines Muttermals ständig hänseln? Rose nimmt sich zuerst der Mädchen an – und ihre Wahl hallt noch lange in der kleinen Stadt Reesburgh in Pennsylvania nach.

Denn Amanda, eines der Kinder, die Rose gerettet hat, ist ins Gebäude zurückgelaufen und droht nun ihren schweren Verletzungen zu erliegen. Rose muss sich massiven Anfeindungen und sogar der Androhung einer Klage erwehren. Während ihr Ehemann und ihre Anwälte einen Verteidigungsplan entwerfen, ist Rose fest entschlossen, die Wahrheit über die Explosion herauszufinden. Es gelingt ihr, ein dunkles Geheimnis in der Geschichte von Reesburgh aufzudecken, das nicht nur für sie selbst eine große Gefahr birgt. Und auch eine eigene düstere Erinnerung, die sie für immer in ihrem Inneren vergraben wollte, kann Rose nicht länger ignorieren …

Autorin

Lisa Scott hat als Anwältin für das US-Berufungsgericht und in einer großen Kanzlei in Philadelphia gearbeitet. Bereits ihr erster Roman *Die Katze war noch da* wurde von Publikum und Kritikern gleichermaßen gefeiert. Für ihr zweites Buch *Rosen sind rot* erhielt sie den Edgar-Allan-Poe-Preis, den begehrtesten Preis für Kriminalliteratur in Amerika. Ihre Bücher wurden in mehr als 20 Sprachen übersetzt. Lisa Scott lebt als freie Schriftstellerin in der Nähe von Philadelphia.

Von Lisa Scott sind bereits erschienen:

Schwesternkuss (37375) · Fatal (37374) ·
Mord mit kleinen Fehlern (35861)

Lisa Scott

RABENMUTTER

Thriller

Aus dem Amerikanischen
von Herbert Fell

blanvalet

Die amerikanische Originalausgabe erschien 2011
unter dem Titel »Save Me« bei St. Martin's Press, New York.

Verlagsgruppe Random House FSC-DEU-0100
Das FSC®-zertifizierte Papier *Holmen Book Cream*
für dieses Buch liefert Holmen Paper, Hallstavik, Schweden.

1. Auflage
Deutsche Erstveröffentlichung Juni 2012
bei Blanvalet, einem Unternehmen der
Verlagsgruppe Random House GmbH, München

Umschlaggestaltung: © Johannes Wiebel | punchdesign, München,
unter Verwendung eines Motivs von Kevin Schafer/Getty Images
Redaktion: Ilse Wagner
DF · Herstellung: sam
Satz: DTP Service Apel, Hannover
Druck und Einband: GGP Media GmbH, Pößneck
Printed in Germany
ISBN: 978-3-442-37890-6

www.blanvalet.de

In Erinnerung an meinen lieben Freund Joseph Drabyak, für den das Vergnügen und die Kraft, die Bücher uns schenken können, kein Geheimnis waren.

Ob du die Dinge beim Namen nennst
oder nicht,
Nacht und Finsternis sind immer der
Preis für Sonne und Licht.

Bob Dylan, »Silvio«

Nenne jedes Ding und Wesen bei seinem
Namen.
Angst vor dem Namen steigert die Angst
vor der Sache selbst.

Albus Dumbledore in *Harry Potter und der Stein der Weisen*

1

Zweihundert Kinder schrien durcheinander, maßen ihre Kräfte beim Armdrücken oder warteten ungeduldig darauf, dass sie nach dem Mittagessen endlich hinaus auf den Schulhof durften. Rose McKenna ließ ihre Tochter Melly nicht aus den Augen. Die saß nämlich mit dem ungezogensten Mädchen der dritten Klasse an einem Tisch. Sollte es Ärger geben, würde sich Rose auf der Stelle in eine Löwenmutter verwandeln, denn schließlich war sie hier als ehrenamtliche »Pausen-Mom« im Einsatz. Das war eine Art Personenschutz für Grundschüler, bei dem aber das Tragen von Clogs an den Füßen und Eyeliner um die Augen erlaubt war.

Melly saß allein am Tischende und versuchte, ihre Gummibärchen in Form eines Regenbogens zu legen. Sie blickte nach unten, ihr welliges dunkelblondes Haar fiel ihr ins Gesicht und verdeckte das Feuermal auf ihrer Wange. Der große runde Fleck hieß in der Sprache der Mediziner *Naevus flammeus* und bezeichnete eine krankhafte Wucherung von Blutgefäßen unterhalb der Oberhaut. Schon im Kindergarten hatten sich die Kinder darüber lustig gemacht. Melly hatte deshalb Tricks entwickelt, ihren »Schandfleck« zu verbergen. Sie hielt die Hand vor die Wange, lief mit gesenktem Kopf herum oder legte sich beim Mittagsschlaf auf die linke Seite. Keiner dieser Tricks hatte je hundertprozentig funktioniert.

Amanda Gigot, das Mädchen, das ganz schön fies werden konnte, saß am anderen Ende des Tisches und führte ihren Tischnachbarn ihren iPod vor. Sie war das schönste Mädchen in der Klasse – natürlich hatte sie blondes Haar, strahlend blaue Augen und konnte perfekt lächeln. Sie war angezogen wie ein Teenager, trug ein Tank Top aus Jersey, einen pinkfarbenen Rock mit Rüschen und goldene Sandalen. Sie sah nicht so aus, wie man sich gemeinhin einen Fiesling vorstellt. Wölfe im Schafspelz versteckten sich heutzutage manchmal unter Girlie-Klamotten. Amanda war schlau und nicht auf den Mund gefallen – kein Problem für sie, jederzeit jemanden mit ihren Bemerkungen zu piesacken. Sie war in der Klasse beliebt, weil sich die Mitschüler vor ihr fürchteten. Ein Phänomen, das man nicht nur aus Grundschulen, sondern auch aus faschistischen Diktaturen kennt.

Amanda nannte Melly ein dummes Huhn und gackerte jedes Mal, wenn sie das Klassenzimmer betrat. Rose betete, dass es dabei bleiben würde, denn es war erst Anfang Oktober. Das Schuljahr hatte gerade angefangen. Sie waren im Sommer hierhergezogen, um den ewigen Sticheleien an der alten Schule zu entgehen. Die waren so schlimm geworden, dass Melly immer öfter über Bauchschmerzen klagte, den Appetit verlor, nicht mehr richtig schlief und erschöpft aufwachte. Sie erfand ständig neue Gründe, um nicht in die Schule zu müssen. Trotz ihrer Begabung wurden ihre Noten immer schlechter. Rose setzte große Hoffnungen auf die Reesburgh-Grundschule. Sie lag in einer besseren Gegend und hatte ein eigenes Anti-Mobbing-Programm entwickelt.

Das Schulgebäude war unglaublich schön. Es war erst im August fertiggestellt worden. Die Cafeteria war hypermodern, mit großzügigen Oberlichtern, einladenden Tischen und blauen Plastikstühlen; die Wände hatte man mit Kacheln in einem heiteren Weiß-Blau gefliest. Kürbisse und Spinnen aus Papier und schwarze Katzen aus Pappmaché, deren Schwänze wie Ausrufezeichen steif gen Himmel wiesen, zierten die Anschlagbretter. Halloween war nicht mehr weit. Auf der Wanduhr, die man mit einem künstlichen Spinnennetz überzogen hatte, war es 11:20 Uhr. Die meisten Kinder verstauten ihre Lunchbox in dem Fach für ihre Klasse und rannten ins Freie.

Auch Amanda und ihre Freundinnen Emily und Danielle hatten ihre Pausenbrote fast aufgegessen, nur Melly hatte zu Roses Entsetzen nichts aus ihrer violetten Harry-Potter-Lunch-Box angerührt. Dass Melly manchmal mittags nichts aß und stattdessen in der Toilette für Behinderte das Ende der Pause abwartete, hatte Rose von ihrer Lehrerin Kristen Canton per E-Mail erfahren. Deshalb hatte sie sich auch als »Pausen-Mom« gemeldet. Sie wollte sehen, was hier vorging. Sie hatte sich vorgenommen, nicht überzureagieren, aber auch nicht die Augen zu verschließen. Ein mütterlicher Balanceakt.

»Mist, ich hab gekleckert!«, rief ein kleines Mädchen, dessen Milchtüte vom Tisch gekippt war.

»Nicht so schlimm, mein Schatz.« Rose ging zu ihr

und wischte mit einer Papierserviette die Milch vom Boden auf. »Stell dein Tablett weg. Dann kannst du hinausgehen.«

Rose warf die nasse Serviette weg, da hörte sie hinter sich Lärm. Sie drehte sich um und konnte nicht glauben, was sie sah. Amanda schmierte sich Marmelade auf ihre Wange; eine besonders heimtückische Art, Melly mit ihrem Muttermal zu verspotten. Alle am Tisch kicherten, die anderen zeigten mit der Hand auf sie und lachten. Melly rannte aus der Cafeteria in Richtung Behindertentoilette.

»Melly, warte!«, rief Rose ihr nach. Zu spät. Sie ging zurück zum Tisch. »Amanda, was du da machst, ist nicht schön.«

Amanda hielt sich die Hand vor den Mund, um ihr Kichern zu verbergen. Emily und Danielle hörten auf zu lachen, ihre Gesichter liefen rot an.

»Ich habe nichts getan.« Emily verzog verlegen den Mund. Danielle schüttelte den Kopf.

»Ich auch nicht«, sagte sie. Die anderen Kinder suchten das Weite und rannten auf den Schulhof.

»Ihr habt gelacht«, sagte Rose. Das Verhalten der Mädchen hatte auch sie verletzt. »Das war nicht recht, und ihr wisst das. Ihr macht euch über Melly lustig.«

Amanda wischte sich mit einer Serviette die Marmelade von der Wange.

»Und du, Amanda, begreifst du nicht, wie sehr du Melly damit wehtust? Versetz dich mal in ihre Lage! Sie kann nichts dafür, wie sie ist. Niemand kann etwas dafür.«

Amanda gab keine Antwort. Sie legte die zerknüllte Papierserviette auf den Tisch zurück.

»Sieh zum Schwarzen Brett. Was steht da geschrieben?« Rose zeigte auf ein Plakat, das die Anti-Mobbing-Initiative der Schule aufgehängt hatte: WIR HALTEN ZUSAMMEN. BEI UNS IST NIEMAND ALLEIN. »Aber wenn du jemanden ärgerst, dann …«

»Was ist hier los?«, rief eine Frau. Es war die zweite Pausen-Mom, die zu Rose herübereilte. »Entschuldigen Sie, aber die Mädchen müssen in die Pause.«

»Haben Sie nicht gesehen, was passiert ist?«

»Nein.«

»Nun, Amanda hat meine Tochter …«

Amanda unterbrach Rose. »Hi, Mrs Douglas.«

»Hi, Amanda.« Die Pausen-Mom wandte sich wieder an Rose. »Wir haben dafür zu sorgen, dass alle Kinder nach draußen gehen, damit die Küche die Tische für die Gruppe B vorbereiten kann. Verstehen Sie?«

»Ich weiß. Aber Amanda hat sich über meine Tochter lustig gemacht. Darüber wollte ich mit ihr sprechen.«

»Sie sind neu hier, oder? Ich bin Terry Douglas. Sind Sie zum ersten Mal Pausen-Mom?«

»Ja.«

»Dann kennen Sie die Regeln noch nicht. Wir sind nicht berechtigt, Kinder zu maßregeln.«

»Ich habe kein Kind gemaßregelt. Ich habe nur mit ihnen gesprochen.«

»Wie auch immer, so geht's nicht.« Terry nickte Emily zu, über deren Wange eine Träne lief.

»O nein. Das wollte ich nicht.« War Rose wirklich so

autoritär aufgetreten? Gut, sie war müde, und vielleicht klang sie deshalb etwas streng. Sie hatte letzte Nacht kaum ein Auge zugetan, denn den kleinen John hatte wieder eine Ohrenentzündung heimgesucht. Mit schlechtem Gewissen hatte sie ihn heute Morgen bei einem Babysitter abgegeben, damit sie hierhergehen konnte. John war erst zehn Monate alt, und Mutter zweier Kinder zu sein machte Rose noch immer Probleme. Wenn sie sich um das eine Kind kümmerte, geschah das auf Kosten des anderen – und zerreißen in zwei Hälften konnte sie sich nicht. »Terry, in dieser Schule wird Mobbing nicht geduldet. Strikt, ausnahmslos, ohne Wenn und Aber. Das müssen die Kinder begreifen. Und zwar alle. Die, die andere Kinder hänseln, aber auch die, die amüsiert zuschauen und denken, das sei nur ein Spaß.«

»Trotzdem, falls es Schwierigkeiten mit einem Kind gibt, müssen wir uns sofort an die Lehrer wenden. Mrs Snyder hat Aufsicht im Schulhof. Reden Sie mit ihr und schicken Sie die Mädchen endlich in die Pause.«

»Kann ich vielleicht meinen Satz beenden? Mehr will ich nicht. Dann können die Mädchen gehen.« Rose wollte wegen Melly die Sache nicht noch mehr aufbauschen. Wahrscheinlich würde sie sowieso als Petze beschimpft werden.

»Dann hole ich sie.« Terry drehte sich auf dem Absatz um und ging. In der Cafeteria wurde es still. Nur aus der Küche war das Geklapper von Besteck zu hören.

»Amanda«, sagte Rose vorwurfsvoll, »wenn du dich über jemanden lustig machst, tust du ihm weh. Worte können auch verletzen.«

»Du hast nicht das Recht, mich anzuschreien. Mrs Douglas hat das gerade gesagt!«

Rose war verblüfft. Sollte sie sich etwa von dieser Göre einschüchtern lassen? »Ich schreie dich nicht an«, sagte sie in ruhigem Ton.

»Ich geh jetzt in die Pause!« Amanda sprang vom Stuhl auf. Emily und Danielle schreckten zusammen.

Ein schneidend helles Licht blitzte plötzlich in der Küche auf. Dann eine ohrenbetäubende Explosion. Die Wand zur Küche stürzte zusammen. Fliesen zersplitterten und flogen durch den Raum.

Eine Stoßwelle warf Rose zu Boden. Ein Feuerball bewegte sich auf die Cafeteria zu.

Dann sah Rose nichts mehr. Kein Ton war mehr zu hören.

2

Als Rose aufwachte, lag sie auf dem Boden. Die Sprinkleranlage verteilte Löschwasser, das sich wie kühler Regen anfühlte. Schwarzer ätzender Rauch verdunkelte den Raum. Unter ihr lagen feuchter Schutt und zerbrochenes Glas. Ihr klingelten die Ohren, das Herz schlug bis zum Hals.

Was war passiert? Was war hier los?

Sie richtete sich auf. Sie hockte in einer Wasserlache. Das Gesicht tat ihr weh. Sie betastete ihre Wangen, sah das Blut auf ihren Fingerkuppen. Bluse und Hose waren nass und voller Staub. Die Beine hatte sie ausgestreckt. Am linken Knöchel entdeckte sie eine Schnittwunde. Sie bewegte den Kopf hin und her, um wieder zu sich zu kommen. Das Klingeln in ihrem Ohr übertönte jedes andere Geräusch.

In der Küche loderten orangefarbene Flammen. In einer Wand klaffte ein riesiges Loch. Betonstahl baumelte frei in der Luft wie die Fangarme eines Tintenfischs. Überall lag zersplittertes Holz, überall brannte es. Ein Inferno.

Rose konnte das, was sie sah, nicht fassen. Die perfekt eingerichtete Cafeteria war zu einem Schlachtfeld geworden. Isolierplatten hingen von der Decke herunter. Von den geborstenen Oberlichtern regnete es Glasscherben. Brennende Teilchen flogen durch die Luft. Die Hitze war unerträglich.

Die Kinder!

Rose blickte wild um sich. Durch den Rauch hindurch entdeckte sie Amanda, die nicht weit von ihr wie betäubt auf dem Boden saß. Tränen liefen ihr über die Wangen, ihr Gesicht war vor Schreck erstarrt. Sie blutete am Unterarm. Sie stand wie in Trance auf. Emily lag neben der Tür und weinte. Nur Danielle schien nicht paralysiert, sie floh Richtung Ausgang.

Plötzlich konnte Rose wieder hören. Amanda schrie, Emily schluchzte. Die Alarmanlage schrillte, die Sprinkleranlage surrte, das Feuer knisterte. Flammen schlugen aus der Küche. Sie musste die Kinder in Sicherheit bringen.

Um Gottes willen – Melly.

Rose versuchte aufzustehen. Die Beine knickten ihr weg. Der Kopf dröhnte. Um sie herum schien sich alles zu drehen. Doch dann hatte sie es geschafft. Sie stand wieder. Die Behindertentoilette lag genau gegenüber der Küche. Und wenn Melly durch die Explosion umgekommen war?

Nein, bitte nicht.

Rose ging schnell alle Eventualitäten durch. Melly konnte in der Toilette wie in einer Falle festsitzen. Niemand wusste, dass sie dort war. Niemand würde also versuchen, sie da herauszuholen. Und falls sie es geschafft hatte? Nie käme sie allein aus dem Schulgebäude heraus.

Rose überlegte. Was sollte sie tun? Sie wusste es nicht. Der Rauch wurde dichter und dicker, die Temperatur stieg und stieg. Die Flammen arbeiteten sich immer mehr in die Cafeteria vor. Ein weiteres Oberlicht zerbarst und übersäte den Raum mit Scherben.

Amanda und Emily irrten umher. Sie schrien, sie weinten. Sie waren Kinder. Sie konnten sich nicht allein retten, sie brauchten Hilfe. Sie waren nur ein paar Meter von ihr entfernt.

Melly aber war weit weg. In der Toilette. Und die befand sich am anderen Ende des Flures.

Was sollte sie tun? Amanda und Emily in Sicherheit bringen? Dann blieb keine Zeit mehr für Melly. Und wenn sie Melly rettete? Dann blieb keine Zeit mehr für Amanda und Emily, die ganz in ihrer Nähe waren. Das konnte sie nicht tun. Sie konnte aber auch ihr eigenes Kind nicht im Stich lassen.

Sie hatte die Wahl zwischen Pest und Cholera.

Sie konnte Melly retten. Oder sie konnte Amanda und Emily retten.

Sie musste eine Entscheidung treffen.

Jetzt. Sofort.

3

»Komm!« Sie packte Amanda am Arm. Rose hatte keine Entscheidung getroffen, sie handelte einfach. Danielle war schon auf dem Weg nach draußen.

»Mama!«, schrie Amanda. Die Flammen schlugen bereits bis zur Decke.

»Wir müssen hier raus!« Rose ließ Amandas Arm nicht mehr los und lief mit ihr zu Emily, die noch immer in der Nähe des Ausgangs auf dem Boden lag und weinte.

»Mama!«, schrie Amanda wieder. Rose zog Emily am Arm hoch. Sie hatte eine Wunde am Bein, war aber nicht ernsthaft verletzt.

»Kommt! Wir müssen hier raus!« Rose rannte mit beiden Mädchen Richtung Ausgang. Der Rauch hatte sich bereits auf den Flur dahinter ausgebreitet. In ihm drängten ältere Kinder – Danielle war auch dabei – in Richtung Hof. Ein Lehrer trieb sie zur Eile an.

»Lauft auf den Schulhof!« Rose schubste Amanda und Emily in den Gang. »Rennt hinter Danielle her! Ich hole Melly.«

Rose bahnte sich einen Weg zurück in die brennende Cafeteria. Die Hitze schnürte ihr die Kehle zu. Der Rauch brannte in Augen und Nase.

Ein Deckenbalken war heruntergebrochen. Die Wärmedämmung hatte Feuer gefangen.

Roses Haar und Kleidung waren inzwischen pitschnass. Sie drohte auf dem nassen Fußboden auszurutschen. Endlich war sie auf dem Gang. Da blockierte Feuer ihren Weg.

Nein. Nein. Nein.

Die Flurdecke war heruntergebrochen. Auf dem Boden lag brennender Schutt. Schwaden von dickem schwarzem Rauch stiegen auf. Die Sprinkleranlage versprühte sinnlos ihr Wasser. Die Behindertentoilette lag hinter den Flammen. Doch die schlugen zu hoch, um darüberspringen zu können. Die Deckenfliesen und die Wärmedämmung brannten.

Rose entdeckte einen Holzbalken, der aus den Trümmern ragte. Sie zog ihn heraus. Dabei wirbelte sie brennenden Schutt auf. Sie bekam einen Hustenanfall, ihr tränten die Augen. Sie versuchte, mit dem Holz die Trümmer beiseitezuschieben. Sie wollte sich einen Weg zur Toilette schaffen.

Funken flogen, Rauch stieg ihr in die Nase. Ihre Aktion ließ das Feuer wieder aufflackern. Dreck, der in den Mund gelangt war, spuckte sie aus.

Sie konnte kaum etwas sehen. Sie konnte kaum atmen. Jetzt hatte der Balken auch noch Feuer gefangen. Aber sie machte weiter, bis sie sich ihre kleine Schneise geschlagen hatte.

Dann ließ sie das Holz fallen und sprang über das Feuer. Sie stürmte durch die Hitze. Küche und Lehrerzimmer zu ihrer Linken brannten lichterloh. Es schien eine Ewigkeit zu dauern, aber dann lagen die Flammen hinter ihr.

Sie stand vor der Behindertentoilette. Rauch drang von unten durch die Tür ein. Melly konnte ersticken.

»Melly!«

Die Klinke war so heiß, dass sie sie kaum anfassen konnte. Rose drückte sie trotzdem herunter, aber die Tür war abgeschlossen. Melly musste also drin sein.

»Melly!«, schrie Rose verzweifelt. Sie rüttelte an der Tür, aber sie ging nicht auf. Tränen der Angst liefen über ihre Wangen. Wieder bekam sie einen Hustenanfall. Schwarzer Rauch quoll den Flur herunter und hüllte sie ein.

Das Feuer kam bedrohlich näher.

»Melly!«, rief sie mit all der Kraft, die sie noch hatte.

Wieder keine Antwort.

4

»Hilfe!« Aber niemand war auf dem Flur. Niemand konnte Rose helfen. Die Alarmanlage schrillte. Aus der Ferne hörte man das Heulen von Sirenen.

Sie warf sich gegen die Tür. Aber die gab nicht nach. Sie machte sich am Scharnier zu schaffen, in der Hoffnung, die Tür ausheben zu können. Ohne Erfolg. Jetzt keine Panik aufkommen lassen. Jetzt nicht die Kontrolle verlieren. Sie hustete und hustete. Die Tränen in den Augen ließen ihre Sicht verschwimmen.

Um den Türdrücker zu untersuchen, kniete sie nieder. Direkt unter ihm entdeckte sie ein Loch. Wenn es ihr gelänge, etwas durch das Loch zu stecken, könnte sie vielleicht den Knopfdrücker bewegen, mit dem die Tür von innen verschlossen war. Sie versuchte es mit einem Finger, aber der war zu breit für das Loch. Sie brauchte etwas Schmaleres.

Das Feuer im Lehrerzimmer breitete sich aus. Sie musste sich beeilen. Sie rannte zur Bibliothek, stieß die Türen auf.

Hier hatte sich noch nicht so viel Rauch angesammelt.

Im Schreibtisch der Bibliothekarin fand sie Bleistifte, Kugelschreiber, Lineale und eine Packung gelbe Minzdragées. Eine Schere, deren Klingen zu groß waren, legte sie wieder zurück. An der Garderobe hingen eine rote Strickjacke und ein paar Kleiderbügel aus Draht.

Sie schnappte sich einen und bog ihn auf dem Weg zurück zurecht. Das spitze Ende des Bügels schnitt ihr in die Hand. Das Feuer bahnte sich inzwischen vom Lehrerzimmer einen Weg zur Toilette. Die Tür verschwand bereits hinter schwarzem Rauch.

»Melly!«, schrie Rose voller Angst und hastete zur Tür. Wegen des Rauchs und der tränenden Augen brauchte sie eine Weile, bis sie das Loch wieder gefunden hatte.

Sie versuchte, das Ende des Drahtes in das Loch zu

schieben, aber sie zitterte zu sehr. Immer wieder versuchte sie es. Endlich gelang es ihr. Endlich machte es *klick.*

Sie drückte die Klinke hinunter. Die Tür sprang auf. Die Flammen hinter ihr loderten hoch auf, es gab frischen Sauerstoff für sie. Neuer Rauch füllte die Toilette.

»Melly!«

Melly saß zusammengesackt und bewegungslos auf den Fliesen. Den Kopf hatte sie zur Seite gewandt, die Arme hingen herunter.

Rose rannte zu ihr. Ob sie noch atmete, wusste sie nicht. Ihr Gesicht war mit Ruß bedeckt, die Augen waren geschlossen. Ihr Körper wirkte schlaff. Rose hatte einen Kurs in Reanimation besucht, aber zuerst musste sie ihr Kind hier herausbringen.

Sie hob Melly auf den Arm und hetzte mit ihr zur Bibliothek, rannte an den Bücherstapeln vorbei zum Ausgang, der auf einen Gang führte, den sie nicht kannte. Sie folgte dem Lärm, den sie in der Ferne hörte. Melly auf ihrem Arm war still und leblos.

Zehn Meter vor ihr tauchte eine Doppeltür auf. Über der war ein Schild angebracht. Auf dem stand AUSGANG. Jetzt waren es noch fünf Meter, jetzt nur noch zwei. Rose lief durch die Schwingtür und landete in einem Treppenhaus. Ein Lehrer trieb Kinder die Stufen hinunter – ins Freie, auf den Lehrerparkplatz.

»Das ist meine Tochter!«, rief Rose. Der Lehrer erschrak bei ihrem Anblick.

»Lasst mich vorbei!«, bat sie die Kinder, die sofort zur Seite sprangen.

Über dem Parkplatz, auf dem sich Kinder, Lehrer und Angestellte drängten, standen dunkle Rauchwolken. Die Schüler schrien aufgeregt durcheinander. Die Lehrer zählten die Kinder ihrer Klassen ab, in der Hoffnung, dass sie vollständig waren.

Rose legte Melly auf den Rasen und drückte ihr Ohr auf ihre Brust. Aber sie konnte das Herz ihrer Tochter nicht schlagen hören. Der Lärm um sie herum war zu laut. Sie hielt ihre Hand vor Nellys Gesicht, um ihren Atem zu spüren. Sie spürte nichts. Sofort begann sie mit einem Wiederbelebungsversuch. Sie bog Mellys Kopf nach hinten, öffnete ihren Mund und begann sie zu beatmen. Den strengen Rauchgeruch auf ihren Lippen ignorierte sie.

Plötzlich begann Melly zu husten. Sie spuckte Ruß, was schrecklich anzusehen war.

»Mein Schatz!« Rose weinte Freudentränen, doch Mellys Augenlider begannen zu zucken, und sie verdrehte die Augen. »Melly, nicht schlafen! Bitte!« Sie schüttelte ihr Kind, um es aufzuwecken. Ohne Erfolg.

»Vorsicht! Platz! Da kommt der Rettungswagen!« Die Bibliothekarin fasste Rose am Arm. Eine Lehrerin stand hinter ihr. »Die werden ihr helfen.«

Rose nahm Melly auf die Arme und rannte zwischen den parkenden Autos hindurch zum Rettungswagen. Die Bibliothekarin stützte sie.

Kinder und Schaulustige reckten die Hälse und wollten hinter ihnen herrennen. Lehrer und Schulangestellte scheuchten sie zurück. Viele hielten ihr Handy hoch, um Fotos zu machen oder zu filmen.

Ein Sanitäter in einer dunklen Uniform lief ihnen entgegen. Die Hintertüren der Ambulanz gingen auf, und zwei weitere Sanitäter, ein Mann und eine Frau, sprangen heraus und eilten mit einer Trage und einer Sauerstoffflasche zu der Kleinen.

»Sie ist meine Tochter«, sagte Rose zu einem Sanitäter. »Sie atmet, ist aber nicht bei Bewusstsein.«

Sie legten Melly auf die Bahre. Ein Sanitäter hielt ihr eine Sauerstoffmaske vor das Gesicht, der andere schnallte sie fest.

Während Rose mit in den Krankenwagen sprang, rief sie der Bibliothekarin zu: »Bitte sagen Sie meinem Mann Bescheid. Er heißt Leo Ingrassia und ist Anwalt. Sein Büro ist in King of Prussia.«

»Wird gemacht!«

Rose setzte sich neben Melly und hielt ihre Hand, die sich seltsam kraftlos und kalt anfühlte. Doch die Mutter ließ sie nicht mehr los. Als könnte sie ihre Tochter so dazu zwingen, auf der Erde zu bleiben.

Bitte, Gott, lass sie leben.

5

»Die Tür ist zu, Jim. Fahr los! Fahr endlich los!« Die Rufe der Sanitäterin waren bei dem Sirenengeheul und dem lauten Knistern des Funkgeräts für den Fahrer der Ambulanz kaum zu verstehen.

»Wird meine Tochter wieder gesund?« Rose hatte

die Sauerstoffmaske, die man ihr gegeben hatte, abgenommen, um besser sprechen zu können. Sie saß angeschnallt auf einem Notsitz. Mellys Hand lag in ihrer, als der Wagen anfuhr. »Ich habe sie reanimiert, und sie war bei Bewusstsein. Warum jetzt nicht mehr?«

»Bitte behalten Sie die Maske auf. Sie können alle Ihre Fragen nachher dem Notarzt stellen.« Die Sanitäterin eilte zu Melly.

»Zeigen Sie mir mal Ihren Knöchel.« Ihr Kollege zwängte sich zu Rose vor.

»Mir geht's gut«, rief Rose unter ihrer Maske. »Kümmern Sie sich um meine Tochter, bitte.«

»Wir müssen uns auch um Sie kümmern. Sie haben Verbrennungen am Knöchel und an der Hand.« Der Sanitäter zog Handschuhe an und kauerte sich vor sie, eine Packung Verbrennungspflaster hatte er bereitgelegt. »Das kann jetzt wehtun.«

»Bitte kümmern Sie sich stattdessen um meine Tochter.«

»Das macht meine Kollegin, keine Sorge. Wir müssen auch Sie verarzten. Das verlangt das Gesetz.«

Roses Augen blieben auf Melly gerichtet. Wie blass sie unter der Sauerstoffmaske aussah. Die Sanitäterin befestigte auf Mellys Brustkorb Elektroden, die mit einem EKG-Monitor verbunden waren, auf dem sofort ein Diagramm mit steilen Kurven erschien.

»Sie war in einer Toilette voller Rauch eingesperrt«, rief Rose der Sanitäterin zu. »Sie bekam kaum Sauerstoff. Hoffentlich hat sie keinen Gehirnschaden.«

»Ich tue alles, was ich kann.« Die Sanitäterin hängte

einen Beutel mit einer Salzinfusion an einen Haken und griff nach Mellys Hand. »Entschuldigung, kann ich die Hand Ihrer Tochter haben? Ich muss den Infusionsschlauch legen.«

»Natürlich.« Rose ließ Mellys Hand los. Sie bemühte sich, nicht in Tränen auszubrechen. Schnell hatte die Sanitäterin eine Vene gefunden, in die sie die Nadel stach.

»Ich werde jetzt Ihre Brandwunde versorgen.« Der Sanitäter klebte ein Pflaster um Roses Knöchel. »Das sieht nicht so schlimm aus.«

»Meinen Sie, dass meine Tochter einen Gehirnschaden hat?«, fragte Rose durch die Maske durch. »Ist sie deshalb bewusstlos?«

»Machen Sie sich keine Sorgen. Die Ärzte werden alles tun, was in ihrer Macht steht. Unsere Klinik ist spezialisiert auf Traumata. Wir hier müssen alles vorbereiten, damit die Kollegen im Krankenhaus sofort loslegen können.«

Rose verstand. Sie sollte den Mund halten, damit die Sanitäterin in Ruhe ihre Arbeit machen konnte. Währenddessen hatte ihr männlicher Kollege ihre Brandwunden versorgt. Um Mellys Arm wurde eine Blutdruckmanschette gebunden. Ihre Augen waren noch immer geschlossen, sie bewegte sich nicht, zeigte keine Reaktion. Ruß bedeckte Arme, Beine und Gesicht. Auch ihr dunkelblondes Haar, das Harry-Potter-T-Shirt und die Shorts waren verdreckt. Die Augenlider waren geschwollen. Tränen hatten auf ihren verschmutzten Wangen Spuren hinterlassen.

»Nehmen Sie.« Der Sanitäter gab Rose ein Papiertaschentuch.

Rose hatte nicht bemerkt, dass sie weinte. Sie bedankte sich und wischte sich die Tränen ab. Der Sanitäter kümmerte sich um Roses Brandwunde an der Hand, während seine Kollegin ihr die Sicht auf Melly versperrte. Roses Blick wanderte umher.

Da waren die sechs runden Lichter an der Decke, die winzigen Fenster an den beiden Hintertüren; der Erste-Hilfe-Koffer, der orange war, und der Defibrillator, der gelb war. Aus einem Schränkchen lugten Teddybären heraus. Man hatte sie noch nicht von den Etiketten befreit.

Traurigkeit überfiel sie. Nie hätte Rose erwartet, dass es in einem Krankenwagen Spielsachen gibt. Aber in dieser Welt wurden Kinder jeden Tag bei Unfällen oder Katastrophen schwer verletzt. Dieses Mal war es ihr Kind.

NOTFALLMEDIZIN FÜR KINDER stand über einer Tafel, die in Roses Augenhöhe angebracht war. In der Zeile für Schulkinder von sechs bis zwölf Jahren las sie: Atemfrequenz 18-30. Puls 70-120. Systolischer Blutdruck über 80. Sie sah hinüber zu den Monitoren, an die Melly angeschlossen war und die ihre Lebensfunktionen in mehrfarbigen Zeichen darstellten, die sie nicht entziffern konnte.

Auf der Wand gegenüber hing auch eine Schautafel. GLASGOW-KOMA-SKALA FÜR KINDER lautete die Überschrift. Es gab drei Kriterien, nach denen eine Bewusstseinsstörung eingeordnet wurde: Augenöffnung, verbale Kommunikation und motorische Reaktion. Für jede der drei Rubriken gab es Punkte. Rose vergab die Punkte für ihre Tochter. Mellys Augen – sie blieben die ganze Zeit über geschlossen: null Punkte. Sie gab keinen Ton von sich: null Punkte. Bewegung? Nicht die geringste: null Punkte. Melly bekam in allen drei Kategorien null Punkte.

Tränen liefen wieder über Roses Wangen. Panische Angst ergriff sie. Sie reckte sich, konnte Melly aber nicht sehen. Die Sanitäterin hatte sich über ihre Tochter gebeugt. Sie hob deren Augenlider an, um mit einer Pupillenleuchte die Reaktion der Augen zu überprüfen.

Rose berührte mit den Fingerspitzen Mellys Trage. Die Sanitäterin veränderte ihre Position. Jetzt konnte Rose Mellys Hand sehen. Ein riesiges Hämatom zeichnete sich ab. Das hatte sie sich bestimmt bei dem verzweifelten Schlagen und Trommeln gegen die Toilettentür zugezogen. Bei dem Versuch, der Hölle zu entkommen. Bei dem verzweifelten Hoffen auf Rettung und den unbeirrten Rufen nach der Mutter.

Mama!

Rose hätte am liebsten losgeschrien. Wäre sie sofort zur Toilette gerannt, ginge es Melly jetzt gut. Das Ganze war eine Sache von Minuten, von Sekunden gewesen. Der Sauerstoffentzug für das Gehirn wäre noch im grünen Bereich gewesen. Die Punkte auf der Glasgow-Koma-Skala hätten ausgereicht. Warum hatte sie diese wertvollen Minuten und Sekunden Amanda geschenkt und nicht ihrer Tochter? Warum hatte sie Amanda gerettet und nicht Melly?

Rose hielt sich mit aller Kraft an Mellys Trage fest.

Jede andere Mutter hätte zuerst ihr eigenes Kind gerettet. Gut, Melly war weiter weg gewesen. Aber hätte das eine Rolle spielen dürfen?

Rose wischte sich die Tränen ab. Sie hatte geglaubt, keine Entscheidung getroffen zu haben. Aber das hatte sie. Und zwar die falsche. Sie liebte Melly über alles. Falls sie nicht überlebte, könnte sie sich das nie verzeihen. Und wie wollte sie jemals Leo wieder unter die Augen treten? Leo war Mellys Stiefvater, aber er liebte sie wie sein eigenes Kind. Seit dem Tod ihres leiblichen Vaters vor fünf Jahren tat er das. Rose fühlte sich schuldig. Sie drohte in einem Meer von Schuld unterzugehen.

Der Krankenwagen raste die Allen Road hinunter. Bis zum Krankenhaus war es nicht mehr weit. Der Sanitäter hatte die Wunde an ihrer Wange versorgt. Roses Brust zog sich zusammen. Atmete Melly noch? Jetzt konnte sie nur noch beten.

»Wir sind da!« Der Krankenwagen hielt an. Dann ging alles sehr schnell. Die Hintertüren der Ambulanz sprangen auf, das helle Sonnenlicht blendete sie. Die Sanitäter rannten mit Melly auf der Bahre zur Notaufnahme, wo Krankenschwestern, Pfleger und Ärzte Melly in Empfang nahmen und wegbrachten.

Rose wich nicht von ihrer Seite. Bis man sie wegschickte.

6

Rose ließ sich in einen gepolsterten Sessel fallen. Sie war die Einzige im Warteraum. Ihr Haar und ihre Kleider stanken nach Rauch. Ihre Kehle fühlte sich trocken an, die Augen schmerzten, trotz der Tropfen, die man ihr gegeben hatte. Man hatte sie vorsichtshalber gegen Tetanus geimpft. Melly war seit über einer halben Stunde in einem der Untersuchungszimmer der Notaufnahme. Gehört hatte Rose bisher noch nichts. Erst nach einer gründlichen Untersuchung wollten die Ärzte sich zu ihrem Gesundheitszustand äußern. Rose hatte den Babysitter angerufen und ihn gebeten, falls nötig bis zum Abend bei John zu bleiben.

Gerahmte Farbdrucke von Wiesen und Weiden schmückten die pastellblauen Wände des Warteraums. Auf dem Fernseher, der ohne Ton lief, konnte man fast nichts erkennen. Die Sonne schien direkt auf den Bildschirm. Abgegriffene Ausgaben von *TIME*, *People* und anderen Zeitschriften stapelten sich auf einem Tischchen. Rose ließ sie liegen. Sie beobachtete die Staubpartikel, die im Sonnenlicht umhertanzten. Ruhe bewahren, Ruhe bewahren, das war ihr einziger Gedanke.

Ihre rechte Hand war frisch verbunden, auf der linken klebten noch viele Rußteilchen, schwarz und dick wie gemahlene Pfefferkörner. Sie dachte an Melly und stellte sich vor, wie sie gegen die Toilettentür schlug und verzweifelt nach ihrer Mutter rief.

Mama!

Rose stand auf und ging, wegen ihres bandagierten Knöchels äußerst vorsichtig, zum Waschraum. Im Spiegel über dem Waschbecken sah sie aus wie ein Bergarbeiter nach der Schicht. Der Ruß hob ihre Krähenfüße und die Falten unter den Augen hervor. Wundsalbe ließ ihre linke Wange glänzen. Die Stirn war dunkel wie eine Gewitterwolke. Ihr langes dunkles Haar sah aus wie ein verdreckter Mopp.

Sie öffnete die Tür, denn sie wollte den Arzt nicht verpassen. Dann drehte sie den Wasserhahn auf und wusch sich, so gut sie konnte, das Gesicht. Danach betrachtete sie sich wieder im Spiegel. Sie sah noch immer wie ein Bergarbeiter aus, jetzt allerdings wie einer, der von einer Visagistin zu einem Musterexemplar gestylt worden war. Ihre großen blauen, weit auseinanderstehenden Augen waren blutunterlaufen, ihre schmale gerade Nase war auf der Spitze rot verbrannt. Ihr Ex-Ehemann Bernardo hatte immer behauptet, sie hätte die perfekte mütterliche Ausstrahlung.

Bernardo Cadiz hatte sie bei einem Shooting kennengelernt. Die Erinnerung daran weckte in ihr süße, aber auch bittere Gefühle. Der hübsche Fotograf wollte immer mehr aus ihrer Karriere machen. Er bemühte sich um einen besseren Agenten, um bessere Aufträge. Doch Rose wusste, dass die Topaufträge eine Nummer zu groß für sie waren. Ihre irischen Gesichtszüge und ihr natürlicher Charme waren perfekt für solide Versandhausmode. Wie oft war sie im Schneewittchen-Kostüm für einen Halloween-Prospekt fotografiert worden. Ihr Aussehen hatte sie nicht eitel werden lassen. Es war ein

Geschenk Gottes, mit dem sie Geld verdienen konnte. Nie hatte sie von einer großen Karriere geträumt. Geträumt hatte sie immer davon, einmal Mutter zu werden. Und als sie es dann geworden war, zog Bernardo tatsächlich nachts nicht mehr um die Häuser, wie er es ihr versprochen hatte.

»Rose?« Jemand rief sie. Es war Leo, ihr Mann, der im Wartezimmer nach ihr suchte. »Schatz?«

»Ich bin hier«, rief sie zurück. Ihr Herz klopfte schneller, als sie ihn sah. Wenn Bernardo Cadiz sich hauptsächlich für schöne Formen und das Äußere interessiert hatte, so war Leo Ingrassia ein Mann der Substanz und des Inhalts. Noch immer sah er aus wie ein Ministrant aus italo-amerikanischem Elternhaus. Er war mittelgroß, kräftig gebaut, hatte ein freundliches, offenes Gesicht mit braunen runden Augen, einer fleischigen großen Nase und vollen Lippen. Sein pechschwarzes Haar war dick, lockig und widerspenstig – was gut zu ihm passte, war er doch der uneitelste Mensch, den Rose je getroffen hatte.

»Mein Gott, Liebling! Was ist passiert?« Leo sah sie sorgenvoll an. »Bist du in Ordnung? Wie geht es Melly?«

»Ich weiß es nicht. Es ist so furchtbar.« Rose verbarg ihr Gesicht an seiner Schulter.

»Ich war auf dem Nachhauseweg, als Julie mich anrief. Wo ist unser Mädchen? Wie geht es ihr?«

»Die Ärzte kümmern sich um sie. Sie war bewusstlos. Hoffentlich hat sie keinen Gehirnschaden.«

»Aber du hast sie doch gerettet?«

»Nun, nein. Doch, irgendwie schon.« Rose zögerte. Tränen traten ihr in die Augen. Was, wenn Leo erführe, dass sie Melly nicht als Erste gerettet hat? »Leo, ich muss dir etwas …«

Jemand räusperte sich. Die beiden drehten sich um. Ein Arzt, groß, Ende fünfzig, mit grauen Schläfen, sah sie an. Sein Blick war ernst. »Sind Sie die Eltern von Melinda Cadiz?«

»Ja«, antwortete Rose.

»Ich bin Doktor Holloeri.« Er streckte Rose die Hand entgegen und lächelte. »Ihrer Tochter geht es den Umständen entsprechend gut.«

»Gott sei Dank.« Rose war erleichtert. Sie hielt ihre Tränen zurück.

»Ich bin Leo Ingrassia.« Er gab dem Arzt die Hand. »Herr Doktor, hat sie einen Gehirnschaden?«

»Nein, aber sie hat sehr viel Rauch eingeatmet. Ihr Hals ist deshalb angeschwollen, was den Luftfluss zur Lunge behindert. Das kann bei Kindern gefährlich werden. Und er kann noch weiter anschwellen. Deshalb sollten wir Kehle und Luftröhre noch eine Weile im Auge behalten.«

Leo legte den Arm um Rose.

»Falls sie Plastikdämpfe oder andere giftige Stoffe eingeatmet hat«, fuhr der Arzt fort, »könnte das vielleicht zu Problemen führen, wenn sie älter wird. Aber ich möchte jetzt nicht alle Eventualitäten durchgehen.«

»Können wir sie sehen?«, fragte Rose.

»Noch nicht. Wir haben ihr ein Sedativum gegeben. Sie schläft.«

»Können wir sie wirklich nicht sehen?«, fragte Rose wieder. »Auch wenn sie schläft. Es würde mich beruhigen.«

»Sie tun ihr mehr Gutes, wenn Sie jetzt nach Hause gehen, sich entspannen und dann wiederkommen.« Doktor Holloeri sah zur Wanduhr. »Sagen wir, Sie kommen in zwei Stunden zurück. Bis dahin ist sie wach und will Sie sehen. Ich vermute, Sie auch.«

»Natürlich.«

»Gut.« Der Doktor gab Rose einen Klaps auf die Schulter. »Sie haben heute das Leben Ihrer Tochter gerettet. Wenn Sie fünf Minuten später gekommen wären, hätten wir ein ganz anderes Gespräch führen müssen.«

Leo strahlte seine Frau an. »Schatz, ich bin stolz auf dich. Du bist großartig.«

»Nein, das bin ich nicht.« Rose errötete. Sie kam sich wie eine Angeberin vor. Reines Glück hatte Melly gerettet.

»Okay, machen Sie es gut.« Doktor Holloeri lächelte. »Ich muss zurück zu meiner Arbeit.«

»Vielen Dank.« Rose umarmte ihn.

Leo schüttelte noch einmal seine Hand. »Wir sind sehr dankbar für das, was Sie für unsere Tochter getan haben.«

Rose fasste Leo am Arm, als sie nach draußen gingen. Die großen spitzen Blätter der Sumpfeichen, die beim Eingang standen, waren rostfarben verfärbt. Die Sonne brannte. Der Spätsommer wollte dieses Jahr kein Ende nehmen. Der Wind hatte die welken Blätter auf den Fußweg geweht, auf dem ein kleines Grüppchen beisammenstand, das zu Rose und Leo blickte. Unter ihnen eine TV-Reporterin in einem knallroten Kostüm.

»Hallo, Ms McKenna!« Die Reporterin hielt ein Mikrofon in der Hand und lief auf Rose zu. Der Aufnahmeleiter und der Kameramann folgten ihr. »Ich bin Tanya Robertson vom Kanal Neun. Wie glücklich ich bin, Sie zu treffen. Sie waren so mutig!«

»Bitte nicht.« Rose winkte ab. Pfleger, Krankenschwestern und ein Sicherheitsbeamter beobachteten die Szene erwartungsvoll, denn Reesburgh bekam nur selten Besuch von TV-Berühmtheiten.

»Ist es okay, wenn wir filmen?« Tanya hielt Rose das Mikrofon unter die Nase. Der Kameramann startete die Aufnahme.

»Bitte nicht. Ich sehe furchtbar aus.«

»Aber nein, Sie sehen großartig aus. Wie geht es Ihrer Tochter Melinda? Oder besser, Melly. So nennen Sie sie doch, oder? Ist die Arme über dem Berg?«

»Es geht ihr viel besser.« Rose sah sich nach einem Fluchtweg um, aber Kameramann und Aufnahmeleiter versperrten ihr den Weg.

»Wie haben Sie ihr Leben gerettet? Erzählen Sie uns davon.«

»Bitte nicht.« Das war das Letzte, was Rose jetzt tun wollte.

»Meine Frau ist zu bescheiden.« Leo tätschelte Rose. »Fünf Minuten später, und unsere Tochter wäre jetzt tot.«

»Tatsächlich?« Tanya sah Rose mit großen Augen an,

während der Kameramann eine Großaufnahme von ihrem Gesicht machte. »Ms McKenna, wie haben Sie das Leben Ihrer Tochter gerettet?

»Nein, bitte nicht.« Rose zuckte zusammen.

»Erzählen Sie uns!«

»Ich habe das getan, was jede andere Mutter auch getan hätte.« Rose fasste Leo am Arm. »Entschuldigen Sie, aber wir müssen gehen.«

»Aber Sie sind eine Heldin!«, rief Tanya begeistert aus. »Seien Sie nicht so bescheiden. Ihr Gatte hat recht.«

»Gehen wir, mein Gatte.« Rose eilte an Tanya vorbei, Leo folgte ihr.

»Warten Sie!« Tanya rannte den beiden hinterher, das Filmteam im Schlepptau. »Ms McKenna, Ihre Geschichte hatte ein Happy End. Aber eine Lehrerin und zwei Küchenhilfen sind bei der Explosion ums Leben gekommen.«

Rose blieb vor Schreck stehen. Leo sah sie an, auch er war schockiert – und die Reporterin ließ nicht locker.

»Ms McKenna, Ihre Geschichte bewegt die Gemüter so vieler Menschen. Was haben Sie bei der Rettung Ihrer Tochter empfunden?«

»Keine Fragen, bitte.« Wie leicht hätte auch Melly heute sterben können.

»Kein Kommentar«, sagte Leo beim Weggehen, während Tanya direkt in die Kamera sprach:

»Manche Leute behaupten, wir senden nur schlechte Nachrichten. Aber hier ist eine gute. Heute hat in der Reesburgh-Grundschule eine Mutter ihr Leben aufs Spiel gesetzt, um das Leben ihrer Tochter zu retten. Gerade verlässt die bescheidene Heldin das Krankenhaus. Ihr Name ist …«

Da entdeckte Rose Mellys Lehrerin Jane Nuru, die vom Parkplatz winkend auf sie zurannte.

»Rose, Leo!« Normalerweise war Mrs Nuru die Eleganz in Person. Aber heute sah sie derangiert aus. Ihr Haarknoten hatte sich aufgelöst, ihr Hosenanzug war total zerknittert. »Rose, Sie Arme! Wie geht es Ihnen und Melly?«

»Melly wird wieder gesund werden. Sie muss noch ein oder zwei Tage im Krankenhaus bleiben, aber sie ist okay.«

»Gott sei Dank!« Mrs Nuru schüttelte den Kopf. Ihre Halloween-Ohrringe, flippige Skelette, aufgereiht auf einer Leiste, schlackerten. »Mr Rodriguez und ich haben uns solche Sorgen gemacht. Aber wir konnten Sie telefonisch nicht erreichen. Was ist passiert?«

»Melly war in der Toilette eingesperrt, aber jetzt geht es ihr wieder gut.« Rose wollte nicht ins Detail gehen, denn das Filmteam lag nicht weit entfernt auf der Lauer. »Ich erzähle es Ihnen ein anderes Mal.«

»Und Ihnen geht es gut? Was ist mit der Wunde in Ihrem Gesicht?«

»Das ist nichts.«

»Was für eine Tragödie«, sagte die Lehrerin zu Leo.

Der schüttelte den Kopf. »Meine beiden Mädchen sind durch die Hölle gegangen. Drei andere haben sie nicht überlebt.«

Mrs Nuru spitzte die Lippen. Ihr pinkfarbener Lippenstift war verschmiert. »Marylou Battle ist die Lehrerin. Sie ist seit ihrer Pensionierung immer mal wieder eingesprungen. Serena Perez und Ellen Conze haben in der Küche gearbeitet. Sie waren sofort tot. Aber was ist mit Amanda? Niemand weiß, wo sie abgeblieben ist.«

»Ich verstehe nicht. Was meinst du?«

»Sie wurde zuletzt mit dir zusammen gesehen.«

7

»Amanda ist mit den anderen auf den Hof gerannt.« Rose war verwirrt.

»Nein, ist sie nicht. Wir haben sie bisher nicht gefunden.« Mrs Nuru wirkte tief besorgt. »Amanda und Melly waren die Einzigen, die fehlten. Ich habe meine Klasse abgezählt. Dreizehn Mädchen, zwölf Jungs. Raheen war wegen einer Halsentzündung krankgemeldet.« Mrs Nuru sprach jetzt zu Leo. »Wir führen mit den Kindern regelmäßig Übungen für den Notfall durch. Wir machen jeden Monat eine Feuerwehrübung, das schreibt das Gesetz vor. Aber in dem neuen Schulgebäude hatten wir erst eine. Und ein richtiges Feuer ist etwas anderes.«

»Natürlich.« Leo nickte. Aber Mrs Nuru brauchte keine Zustimmung, so sehr sprudelten die Worte aus ihr heraus.

»Wir haben Amanda bisher nicht gefunden. Niemand weiß etwas. Das macht mir Angst. Mr Rodriguez ist schon völlig fertig. Und Sie behaupten, sie ist auf den Hof gegangen?«

»Amanda? Ja. Und zwar mit Emily. Sie sind Danielle hinterhergerannt.«

»Wirklich?« Mrs Nuru zog die Stirn in Falten. »Emily und Danielle waren bei den anderen. Aber Amanda nicht.«

»Haben Sie Emily gefragt? Sie war mit Amanda zusammen.«

»Wir haben nicht mit ihr sprechen können. Sie und Danielle sind zu ihren Hausärzten gebracht worden. Es war ein ziemliches Durcheinander. Einige Kinder sind von ihren Eltern abgeholt worden, andere sind mit ihren Klassenkameraden nach Hause gegangen. Entschuldigen Sie.« Mrs Nuru zog ihr Handy aus der Tasche. »Ich schreibe Mr Rodriguez schnell eine SMS. Damit er auf dem neuesten Stand ist.«

»Vielleicht ist sie mit einem ihrer Brüder nach Hause gegangen?« Rose dachte laut nach. »Sie sind älter, und Eileen arbeitet doch?« Rose hatte Amandas Mutter, Eileen Gigot, bei dem Elternabend gesehen, aber nicht mit ihr gesprochen. Sie hatte sie vorher einmal angerufen, nachdem Amanda Melly mehrmals angepöbelt hatte. Aber Eileen hatte nicht zurückgerufen. »Amanda hat eine Menge Freundinnen in der Klasse. Vielleicht ist sie bei einer von ihnen.«

»Wodurch wurde die Explosion verursacht?«, fragte Leo.

»Man weiß es noch nicht. Das Bombenentschärfungskommando ist gerade eingetroffen, als ich weggegangen bin. Fünfzehn Feuerwehrzüge versuchen das Feuer zu löschen.«

»Das Bombenentschärfungskommando?« Leo schüttelte ungläubig den Kopf. »Was hat denn das hier verloren?«

»Entschuldigen Sie.« Mrs Nuru wandte sich wieder an Rose. »Haben Sie mit eigenen Augen gesehen, wie Amanda auf den Hof gelaufen ist?«

»Nein.« Rose sprach leiser, damit Tanya sie nicht verstehen konnte. »Ich habe sie und Emily bis auf den Flur begleitet und sie angewiesen, mit den anderen Kindern auf den Hof zu gehen. Eine Lehrerin hat an der Tür zum Hof gestanden.«

»Wer war das?«

»Ich kenne sie nicht.«

»Wie sah sie aus? Hatte sie langes oder kurzes Haar?«

»Sie war blond. Mehr habe ich nicht gesehen.« Rose rieb sich die Stirn, sie war plötzlich müde. »Ich würde sie aber wiedererkennen.«

»Das verstehe ich nicht.« Mrs Nurus Augen verengten sich. »Haben Sie Amanda und Emily persönlich auf den Hof gebracht?«

»Nein. Ich habe sie bis auf den Flur begleitet.«

»War Melly bei Ihnen?«

»Nein. Die war auf der Behindertentoilette. Amanda hatte sie gehänselt. Nachdem ich Amanda und Emily auf den Hof geschickt hatte, bin ich zu Melly gelaufen.« Rose vermied es, Leo in die Augen zu sehen.

»Jetzt verstehe ich.« Mrs Nuru nickte. »Sie sind nicht mit den beiden auf den Hof gegangen, weil Sie sich um Melly kümmern wollten.«

»Genau.« Für einen kurzen Augenblick hatte Rose das Gefühl, etwas Falsches gesagt zu haben.

Leo fasste sie bei der Hand. »Schatz, ist die Tür zum Hof am Ende des Flurs?«

»Ja.«

»Dann mussten Amanda und Emily also nur mit den anderen Kindern hinausgehen?«

»Genau.«

Mrs Nuru runzelte die Stirn. »Rose, Mrs Synder hat von Terry Douglas erfahren, dass Sie Amanda in der Cafeteria festgehalten haben, um sie zu schimpfen. Sie wissen doch, dass Pausen-Moms das nicht dürfen. Das steht nur Lehrkräften zu.«

»Also wirklich!« Leo wurde wütend, aber Rose kniff ihm in den Arm.

»Ich habe sie nicht geschimpft. Ich habe mit ihr gesprochen und ihr das Anti-Mobbing-Plakat gezeigt. Das war alles.«

»Kann sein. Aber vielleicht verstehen Sie jetzt das Problem.« Mrs Nuru zog die Augenbrauen hoch. »Wenn Sie Amanda nicht festgehalten hätten, wäre sie bei der Explosion wie die anderen Kinder schon auf dem Hof gewesen.«

»Das meinen Sie nicht ernst!«, rief Leo empört.

»Regeln sind Regeln, Mr Ingrassia.« Mrs Nuru wurde lauter. »Auch Pausen-Moms haben sie zu befolgen. Früher hatten wir bezahlte Hilfen. Aber dann konnten wir sie uns nicht mehr leisten. Und so etwas kommt dann bei Sparmaßnahmen heraus. Aber das werden sie bei der Regierung nie begreifen.«

Sirenengeheul unterbrach sie. Die Wagen auf der Allen Road fuhren zur Seite, um Platz für eine Ambulanz zu machen.

Rose versuchte, mit Leo Augenkontakt aufzunehmen, aber der verfolgte die Fahrt des Rettungswagens. Sie spürte den Zorn in seinem Blick. Da tauchte Tanya von hinten auf, das Mikrofon in Richtung Rose gerichtet.

»Ms McKenna, entschuldigen Sie. Aber da Sie noch da sind, wie wäre es mit einem ausführlichen Interview?«

»Nein.«

»Ich meine nicht jetzt. Vielleicht morgen. Wir könnten es bei Ihnen zu Hause machen. Eine richtig schöne und ausführliche Homestory.«

Leo drehte sich zu ihr um. »Meine Frau hat Ihnen höflich geantwortet. Ich bin nicht so höflich. Also lassen Sie uns in Ruhe.«

»Okay, ich hab verstanden.« Tanya hielt Mrs Nuru das Mikrofon hin. »Entschuldigen Sie, sind Sie auch eine Mutter, deren Kind …?«

»Ich spreche nicht mit Reportern.«

»Aber ich wollte doch nur wissen, ob …«

»*Nein,* habe ich gesagt.«

»Okay, ich hab verstanden.« Tanyas Handy, das in ihrem Gürtel steckte, klingelte. Der Krankenwagen raste Richtung Notaufnahme. Ein blauer Minivan folgte ihm. Rose, Leo und Mrs Nuru hielten sich wegen des Sirenenlärms die Ohren zu.

»Hört mal her«, rief Tanya und klappte ihr Handy zu. »Vielleicht interessiert es euch. Man hat ein weiteres

Kind in der Schule gefunden. Sein Name wurde noch nicht bekannt gegeben.«

»Was ist los?« Mrs Nuru nahm die Hände von den Ohren.

»Junge oder Mädchen?«, fragte Leo. Aber Tanya hetzte schon zum Eingang der Notaufnahme.

Rose stand da wie betäubt. Ihr Mund war ausgetrocknet. Ach, wäre sie doch heute zu Hause geblieben und hätte mit John gekuschelt. Leo streichelte sie. Seine Hand fühlte sich warm und rau an.

Die Sirene der Ambulanz wurde ausgeschaltet. Der Rettungswagen hielt, die Hintertüren sprangen auf. Zwei Sanitäter rannten mit einer Bahre zum Eingang.

Rose glaubte, ihren Augen nicht trauen zu können.

8

Amanda lag auf der Bahre, sie war bewusstlos. Ihr Kopf wurde von Schaumstoffwürfeln an beiden Seiten des Halses gestützt. Ihr blondes Haar war blutverschmiert. Unter der Sauerstoffmaske erkannte man ihre von Ruß geschwärzten Wangen. Die Stirn war bandagiert, Bluse und Rock waren verdreckt. Die Beine lagen quer, eine einzelne Sandale lag am unteren Ende der Trage.

Nein, nein, nein.

»Um Gottes willen«, sagte Mrs Nuru und verstummte. Leo legte den Arm um sie. Rose brachte keinen Ton heraus. Die drei drückten sich aneinander. Die automatischen Eingangstüren zur Notaufnahme öffneten sich. Amanda wurde hineingetragen.

»Was mag passiert sein?«, fragte Leo mit schwacher Stimme.

»Sehen wir nach.« Mrs Nuru ging los, Rose und Leo folgten ihr. Da wurde die Tür des blauen Minivan aufgestoßen.

»*Sie! Bleiben Sie stehen!*« Eine blonde Frau sprang aus dem Wagen und rannte auf Rose zu. Die brauchte einen Augenblick, um die Schreiende zu erkennen, so wutverzerrt war ihr Gesicht. Es war Amandas Mutter, Eileen Gigot.

»Was ist hier los?« Leo verschlug Eileens Geschrei den Atem.

»*Sie!* Was sind Sie bloß für ein Mensch! Und Sie wollen eine *Mutter* sein!«

Rose wich zurück, Leo stellte sich Eileen in den Weg und hob beschwichtigend die Hand.

»Bitte«, sagte er mit ruhiger Stimme, »ich weiß, Sie sind erregt. Dennoch gibt es keinen Grund, um …«

»Sie haben mein kleines Mädchen im Stich gelassen. Ihnen war es scheißegal, ob es lebt oder stirbt. Sie haben nur an Ihr Kind gedacht!«

»Nein, das stimmt nicht. Ich habe Amanda in den Flur …«

»Sie lügen! Terry hat mir die Wahrheit erzählt. Sie haben Amanda angeschrien! Sie hatten es von Anfang an auf sie abgesehen. Jetzt stirbt sie vielleicht. Sind Sie nun zufrieden?«

Rose überkam ein starker Brechreiz. Mrs Nuru und

die anderen beobachteten die Szene voller Entsetzen. Tanya richtete das Mikrofon auf Eileen, und der Kameramann filmte, wie sie weiterschrie.

»Sie haben nur an Ihr Kind gedacht! Mein Kind war Ihnen scheißegal!«

»Jetzt reicht's aber. Bitte.« Leo hob die Hände, aber Eileen schlug sie weg.

»Gehen Sie zum Teufel! Sie sind genauso widerlich wie Ihre Frau.«

»Eileen!«, rief eine Frau, die aus dem Minivan sprang. »Vergiss die beiden. Sie sind es nicht wert. Wir müssen uns um Amanda kümmern. Gehen wir.«

»Es ist *Ihre* Schuld!«, brüllte Eileen, während die Frau sie gewaltsam wegzog. »Blut klebt an Ihren Fingern!«

»Gehen wir hier weg«, sagte Leo und drängte seine Frau zum Parkplatz.

Die fühlte sich wie eine Mörderin.

9

Rose saß am Küchentisch, das Kinn auf die Hand gestützt. Sie fühlte sich schrecklich. Leo aß die Reste eines asiatischen Gerichts auf. Er glaubte, dass Essen in allen Situationen weiterhilft. Leo war im Restaurant seiner Eltern großgeworden. Rose beneidete ihn um dieses Allheilmittel. Inzwischen hatte sie geduscht und frische Jeans und einen blauen Sweater angezogen. Sie hatte sich die Zähne geputzt, aber den Rauchgeschmack im

Mund war sie nicht losgeworden. Immerzu dachte sie an Amanda. Immerzu hörte sie Eileen Gigot schreien.

Es ist Ihre Schuld!

Sie hatte Leo genau erzählt, was in der Cafeteria passiert war. Er hatte ihr keinen Vorwurf gemacht, dass sie sich um Melly als Letzte gekümmert hatte. Das war sehr lieb von ihm gewesen. Es fühlte sich seltsam an, dass weder ihre Tochter noch John zu Hause waren. John war noch beim Babysitter, schließlich wollten sie bald wieder ins Krankenhaus fahren. Sie vermisste ihren kleinen Sohn. Er war stets in ihrer Nähe, hüpfte auf ihrem Schoß herum oder kuschelte sich an sie. Nie hätte sie geglaubt, dass sie ein Kind so sehr lieben könnte wie Melly – bis John auf die Welt kam. Ein Mutterherz hatte für viele Kinder Platz.

Mama!

Ihr Blick wanderte in der Küche umher. Sie war groß genug, um darin essen zu können. Sie liebte die weißen Wandschränke und die Erkerfenster, in denen Töpfe mit französischem Lavendel standen. Dessen purpurfarbene Blüten füllten die Küche gewöhnlich mit Wohlgeruch. Doch heute konnten sie den Gestank von Rauch nicht vertreiben. Die mintfarbenen Fliesen sorgten für eine heitere Atmosphäre, die Küchengeräte waren aus Edelstahl, der Tisch aus Kiefernholz. Heute allerdings mochte diese Küche, in die sie sich schon bei der Hausbesichtigung verliebt hatte, ihre Stimmung nicht zu heben. Unter dem Tisch saß Prinzessin Google, ihr kleiner Spaniel, der neugierig an ihrem bandagierten Knöchel herumschnüffelte.

Blut klebt an Ihren Händen!

»Reg dich nicht so auf, mein Schatz.« Leo schaufelte eine gehörige Portion Reis auf seinen Löffel. Seine Krawatte hatte er gelöst, die Hemdsärmel hochgekrempelt. »Du hast nichts Falsches getan. Übrigens hat ein Reporter vorhin angerufen. Deshalb habe ich das Telefon ausgehängt. Das Krankenhaus hat unsere Handynummern.«

»Gut.« Rose versuchte, sich zu beruhigen. Sie nippte an einem Glas Wasser, aber selbst das Schlucken fiel ihr schwer. »Ich bete zu Gott, dass es Amanda bald wieder gut geht.«

»Du hast sie nach draußen geschickt. Wenn sie wieder nach drinnen rennt, ist es nicht deine Schuld.«

»Du glaubst, dass es so war?«

»Natürlich. Es gibt keine andere Möglichkeit.« Leo tunkte den Reis in Currysoße.

»Aber so kann es nicht gewesen sein.« Rose sah Amanda vor sich, wie sie mit den Flammen kämpfte. »Die Lehrerin an der Tür hätte nicht zugelassen, dass sie zurückläuft.«

»Vielleicht war die Lehrerin nicht mehr da. Oder sie hat Amanda übersehen. Sie ist klein für ihr Alter, oder?«

»Ja.«

»Irgendwie ist sie ihr entwischt. Bei den vielen Kindern kann das leicht mal passieren.« Leo goss noch mehr Soße über den Reis. »Du hast Mrs Nuru gehört. Es muss ein arges Durcheinander gewesen sein. Und es gab erst eine Brandschutzübung an der neuen Schule. Deshalb mache ich den Lehrern keinen Vorwurf. Aber dir erst recht nicht. Nie und nimmer.«

Rose fuhr sich durchs Haar. Ihre Hand zitterte. »Ich musste nach Melly sehen. Das kann mir niemand vorwerfen.«

»Selbstverständlich nicht. Das wäre ja geisteskrank.«

»Bist du böse, dass ich mich um die anderen Kinder zuerst gekümmert habe?« Rose wollte von Leo endlich Klarheit.

»Schau« – er beugte sich nach vorne –, »ich verstehe dich. Die anderen Kinder waren in deiner Nähe. Du konntest sie nicht im Stich lassen.«

»Stimmt.« Rose schien erleichtert zu sein.

»Das war reiner Zufall, dass Amanda und Emily in deiner Nähe waren. Und Melly hat es trotzdem geschafft. Darüber bin ich sehr froh. Da haben wir richtig Glück gehabt. Normalerweise hättest du dich nie als Erstes um die Kinder anderer gekümmert.«

»Stimmt.« Rose errötete. Das klang brutal, war aber die Wahrheit.

»Außerdem musstest du auf der Stelle handeln. Du hattest keine Zeit, lange zu überlegen.« Leo sah weg, dann blickte er ihr wieder in die Augen. »Aber eine Sache interessiert mich doch.«

»Was?« Rose hatte keine Ahnung, was er wissen wollte.

»Nur mal angenommen, rein hypothetisch. Du nimmst ein zweites Kind in deinem Wagen mit, hast aber nur einen Kindersitz. Wer bekommt ihn? Dein Kind oder das andere?«

»Ich weiß, was du hören willst. Mein Kind.«

»Aber klar will ich das hören.« Leo lachte.

Rose fühlte sich unbehaglich. »Und was würdest du tun?«

»Keine Frage. Mein Kind bekommt den Sitz.«

»Ich bin mir nicht sicher. Vielleicht bekäme ich Schuldgefühle.«

»Wieso?«, fragte Leo ungläubig.

»Wenn das Nachbarskind bei einem Unfall verletzt wird. Dann würde ich mich schuldig fühlen.«

»Gemäß der Lehre, dass man auf fremde Sachen besser aufpasst als auf die eigenen?«

»Genau so ist es.«

Leo wollte das Thema beenden. »Gut, wir müssen uns in diesem Punkt nicht einig werden. Außerdem hast du sowohl die fremden Kinder als auch Melly gerettet. Das war ein Beweis von außergewöhnlichem Multitasking.«

»Überhaupt nicht.« Rose schüttelte den Kopf. »Denk an Amanda.«

»Du hast sie in Sicherheit gebracht. Und bitte, gib das nächste Mal Melly den Kindersitz.« Leo lächelte, Rose nicht.

»Wenn ich Amanda im Hof abgeliefert hätte, ginge es ihr jetzt gut. Dieser Gedanke treibt mich in den Wahnsinn.«

»Aber dann hättest du Melly nicht retten können. Es war eine Sache von fünf Minuten. Erinnere dich, was der Arzt gesagt hat.« Leo trank einen Schluck. »Die Flammen im Gang hätten dir vielleicht sogar den Weg zu Melly versperrt. Denn das Feuer breitete sich schnell aus. Du konntest nur verlieren, hast aber trotzdem gewonnen.«

»Nicht, wenn ich an Amanda denke.« Rose sah sie vor sich, wie sie mit blutdurchtränktem Verband auf der Bahre lag. »Du hast sie gesehen.«

»Aber wer trägt die Schuld? Was ist mit der Lehrerin, die nicht bemerkt hat, dass sie wieder ins Schulgebäude rennt? Was ist mit der anderen Pausen-Mom? Wie heißt sie noch mal?«

»Terry. Gibst du ihr die Schuld?«

»Wie viele Betreuerinnen gibt es?«

»Zwei.«

»Zwei Pausen-Moms für zweihundert Kinder, das sind nicht gerade viel.« Leo schüttelte den Kopf. »Und wahrscheinlich müsst ihr in der Cafeteria bleiben, bis alle Kinder draußen sind?«

»Richtig. Danach können wir nach Hause gehen.«

»Dann hat sich Terry nicht an die Regeln gehalten. Wenn sie in der Cafeteria geblieben wäre, anstatt wegzugehen, um dich anzuschwärzen, hätte sie Amanda und die anderen Kinder auf den Hof bringen und du hättest dich sofort um Melly kümmern können.« Leo schaute ihr in die Augen, um zu sehen, ob seine Botschaft angekommen war.

»Also ist Terry jetzt schuld?«, fragte Rose.

»Nein, niemand ist schuld. Es ist etwas Schreckliches passiert, mit dem niemand gerechnet hat und das niemand kontrollieren konnte. Deshalb sind Amanda und Melly im Krankenhaus. Deshalb mussten drei Menschen sterben.« Leo legte seine Hand auf ihre. »Was für ein Unsinn, dir allein die Schuld zu geben.«

»Das sieht Eileen Gigot sicher anders.«

»Eileen kennt die Fakten nicht. Und sie kennt uns nicht. Sie hat einen Sündenbock gesucht. Wen, glaubst du, hätte sie gerettet? Melly oder Amanda?«

Rose antwortete nicht. »Das arme Kind.«

»Welches arme Kind meinst du? Melly oder Amanda?«

»Amanda. Melly wird wieder gesund.«

Er zögerte. »Hör mal, das klingt schrecklich, aber wir müssen realistisch bleiben. Es kann sein, dass es Amanda nicht schafft.«

»Dafür möchte ich aber nicht verantwortlich gemacht werden«, brach es aus Rose heraus.

»Das wirst du auch nicht. Dich trifft keine Schuld.«

Mama!

»Hör bitte auf, dich selbst fertigzumachen, Ro.« Leo stand vom Tisch auf. »Jede Mutter beschützt ihr Kind. Auch meine Mutter hätte mich gerettet, ohne Frage. Sie wäre dafür über Leichen gegangen. Und du bist eine viel bessere Mutter, als sie eine war.«

Rose gelang es zu lächeln. Leo war ein großartiger Mann. Sie war froh, dass sie ihn hatte. Besonders, wenn es wie jetzt hart auf hart kam.

»Komm, meine Süße.« Leo legte das Besteck auf den Teller und räumte ab. »Sieh auf die Uhr. Wir müssen ins Krankenhaus.«

10

Entgeistert blickte Rose aus dem Fenster von Leos Audi. Jupiterlampen auf ausgefahrenen Stativen strahlten den Haupteingang des Krankenhauses an. Davor hatte sich eine Gruppe von Reportern versammelt, mit Videokameras in der Hand oder auf der Schulter. Sicherheitsbeamte versuchten, die Horde im Zaum zu halten.

»Das kann ja heiter werden«, sagte Leo und schaltete den Motor aus.

»Glaubst du, Amanda ist …« Rose blieben die Worte im Hals stecken.

»Nein. Das hätten sie in den Nachrichten gemeldet.«

»Wie es ihr wohl geht?«

»Das werden wir bald erfahren. Zuerst müssen wir aber diese Bande von sensationslüsternen Journalisten umschiffen. Willst du wissen, wie?« Er gab ihr einen Klaps. »Du bleibst immer bei mir, sagst kein Wort, bleibst niemals stehen. Aber vor allem, den Kopf nicht senken. Das sieht wie ein Schuldbekenntnis aus.«

»So fühle ich mich auch.«

»Das solltest du aber nicht. Nicht vergessen, wir sind hier, um unsere Tochter zu besuchen. Es geht nicht um Amanda, sondern um Melly, die heute beinahe gestorben wäre.«

»Du hast recht.«

»Wie immer«, bemerkte Leo mit einem schelmischen Lächeln. Sie stiegen aus dem Wagen. Es hatte kaum abgekühlt, obwohl die Sonne bereits hinter den Bäumen verschwunden war. Auf der Allen Road hatten die Apotheken, Restaurants und Kaufhäuser ihre Neonbeleuchtung eingeschaltet. Rose war die Hauptgeschäftsstraße schon so oft entlanggefahren, dass sie das Gefühl hatte, bereits fünf Jahre hier zu leben. Im Krankenhaus war sie heute zum ersten Mal gewesen.

Erhobenen Hauptes marschierte Rose mit Leo auf den Eingang zu. Sofort wurden die Scheinwerfer in ihre Richtung gedreht. Tanya und ihr Filmteam sowie alle anderen Journalisten und Fotografen liefen auf sie zu. Leo und Rose gingen unbeirrt weiter.

»Hallo, Ms McKenna!«, rief Tanya. »Nur ein paar Fragen. Was ist heute Morgen mit Amanda in der Cafeteria passiert? Das ist Ihre Möglichkeit, die Dinge ins rechte Licht zu rücken.«

»Kein Kommentar.« Rose verbarg ihren Ärger. Sie musste nichts ins rechte Licht rücken.

»Ms McKenna, reden Sie mit mir und erzählen Sie mir Ihre Geschichte. Mein Angebot für eine ausführliche Homestory steht noch.«

»Sie hat nein gesagt. Sind Sie schwerhörig?« Leo wollte sie wegschieben, aber Tanya ließ sich nicht abwimmeln.

»Ms McKenna, wenn Sie nicht reden, öffnen Sie der Spekulation Tür und Tor. Eileen Gigot behauptet, Sie hätten, um das Leben Ihrer Tochter zu retten, den Tod von drei anderen Kindern in Kauf genommen. Stimmt das?«

O nein. Rose verlor nicht die Fassung, auch als sämtliche Reporter sie mit Fragen bombardierten.

»Ms McKenna, ist Amanda in Ihren Augen ein Problemkind?« »Ms McKenna, haben Sie Amanda Gigot harte Strafen angedroht?« »Ms McKenna, jetzt sagen Sie doch was!« »Ms McKenna, hat Amanda Ihr Kind geschlagen?« »Ms McKenna, sind Sie hierhergezogen, weil Ihre Tochter gemobbt worden ist?« »Warum schweigen Sie, Ms McKenna? Und was ist mit Ihnen, Mr Ingrassia?«

Für Leo waren die Reporter Luft. Vor dem Eingang standen ein paar Frauen beieinander. Sie blickten ernst.

»Sind Sie Rose McKenna?«, fragte eine Frau. Sie hatte kurzes schwarzes Haar und trug um den Hals einen Firmenausweis. Wahrscheinlich kam sie gerade von der Arbeit.

»Ja, bin ich«, antwortete Rose zögernd.

»Ich bin Wanda Jeresen. Meine Tochter Courtney ist auch in Mrs Nurus Klasse. Amanda ist mein Patenkind. Wie rechtfertigen Sie Ihr Verhalten?« Ihr Ton war zornig, aber kontrolliert. »Sie sollen Amanda und Emily im Stich gelassen haben. Das haben mir Terry und Eileen erzählt.«

»Nein, das ist nicht wahr«, antwortete Rose. Der Kreis aus Eltern und Reportern drängte sich enger um sie.

»Entschuldigen Sie.« Leo hob die Hand und wandte sich an Wanda. »Wir reden gerne mit Ihnen, aber nicht hier.«

»Warum nicht?«, entgegnete Wanda. »Ich möchte eine Antwort, hier und jetzt. Wir alle wollen das.«

Leo hob beide Hände. »Aber ich bitte Sie, bitte …«

»Warum rede ich eigentlich mit Ihnen?« Wanda

drehte sich wieder zu Rose. »Können Sie nicht für sich sprechen? Warum verstecken Sie sich hinter Ihrem Ehemann? Finden Sie nicht, Sie sind uns eine Erklärung schuldig? Reden wir von Mutter zu Mutter.«

»Einverstanden. Aber so ist es nicht gewesen.«

»Wie ist es dann gewesen?« Wandas dunkle Augen funkelten. »Danielle musste sich allein durch das Feuer kämpfen. Ich habe mit Barbara, ihrer Mutter, gesprochen.«

»Nein. Ich bin hingefallen und war bewusstlos. Als ich wieder zu mir kam, sah ich Danielle hinausrennen. Fragen Sie Emily. Ich habe sie und Amanda zur Tür gebracht.«

»Netter Versuch, aber ich habe auch mit Emilys Mutter Jerusha gesprochen. Wir sind Freundinnen, seit unsere Kinder zur Schule gehen. ›Ich hole Melly‹, haben Sie zu Emily gesagt. An den Satz kann sich die Kleine sehr gut erinnern. Und dass Sie die Kinder dann allein gelassen haben.«

»Das habe ich gesagt, aber …«

»Schluss mit Aber. Und danken wir Gott, dass Danielle weggerannt ist. Sonst würde auch sie wie Amanda hier liegen oder wäre tot.«

»Einen Augenblick, Wanda!«, rief eine andere Frau, die sich durch die Menschenmenge kämpfte. Sie hatte langes schwarzes Haar und trug eine Brille. »Ich bin Cathy Tilman, Sarahs Mutter. Seit wann ist es in Ordnung, ein Kind im Stich zu lassen?«

»Das habe ich nicht getan. Ich habe als Erstes Amanda und Emily in den Flur zum Hof gebracht.«

»Und was ist mit Danielle?«, fragte Wanda, die Hände in die Hüfte gestützt.

»Danielle war schon weg. Ich habe Amanda und Emily sofort gesagt …«

»Rennt hinter Danielle her! Stimmt's?«, unterbrach Cathy. »Das sind doch noch Kinder! Die sind gerade mal acht Jahre alt. Und erleben die schrecklichste Katastrophe ihres Lebens. Und Sie lassen sie allein. Danielle war nicht die Pausen-Mom. Sie sind die Verantwortliche!«

»Richtig!«, pflichtete Wanda ihr bei. »Sie haben Emily und Danielle für etwas bestraft, was sie nicht getan haben. Das wurde mir zugetragen. Und was ist schon dabei, wenn Amanda mit Ihrer Tochter herumwitzelt? Kinder sind Kinder. Lassen Sie sie ihren Streit untereinander austragen.«

Cathy kam näher. »Reden wir doch Klartext. Sie sind neidisch. Amanda ist nämlich beliebt und Melly nicht. Die hat doch nur den Harry Potter im Kopf. Melly ist ein Freak.«

»Das ist sie nicht!« Rose wurde energisch. »Sie liest gerne. Das ist alles!«

»Hören Sie doch auf!« Cathy streckte ihre rechte Hand aus, Rose erschrak, wich zurück, stieß dabei an einen Stehaschenbecher, verlor das Gleichgewicht und fiel auf den Betonboden. Da lag sie inmitten von Zigarettenkippen, gebrauchten Kaugummis und dem ausgelaufenen Sand aus dem Aschenbecher.

»Jetzt reicht's!«, brüllte Leo und half Rose wieder auf die Beine.

Cathy brach in ein hysterisches Lachen aus, Wanda stand mit offenem Mund da, und die Reporter fotografierten und filmten die Szene. Die Menge tuschelte oder johlte.

»Gehen wir!« Leo zog Rose durch die Glastür in die Lobby des Krankenhauses. Endlich! Hier war es ruhig. Topfpflanzen schmückten den Empfang, an den Wänden hingen Landschaftsbilder. Auf der Couch saß ein alter Herr. Er hielt einen bunten Luftballon in der Hand, auf dem stand: WERDE BALD WIEDER GESUND! Leo fasste Rose am Arm. »Ist alles in Ordnung, mein Schatz?«

»Ja.« Sie wischte Zigarettenasche von den Jeans. »Melly ist kein Freak.«

»Natürlich nicht.« Leo strich sein Jackett glatt. »Ich hätte das voraussehen müssen.«

»Ich bin nur hingefallen.«

»Und sie haben sich darüber amüsiert.«

»Du hattest zwar gesagt, dass ich den Mund halten soll. Aber ich habe gedacht, die verdienen eine Antwort.«

»Die wollten keine Antwort. Die wollten Luft ablassen.« Leo legte den Arm um sie. »Ich hätte das voraussehen müssen. Dein Göttergatte hat versagt.«

»Nein, das hat er nicht.«

Leo gab ihr einen Kuss. »Können wir?«

»Ja, wir können.«

Sie gingen zur Rezeption und fragten nach Melly.

»Sie liegt in Dreihundertsechs«, sagte die ältere Dame hinter dem Empfangstisch. Sie trug einen Button, der sie als ehrenamtliche Mitarbeiterin auswies. »Ist sie eines der Mädchen aus der Schule?«

»Ja.« Rose beugte sich über die Theke. »Wo liegt das andere Mädchen, Amanda Gigot?«

»Lassen Sie mich nachsehen. Sie liegt in Vierhundertsechs, Intensivstation.«

Roses Magen verkrampfte sich.

»Im vierten Stock ist die Intensivstation?«, fragte Leo nach.

»Ja. Aber Sie können sie nicht besuchen. Nur die nächsten Verwandten dürfen zu ihr.«

»Ich verstehe.« Leo nahm Rose beim Arm. Sie gingen zum Fahrstuhl.

»Wolltest du Amanda besuchen?«, fragte Rose ungläubig.

»Nein, ich will um den dritten Stock einen Bogen machen.«

11

Zu wissen, dass Melly im Krankenhaus lag, war eine Sache. Eine andere war es, an ihrem Bett zu stehen und Mühe zu haben, seinen Gefühlen nicht freien Lauf lassen zu können. Da lag ihre Tochter, zugedeckt von einer weißen Bettdecke, und schlief. Ihr Körper nahm nur etwa die Hälfte des Bettes ein. Das Nachthemd, das sie trug, war viel zu groß. Rose beobachtete, wie sich ihre Brust hob und senkte. Ja, wirklich, sie lebte. Das machte sie glücklich. Das hätte jede andere Mutter in der Welt glücklich gemacht.

Mama!

Den Kopf hatte sie nach rechts gedreht, ihr Feuermal war gut sichtbar. Wenn sie wach gewesen wäre, hätte sie sich furchtbar geschämt. Das Mal war rundlich und hatte die Größe einer kleinen Pflaume. Es war rot wie Blut und bedeckte den oberen Rand der linken Wange. Ein grünlicher Sauerstoffschlauch führte zu ihrer Nase, von ihrem Zeigefinger reichte ein Kabel zu einem Monitor, der ihre Lebensfunktionen in mehrfarbigen Chiffren registrierte.

»Sie sieht gut aus«, flüsterte Leo. Seine Augen waren feucht.

»Zum Glück lebt sie.«

»Ich hole dir einen Stuhl.« Leo stellte ihn ans Bett. »Hier, setz dich.«

»Willst du auch? Ich rücke.«

»Nein, der ist für dich.«

»Danke.« Sie setzte sich und legte die Hand auf das Bettgeländer aus Plastik. Hinter ihr hing ein Fernseher an der Wand, der ohne Ton lief.

So froh sie war, dass Melly lebte, doch das Mädchen, das ein Stockwerk höher auf der Intensivstation lag, ging ihr nicht aus dem Sinn. Sie versuchte, den Gedanken an Amanda zu verscheuchen. Doch es gelang ihr nicht.

»Mist. Wir haben die Tasche mit deinem Nachtzeug im Auto liegen lassen.«

»Nicht schlimm.« Rose sah wieder Amanda auf der Trage liegen. Der Verband um ihre Stirn war voller Blut gewesen. Sie war am Kopf von etwas getroffen worden. Das hatte Eileen ihr erzählt. Vielleicht musste sie deswegen sogar operiert werden.

»Dann musst du die Zähne mit den Fingern putzen. So habe ich's auch gehalten, als ich die ersten Male bei dir über Nacht geblieben bin. Später hattest du dann eine Gästezahnbürste im Angebot. Erinnerst du dich daran?«

»Ja.« Rose dachte an den Ruß auf Amandas Gesicht. Sie war länger als Melly in der Feuerhölle gewesen. Aber vielleicht in einem offeneren Raum. Dennoch konnte der Sauerstoffmangel zu einem Gehirnschaden bei ihr geführt haben.

»Du musst heute Nacht in deinen Klamotten schlafen. Soll ich nach einer Liege fragen, oder kuschelst du dich lieber zu Melly ins Bett?«

»Dumme Frage.«

»Sieh dir deine Tochter genau an. Na, mach schon.«

»Sie ist süß, nicht wahr?«

»Sie ist ein großartiges Kind, mein Himmelsgeschenk.«

Rose lächelte. Leo nannte sie oft so. Sie hörte es gern.

»Erinnerst du dich, wie wir uns im Zug kennengelernt haben? Ich bin vor Hunger fast gestorben und deshalb im Speisewagen einer wunderschönen jungen Mutter und ihrer aufgeweckten Tochter begegnet. Die Kleine hat mir aufs Wärmste die Hot Dogs ans Herz gelegt. Und so sind wir dank unserer gemeinsamen Liebe zu Natriumnitrat die dicksten Freunde geworden.«

Rose lächelte. Ja, genau so war es passiert, auf der Zugfahrt von New York nach Philadelphia. Wäre Melly nicht gewesen, hätte sie Leo wohl nicht geheiratet. Er war nicht ihr Typ gewesen. Außerdem hatten ihr damals einige böse Buben ordentlich zugesetzt. Doch Leo war ein braver Junge, und obendrein noch Ministrant.

»Du hast heute das Richtige getan. Du hast ihr Leben gerettet. Hör nicht auf die Verrückten da draußen. Wir lieben unsere Melly. Sieh sie dir an. Bereust du, was du heute getan hast?«

»Nein.« Rose spürte die Wahrheit in seinen Worten. Aber da gab es noch eine andere Wahrheit. »Ich denke immerzu an Amanda und Eileen.«

»Tu das nicht.« Leo ließ ihre Hand los. »Du musst einen klaren Kopf behalten.«

»Wie meinst du das?«

»Lass uns jetzt nicht darüber reden. Wie ich draußen gesagt habe. Das ist nicht die Zeit und der Ort.«

Das Strahlen war aus Leos Augen verschwunden. Das gefiel ihr nicht. »Sag schon, wie meinst du das?«

»Man könnte uns verklagen. Eileen könnte uns verklagen. Nehmen wir den günstigsten Fall. Amanda wird wieder gesund. Aber Eileen hat horrende Rechnungen für Medikamente zu bezahlen. Und sie ist alleinstehend.«

»Aber sie würde die Klage nie gewinnen. Oder?«

»Vielleicht doch. Als ehrenamtliche Mitarbeiterin kann man dich haftbar machen.«

»Das meinst du ernst?«

»Ja. Dein Mann, der Rechtsanwalt ist, meint es leider

ernst. Du hast die Verantwortung für Eileens Tochter übernommen, und sie ist verletzt worden. Das ist das, was zählt.« Er wies mit dem Zeigefinger zum Fenster. »Und all die Mütter da draußen werden die Ersten sein, die gegen dich aussagen.«

Roses Brust zog sich zusammen. Leo hatte recht. Aber jetzt über eine Klage nachzudenken, während Eileen um das Leben ihrer Tochter bangte?

»Eileen kann ebenso die Schule verklagen. Auch die Angehörigen der Küchenhilfen und die der toten Lehrerin können das. Dabei wissen wir noch nicht, was die Explosion ausgelöst hat.« Leo sprach in professionellem Tonfall, wenn auch recht ruhig. »Der Rechtsstreit kann ein paar Jahre dauern, und egal, ob wir gewinnen oder verlieren, die Anwaltsgebühren müssen wir trotzdem bezahlen, weil ich uns nicht vertreten darf. Das kann teuer werden. Sogar unser Haus könnte draufgehen.«

Roses Mund wurde trocken. Der Gedanke, das Haus zu verlieren, schockierte sie. Leo verdiente zwar gut, aber sie hatte zu arbeiten aufgehört. Gespart hatten sie nur für die Ausbildung der Kinder, die beiden Wagen waren noch nicht ganz abbezahlt, und für das Haus hatten sie eine ordentliche Hypothek aufnehmen müssen.

Ein Rascheln war zu hören. Melly hatte ihre Schlafposition verändert und bewegte den Kopf hin und her. Dann war sie wieder ruhig.

»O nein. Sieh da.« Leo gab Rose einen Stups.

Sie drehte sich zum Fernseher um und sah sich auf dem Bildschirm. Wie entsetzlich.

Jetzt erschien Tanya auf dem Bildschirm. MUTTER

BEGEHT HELDENTAT war die Bildunterschrift. Dann war wieder Rose zu sehen. ICH HABE DAS GETAN, WAS JEDE ANDERE MUTTER AUCH GETAN HÄTTE, lautete jetzt der Text.

»Mom?«

Rose drehte sich wieder zu ihrer Tochter um.

»Melly!«

Leo schaltete den Fernseher aus. Endlich wurde der Bildschirm schwarz.

12

Rose hatte sich inzwischen an den Rauchgeruch in ihrem Haar gewöhnt. Sie lag bei Melly im Bett und streichelte sie. Es war dunkel im Krankenzimmer. Leo war nach dem Ende der Besuchszeit gegangen, um John vom Babysitter abzuholen. Melly hatte den ganzen Abend nicht viel gesprochen. Die Medikamente hatten sie schläfrig gemacht.

»Bist du müde, mein Schatz?«

Melly legte den Kopf auf Roses linken Arm. »Ein bisschen. Bleibst du heute Nacht bei mir?«

»Natürlich. Hast du Durst? Oder willst du Pudding?«

»Nichts.«

»Wie geht es deinem Kopf?«

»Es geht.«

»Mom?« Mellys Stimme klang heiser, ihre Atemwege

waren gereizt. »Als ich im Klo war, da hat der Boden gewackelt wie bei einem Erdbeben.«

»Ja, das hat er.«

»Warum?«

»Wegen der Explosion in der Küche.« Rose und Leo hatten Melly flüchtig über das, was passiert war, informiert. Von Amanda und den Toten hatten sie ihr nichts erzählt. Dazu war es noch zu früh.

»War das eine Bombe?«

»Man weiß es noch nicht. Aber das Feuer ist gelöscht. Und jetzt richten sie die Schule wieder her.«

»Waren es Terroristen?«

»Glaube ich nicht.« Rose verfluchte die heutige Zeit. Als sie ein kleines Mädchen war, kannte sie Bomben nur aus Cartoons. Und die hatten wie schwarze Bowlingkugeln ausgesehen.

»Das war ein Krach.«

»Stimmt. Hattest du Angst?«

»Ja.«

»Bist du deshalb auf dem Klo geblieben?«

»Nee. Erinnerst du dich an den Tag der Feuerwehr?«

»Nicht wirklich.« Rose konnte sich an nichts erinnern, Melly an alles.

»Das war noch bei der alten Schule. Wir durften in ein Feuerwehrauto klettern. Ein Feuerwehrmann hat mir einen Sticker für Googie gegeben. Auf dem stand: Rettet unseren Hund.«

»Und weiter?«

»Der Feuerwehrmann hat uns gesagt: ›Lasst die Tür zu, wenn es heiß wird.‹ Das hab ich getan. Aber dann hab ich keine Luft mehr gekriegt. Ich hab gegen die Tür getreten und geschrien. Aber niemand hat mich gehört.«

Rose spürte ein Stechen in der Brust. »Aber jetzt ist alles wieder gut.«

»Wie bin ich rausgekommen?«

»Ich habe dich rausgeholt.«

»Hast du dir dabei an der Hand wehgetan?«

»Nein«, log Rose. »Ich habe mich in der Cafeteria verbrannt. Aber das ist nicht so schlimm.«

»Quirrell verbrennt sich die Hand an Harry Potters Narbe. Erinnerst du dich?«

Rose dachte an die Mütter, wie sie sich über Mellys Liebe zu Harry Potter lustig gemacht hatten. Sie und Melly hatten jeden Abend vor dem Schlafengehen in *Harry Potter* gelesen. Melly identifizierte sich mit Harry, denn auch er hatte eine Narbe im Gesicht.

»Mom, es tut mir leid, dass ich aufs Klo gerannt bin.«

Schon wieder spürte Rose ein Stechen in der Brust. Manchmal glaubte sie, diese Schmerzen gehörten schicksalshaft zum Muttersein dazu. »Das verstehe ich. Du warst sauer. Ärgert dich Amanda oft?«

Melly verstummte.

»Hallo, Mel. Sag was.«

Melly antwortete nicht. Sie war keine Heulsuse. Nie hatte sie sich über die Hänseleien an der alten Schule beklagt. Sie wusste, dass hinter jeder Beschwerde die Gefahr von noch schlimmeren Sticheleien lauerte.

»Mel, ich werde nichts unternehmen, das verspreche

ich dir. Ich möchte es nur wissen.« Rose sah zu ihr hinüber, doch in der Dunkelheit konnte sie gerade ihr Profil erahnen. »Was macht Amanda mit dir?«

»Gestern haben wir bei Ms Canton mit den Fingern gemalt.«

»Okay«, sagte Rose in einem betont unaufgeregten Ton. Melly, Amanda und zwei andere Kinder aus Mrs Nurus Klasse hatten zweimal die Woche nachmittags einen Förderkurs bei Kristen Canton.

»Ich habe ein Bild von Dumbledore gemalt. Aber Amanda hat Plakatfarbe auf ihre Finger getan und sie auf ihre Wange geschmiert wie Marmelade. Ms Canton hat das nicht gefallen. Sie fand das gemein. Und sie hat es Amanda gesagt. Ich habe Ms Canton sehr gern.«

»Ich auch«, sagte Rose. Sie spürte, wie in Mellys Stimme Leben kam.

»Ihr Lieblings-Harry-Potter ist *Der Stein der Weisen*. Sie hat eine Katze, die Hedwig heißt, und einen Zauberstab wie Hermine. Der leuchtet zwar nicht, ist aber trotzdem cool.«

»Das finde ich auch.« Rose war froh, dass Melly in ihrer Lehrerin einen weiteren Harry-Potter-Fan gefunden hatte. »Wollen wir schlafen, mein Schatz?«

»Ich bin nicht müde.«

»Gut, dann ruhen wir ein bisschen.« Rose drückte sie an sich. Sie spürte, wie Mellys Körper allmählich schwerer wurde. Sie atmete regelmäßig, dann schlief sie ein.

Rose lag wach und fantasierte. Es war nicht das erste Mal, dass sie das tat. Wie schön wäre es, dachte sie wieder einmal, wenn Melly dieses Feuermal nicht hätte. Ihr aller Leben wäre ganz anders, viel einfacher. Aber so terrorisierte dieser rote Fleck Melly und ihre Familie – und ein Ende war nicht in Sicht.

Rose ließ ihren Gedanken freien Lauf. Auch heute hatte mit dem Muttermal alles begonnen. Es stand am Anfang einer Kette von schrecklichen Ereignissen. Seltsamerweise hatte Rose Mellys Feuermal gar nicht bemerkt, als man ihr das Neugeborene auf den Bauch gelegt hatte. Sie war so überglücklich über die Geburt ihres Babys gewesen. Doch Bernardo hatte den Arzt sofort gefragt:

Was, zum Teufel, ist dieser rote Fleck auf dem Gesicht?

Noch bevor der Arzt verkünden konnte, dass das Baby ein Mädchen war, erfüllte diese schreckliche Frage den Kreißsaal. Rose erschrak, das Lächeln der Krankenschwestern gefror. Dieser Fleck sei ein *Naevus*, hatte der Arzt schnell geantwortet.

Ich liebe dich, hatte Rose dem Baby zugeflüstert – und nachdem sie den Fleck auf seiner Wange entdeckt hatte: *Ich liebe alles an dir.* Rose war glücklich, denn sie hatte bekommen, wovon sie immer geträumt hatte: ein Mädchen.

Roses Eltern waren bereits tot, als Melly auf die Welt kam. Doch ihre Schwiegereltern waren sofort zur Stelle, um sie zu beruhigen. *Keine Sorge, der Fleck verschwindet mit der Zeit.* Aber er verschwand nicht. Bernardo war immer mehr auf das Muttermal fixiert, als würde es ihn persönlich brandmarken. Er, der Fotograf, fotografierte seine Tochter selten. Und wenn, dann nur von der rechten Seite. Kleine Kinder starrten Melly in ihrem Kinderwagen an, woraufhin Bernardo sie nur noch mit heruntergezogenem Dach spazieren fuhr. Andere Kinder stellten Fragen, Bernardo beantwortete sie nicht. Das überließ er Rose oder später Melly selbst.

Die Hänseleien begannen im Kindergarten. Melly wurde mit der Zeit unzugänglicher und stiller, ihr Lächeln verschwand. Immer öfter wollte sie zu Hause bleiben, immer öfter bettelte sie darum, nicht mehr zur Mutter-Kind-Gruppe gehen zu müssen. Währenddessen suchte Bernardo alle Dermatologen Manhattans auf, die ihm jedoch erklären mussten, das Feuermal sei zum Herausoperieren zu groß. Es folgten Behandlungen mit Farbstofflaser und bipolare Radiofrequenztherapie. Ohne Erfolg.

Es war ein ungewöhnlich großes Feuermal. Auch die Ehe litt darunter, Bernardo begann wieder mit seinem wilden Nachtleben, und als Melly drei Jahre alt war, trennten sie sich. Ein Jahr später starb Bernardo in seinem Porsche bei einem Autounfall. Zur gleichen Zeit etwa begegnete Rose Leo im Zug. Die beiden verliebten sich und heirateten ein Jahr später. Sie zog von New York nach Worhawk, einem kleinen Ort im südöstlichen Pennsylvania, in dem Leo aufgewachsen war. Sie hatte jetzt mehr Zeit für Melly. Dass die Kleine sich selbst akzeptierte, das war Roses großer Traum. Aber nach Halloween wollte sie noch nie ihre Maske wieder ablegen.

Mom, ich kann mich nicht leiden.

Rose blickte zur Decke, dann schloss sie die Augen. Sie dachte wieder an Amanda. Ob Eileen ihre Tochter im Arm halten durfte? Vielleicht war das auf der Intensivstation verboten. Vorsichtig machte sie sich von Melly frei, stieg sachte aus dem Bett und schlich sich aus dem Zimmer. Niemand war zu dieser Stunde auf dem Gang. Nur eine Krankenschwester saß am Stationstisch.

»Ich kenne Sie!« Die Augen der Krankenschwester funkelten. Sie war jung und braun gebrannt mit kurzem, von der Sonne gebleichtem Haar. »Sind Sie nicht die Mutter, die ihr Kind gerettet hat?«

»Ja, die bin ich.« Rose tat die Zuneigung der Schwester gut.

»Ich selbst habe ein Baby. Ich bewundere Sie. Wie haben Sie es geschafft?«

»Das ist eine lange Geschichte. Aber vielleicht können Sie mir weiterhelfen. Es gibt noch ein Mädchen, das bei dem Brand verletzt worden ist. Amanda Gigot. Sie liegt auf der Intensivstation mit einer Kopfverletzung. Können Sie herausfinden, wie es ihr geht?«

»Einen Augenblick.« Die Schwester sah im Computer nach. »Sie liegt noch auf der Intensiv.«

»Könnten Sie vielleicht herausfinden, wie es ihr geht?«

»Wir sind nicht berechtigt, diese Information weiterzugeben.«

»Bitte.« Rose faltete die Hände, als würde sie beten.

»Weil Sie's sind.« Die Schwester warf einen Blick in den Flur, dann wählte sie auf dem Tischtelefon eine Nummer.

»Suz, wie geht's? Kannst du mir etwas über den Zustand des Schulmädchens bei euch sagen? Sie heißt Gigot.«

Das Gespräch dauerte eine Weile. Ab und zu nickte die Schwester, ab und zu schüttelte sie den Kopf. Dann legte sie auf. Ihr Gesichtsausdruck war für Rose nicht zu deuten.

»Nun?«

»Es tut mir leid, ich kann Ihnen nichts sagen.«

»Bitte!«

»Es tut mir wirklich leid.« Die Schwester schüttelte den Kopf und drehte sich weg.

13

Der Fernseher, die Holzstühle und der Nachttisch waren gut zu erkennen, denn es war Tag geworden. Rose hatte in der Nacht fast kein Auge zugetan. Die Sorge um Amanda hatte sie keine Ruhe finden lassen. Mehr als ein Gebet hatte sie für die Kleine gesprochen.

Und, bist du jetzt glücklich?

Vom Gang war das Rattern von Rollwagen zu hören. Der Duft von Kaffee drang ins Krankenzimmer. Aber für Rose hatte dieser Geruch heute Morgen nichts Verführerisches, sie hatte keine Lust auf Frühstück.

Sogar unser Haus könnte draufgehen.

Melly schlief noch. Deshalb zog sie vorsichtig das Blackberry aus ihrer Jeans, die über dem Stuhl hing. Das

Handy-Display zeigte 8:26 Uhr. Wie gerne hätte sie Leo angerufen, aber Handys konnten medizinische Geräte lahmlegen. Gestern Abend hatte sie ihm eine SMS geschickt und dabei gesehen, dass neue Anrufe, E-Mails und Textnachrichten eingegangen waren. Sie sah nach, ob Leo ihr zurückgesimst hatte.

Schatz, ich hoffe, Amanda schafft es. Ruf mich an. Ich liebe dich.

Rose checkte ihre E-Mails. Eltern von Kindern aus Mellys Klasse hatten ihr geschrieben. Sie öffnete die erste Mail.

Das muss man sich erst einmal trauen. Sie lassen sich wie eine Heldin feiern, und dabei ging es Ihnen nur um sich und Ihr Kind.

Das tat weh. Rose öffnete die nächste Mail.

Nie werde ich verstehen, wie manchen Menschen die Not ihres Nächsten scheißegal sein kann. Gott wird dich richten.

Rose hatte genug, sie wollte keine weitere Mail mehr lesen. Doch dann fiel ihr Blick auf eine Mail von einer Barbara Westerman. Danielles Nachname war Westerman.

Ich bin entsetzt, wie wenig Sie sich um die Sicherheit meiner Tochter gekümmert haben. Sie musste ganz allein aus dem Schulgebäude flüchten, obwohl sie total verängstigt war. Sie hätte sterben oder schwer verletzt werden können wie Amanda. Wir brauchen in Reesburgh keine Menschen, die nur an sich denken. Verschwinden Sie von hier.

Rose schloss das Mailprogramm und checkte ihre

Mailbox. Nur unbekannte Nummern. Sie hörte die Anrufe nicht ab. Sie ahnte, was sie erwartete.

Melly streckte sich, ihre Augenlider zuckten, die Sauerstoffmaske verrutschte. Rose justierte sie wieder und leitete die drei Mails an Leo weiter. Sie streifte eine Haarsträhne von Mellys Stirn. Da ging die Tür auf, und ein junger Krankenpfleger streckte den Kopf herein.

»Hat jemand Hunger?«, fragte er mit einem Lächeln.

»Natürlich. Kommen Sie herein.« Rose gab ihm ein Zeichen, dann blickte sie zu Melly. Genauer als sonst studierte sie die Gesichtszüge ihrer Tochter.

Ihre großen blauen Augen waren noch blutunterlaufen, ihre Haut schimmerte rötlich, was vielleicht vom Antiseptikum herrührte, mit dem man sie gereinigt hatte. Die Nase war ein wenig gerötet, und ihre Lippen, die so schmal wie die von Rose waren, waren ausgetrocknet. Bernardo hatte immer behauptet, dass Melly das Ebenbild ihrer Mutter sei – mit Ausnahme der dunkelblonden Haarpracht, die Bernardo als väterliches Erbstück für sich reklamierte.

»Hallo, Mom.« Melly fiel Rose um den Hals. »Ich hab dich lieb.«

»Ich dich auch, Mel. Hoffentlich hast du gut geschlafen. Du warst richtig müde. Hast du Hunger? Kannst du schon aufstehen, oder willst du lieber liegen bleiben?«

»Ich will aufstehen.« Melly rieb sich die Augen. »Gehen wir nach Hause?«

»Noch nicht. Erst wenn der Doktor es erlaubt.«

»Das Frühstück!« Der Pfleger stellte das Tablett auf

den Nachttisch. Als sein Blick Mellys Muttermal streifte, sah er kurz weg. Dann zeigte er auf die Rühreier unter dem Plastikdeckel. »Iss die auf. Dann wirst du groß und stark.«

Melly setzte sich aufrecht hin, der Pfleger ging. »Sind die alle für mich?«

»Ja.«

»Mein Hals tut weh. Muss ich heute zur Schule?«

»Nein, es ist Samstag. Bald wird es dir wieder besser gehen. Trink was.« Rose öffnete eine Wasserflasche.

Melly schluckte und verzog das Gesicht.

»Das wird nicht mehr lange wehtun.«

»Hast du das Buch von *Beedle, dem Barden* dabei?«

»Nein, leider nicht.« Rose hatte vergessen, Leo zu bitten, es mitzubringen. Es klopfte wieder. »Herein.«

Kristen Canton, die Lehrerin, stand in der Tür. »Hallo!«, rief sie und lächelte.

»Kristen!« Rose stand auf, um sie zu begrüßen. Sie nannte die Lehrerin auf deren Wunsch hin beim Vornamen. Außerdem war sie erst fünfundzwanzig Jahre alt. »Schön, dass Sie kommen.«

»Es tut mir leid, dass ich erst heute vorbeischaue.« Kristen umarmte Rose herzlich und flüsterte ihr ins Ohr: »Ich war ein Stockwerk höher.«

»Oh.« Rose ließ Kristen los. Die lebenslustige Rothaarige mit ihren wunderbaren Sommersprossen sah heute Morgen aus wie ein Wrack. Sie lächelte gezwungen, und ihre warmen braunen Augen waren geschwollen. Das konnte auch das frische Make-up nicht verbergen.

»Ms Canton!«, rief Melly.

»Hallo, meine Freundin!« Kristen hatte ihr Haar provisorisch zu einem Pferdeschwanz zusammengebunden. Statt Jeans und Bluse wie gewöhnlich trug sie schwarze Yogahosen und einen grauen Kapuzenpulli. »Wie geht es dir?«

»Gut!«

»Da bin ich aber froh. Ich würde dich gern umarmen, aber ich bin ein bisschen krank.«

»Es hat in der Schule gebrannt, Ms Canton. Meine Mom hat mich gefunden.«

»Du hast eine tolle Mom.« Kristen zwinkerte Rose zu, dann drehte sie sich wieder zu Melly. »Ich habe ein Geschenk für dich. Damit du wieder gesund wirst.«

»Was ist es?«

»Aufgepasst.« Sie zog aus ihrer Schultertasche eine längliche Schachtel, die mit buntem Geschenkpapier umwickelt war. »Tada!«

»Juhu!« Melly riss das Geschenkpapier herunter, und zum Vorschein kam eine grüne Schachtel, in der ein Zauberstab aus künstlichem Holz lag. »Mom, schau! Das ist Hermines Zauberstab!«

»Na, so was!« Rose lächelte, sie war gerührt.

»Vielen Dank, Ms Canton.« Melly schwenkte den Zauberstab, Schachtel und Papier landeten auf dem Bett. »*Alohomora!* Ich habe ein Schloss geöffnet wie Hermine.«

»Bravo.«

»Vielen Dank. Harrys Zauberstab habe ich schon. Jetzt habe ich auch den von Hermine. Und kann Feuer löschen.«

Kristen grinste. »Wie in den *Heiligtümern des Todes.*«

»In den *Heiligtümern des Todes* gibt es ein Feuer?« Rose konnte sich nicht erinnern.

»Harry zündet zufällig Mundungus' Augenbrauen an. Hermine löscht dann das Feuer, und zwar mit Wasser, das aus ihrem Zauberstab spritzt.« Melly wirbelte ihren Stab herum und traf dabei den Infusionsständer. »Den Zauberspruch weiß ich nicht mehr.«

»Ich auch nicht«, sagte Kristen und verzog die Stirn.

Rose lächelte. »Ich dachte, ihr hättet euren Harry Potter besser auswendig gelernt.«

»Ich habe das Feuer in der Schule gelöscht!« Melly sah zur Lehrerin, ihr Gesicht verfinsterte sich. »Ist die Schule abgebrannt, Ms Canton?«

»Nein«, antwortete Kristen. »Die Schule steht noch. Nur die Cafeteria ist kaputt. Aber wir kriegen sie wieder hin.«

»War es eine Bombe?«

»Nein, keine Bombe.«

»Was war es dann?«, fragte Rose.

»Wahrscheinlich ein Loch in der Gasleitung und defekte Stromkabel. Man wollte die Schule unbedingt rechtzeitig eröffnen und hat deshalb wahrscheinlich ein paar Sachen übersehen.« Kristen sah auf ihre Uhr. »O je! Ich muss gehen. Wir sehen uns in der Schule.« Sie strich Melly sanft über den Kopf.

»Rose, begleiten Sie mich hinaus?«

»Klar.« Rose wusste, dass es um Amanda ging.

»Schatz, ich bin sofort zurück. Ruf, wenn du etwas brauchst.«

»Mach ich. Und vielen Dank für den Zauberstab, Ms Canton!«

14

Die Sonne schien durch das Fenster und tauchte die junge Lehrerin in helles Licht. Da sie allein waren – nicht weit weg von Mellys Zimmer, aber weit genug entfernt von der Schwesternstation –, legte Kristen ihre Maske als gut gelaunte Erzieherin ab. Der Ausdruck von Trauer trat in ihre Augen, sie sah wie ein kleines Mädchen aus.

»Auf so etwas wirst du in der Ausbildung nicht vorbereitet«, sagte Kristen und atmete tief durch. Sie schüttelte den Kopf, ihr langer dunkelroter Pferdeschwanz bewegte sich hin und her. »Dass so etwas Schreckliches passieren kann, damit rechnet niemand. Seit zwei Jahren unterrichte ich hier, und das Einzige, worum ich mir bisher Sorgen machen musste, waren meine Mathekenntnisse.«

Rose klopfte ihr auf den Rücken. »Ich weiß, das hier ist schlimm.«

»Wie froh ich bin, dass Melly auf dem Weg der Besserung ist. Es hat mir gutgetan, sie zu sehen.«

»Vielen Dank für das Geschenk.«

»Keine Ursache. Ich mag Ihre Tochter. Sie ist wunderbar.«

»Sie mag Sie auch sehr. Nur wegen Ihnen geht sie gern zur Schule.« Rose konnte die Frage nicht mehr zurückhalten. »Kristen, wie geht es Amanda? Ich mache mir solche Sorgen. Liegt sie noch im Koma?«

»Schlimmer.« Sie hielt sich die Hand vors Gesicht. »Man hat ihr gerade die letzte Ölung gegeben.«

Um Gottes willen. Rose sackte zusammen, als hätte man ihr einen Tritt in die Magengrube verpasst.

»Die ganze Familie ist bei ihr«, sagte Kristen und seufzte. »Ihre beiden Brüder, ihre Großeltern, der Priester. Sie stehen alle neben sich, völlig neben sich.«

Rose senkte den Kopf. Die Klimaanlage blies ihr durch das Gitter des Fensterschachts ins Gesicht.

»Ich fühle mich so hilflos, sie ist doch noch ein kleines Mädchen.« Kristens Schultern zuckten. »Sie so zu sehen …«

Rose empfand tiefes Mitleid für Eileen und ihre Familie. Warum hatte sie Amanda nicht gerettet? Es hätte sie nur ein paar Sekunden gekostet, sie aus dem Gebäude zu bringen. Beiden Mädchen könnte es jetzt gut gehen. Beide Mädchen wären wohlauf.

Kristen kramte aus ihrer Handtasche ein durchnässtes Papiertaschentuch und trocknete damit ihre Tränen. »So etwas darf einfach nicht passieren.«

»Das stimmt«, sagte Rose, aber sie wusste es besser. Solche Dinge passierten alle Tage. Nicht ohne Grund hielt man in Krankenwagen Teddybären für den Notfall bereit.

»Ich war glücklich über meinen Job als Leiterin des Förderprogramms.« Kristen schniefte. »Reesburgh hat so eine tolle Schule. Ich konnte für meine Kinder den Lehrplan selbst zusammenstellen. Ein Traumjob. Hätte ich ihn doch nicht bekommen.«

»Das dürfen Sie nicht sagen.« Rose legte den Arm um die Schulter der jungen Lehrerin. »Sie machen eine wunderbare Arbeit. Melly liebt Ihren Unterricht. Besonders wenn Sie jemanden mitbringen wie den Falkner oder Senator Martin oder das Maskottchen von den Philadelphia Phillies. Sie kommen gut mit den Kindern zurecht.«

»Das genau ist mein Problem, verstehen Sie.« Kristen putzte sich die Nase. »Mrs Nuru sagt, ich wäre viel zu nah an den Kindern dran. Mir würde die professionelle Distanz fehlen. Sie sagt, ich wäre … Ach, vergessen Sie's.«

»Was soll ich vergessen?«

»Sie behauptet, ich würde mich zu sehr um Melly kümmern, und deshalb würde sie jede kleine Hänselei zu ernst nehmen. Melly sei überempfindlich – dank meiner Unterstützung.«

Rose erstarrte. »So macht man das Opfer zum Täter. Was Amanda getan hat, war einfach gemein.«

»Das sehe ich auch so.« Kristen schnäuzte sich. »Aber viele sehen es anders. Vor allem nach den Vorkommnissen.«

»Welche Vorkommnisse? Dass ich Melly gerettet habe und Amanda nur …«

»Vergessen Sie's. Hätte ich doch den Mund gehalten. Ich bin so ein Plappermaul.«

»Kristen, was Sie auch gehört haben: Ich habe Amanda und Emily auf den Flur begleitet und ihnen gesagt …«

»Stopp.« Kristen hob die Hand. »Ich mache Ihnen keinerlei Vorwürfe. Ich kenne Sie. Nie würden Sie Amanda in einem brennenden Gebäude allein zurücklassen. Und dass Sie sich um Melly gekümmert haben, kann Ihnen niemand vorwerfen. Sie waren in einer schwierigen Situation und haben das Beste daraus gemacht.«

Rose taten Kristens Worte gut. »Alle denken, ich hätte Melly den Vorzug vor Amanda gegeben. Aber so war es nicht.«

»Nehmen Sie sich die Vorwürfe nicht zu sehr zu Herzen. Denn alle sind am Durchdrehen. Eileen verliert ihr Kind, Emily soll traumatisiert sein. Die Situation überfordert jeden. Mrs Nuru, Mr Rodriguez, Sie und mich. Wir alle sind überfordert.« Kristen sah hoch, ihre Augen waren feucht. »Haben Sie Melly von Amanda erzählt?«

»Nein, noch nicht. Erst wenn sie zu Hause ist und wieder Boden unter den Füßen hat.«

»Das ist klug. Wenn Sie wollen, unterstütze ich Sie dabei. Rufen Sie mich an, wann immer Sie mich brauchen.«

Rose bedankte sich. »Ich spreche mit Leo darüber. Seine Meinung ist mir wichtig.«

»Wir haben einen Schulpsychologen. Mrs Nuru hat seine Hilfe einmal erfolgreich in Anspruch genommen. Damals waren drei ihrer Schüler in kurzen Zeitabständen verstorben. Einer an Leukämie, einer an Knochenkrebs, der dritte bei einem Verkehrsunfall. Der Fahrer ist betrunken gewesen.«

Leukämie. Krebs. Autounfall. Und jetzt Amanda.

Ein Feuermal war nichts dagegen. Tränen stiegen in ihr hoch, aber sie unterdrückte sie. »Wie ist das, wenn man sein Kind überlebt?«, fragte Rose mehr sich selbst.

»Keine Ahnung. Meine Eltern leben noch, und ich habe nur eine Katze.« Kristen sah den Gang hinunter. Mr Rodriguez war auf dem Weg zu ihnen. Über dreißig Jahre hatte er unterrichtet, jetzt war er Schuldirektor. Er war Mitte fünfzig, ein Meter achtzig groß und stämmig gebaut. Er trug ein marineblaues Polohemd, unter dem sich ein ordentlicher Fettbauch abzeichnete. So stellte man sich den netten Onkel von nebenan vor.

»Rose.« Er lächelte, doch in seinen braunen Augen sah man die Anspannung. »Entschuldigen Sie, dass ich erst jetzt zu Ihnen komme. Wie geht's Melly? Ist sie auf dem Weg der Besserung?«

»Ja. Vielleicht können wir sie morgen schon mit nach Hause nehmen.«

»Das ist wunderbar.« Rodriguez war erleichtert. »Wo ist Ihr Mann?«

»Zu Hause bei John, unserem Baby.«

»Natürlich. Ich bin so froh, dass Sie Melly gerettet haben. Ihr Verhalten war heldenhaft.«

Rose errötete. »Wenn ich nur Amanda auch hätte retten können. Ich habe sie und Emily auf den Flur gebracht, der zum Hof führt.«

»Das glaube ich Ihnen.« Sein Blick wurde traurig. »Ich war gerade oben. Amanda hat die letzte Ölung bekommen.«

»Kristen hat es mir gesagt.«

»Eine Tragödie.« Rodriguez seufzte. »Zum Glück

steht die ganze Familie Eileen zur Seite. Bei allem, was noch auf sie zukommen wird, wird sie nicht allein sein.«

»Unvorstellbar, sein Kind zu verlieren.«

»Ich kann es mir auch nicht vorstellen«, sagte der Schuldirektor. »Meine Töchter sind mein Leben. Ich habe schon viel durchgemacht, aber so etwas noch nicht. Eileen wird für ihre Söhne weiterleben müssen.« Rodriguez nickte, als wollte er sich selbst Mut machen. »Zum Glück sind wir eine kleine Gemeinde. In Reesburgh stützt jeder jeden. Die meisten hier kennen die Kinder der Gigots von klein auf. Wie eng wir zusammenhalten, können Sie sehen, wenn am Montag der Unterricht wieder beginnt.«

»So bald? Schon am Montag?« Rose war überrascht.

»Rückkehr zum Alltag, zur Routine – das ist das Beste für unsere Schüler. Gegessen wird während der Instandsetzung in den Klassenzimmern. Die Cafeteria decken wir durch einen Sperrholzzaun ab. So können die Kinder sie nicht sehen. Wir beginnen mit einem halben Unterrichtstag am Montag.« Rodriguez steckte eine Hand in die Hosentasche und spielte mit seinen Schlüsseln. »Wir bitten die Eltern, ihre Kinder zur Schule zu bringen. Für Marylou, Serena und Ellen wird es eine Gedenkfeier geben.«

»Wann werden sie beerdigt?« Rose konnte Rodriguez' Ausführungen kaum folgen.

»Die Totenwache ist am Sonntag im Bestattungsunternehmen Fiore, die Beisetzung am Montag. Trauerbegleiter werden zur Stelle sein. Danach kann das Leben wieder von vorn beginnen.«

»Ist das alles nicht ein bisschen schnell?«

»Wenn Sie Melly zu Hause behalten wollen, betrachten Sie sie schon jetzt als entschuldigt. Aber ich würde sie an Ihrer Stelle in die Schule schicken. Sie muss lernen, sich in die Schulgemeinschaft zu integrieren.« Dann wandte sich Rodriguez an Kristen. »Sie haben doch ein gutes Verhältnis zu Melly?«

»Ich werde mich um sie kümmern.«

»Bitte, halten Sie mich nicht für herzlos«, sagte er zu Rose. »Das Gesetz zwingt uns zur Abhaltung einer bestimmten Anzahl von Schultagen. Egal, was passiert. Und falls es wieder so viel schneit wie letzten Winter, können wir uns jetzt keine Ausfalltage leisten.«

»Aber es war so ein furchtbares Feuer.« Rose sah die brennende Cafeteria wieder vor sich.

»Das mag Ihr Eindruck gewesen sein, aber in Wirklichkeit hielt sich der Schaden in Grenzen. Nur Cafeteria und Lehrerzimmer sind beschädigt worden.«

»Und der Wasserschaden? Die Sprinkleranlage lief ohne Unterlass.«

»Die Sprinkleranlage hat sich nur da eingeschaltet, wo es gebrannt hat.« Sein Ton wurde noch offizieller. »Ich war gestern den ganzen Nachmittag mit dem Chef der Feuerwehr und Vertretern der Polizei und der Regierung zusammen. Wir haben sogar das FBI hinzugezogen.« Rodriguez schürzte die Lippen. »Die Bauaufsichtsbehörde hat das Schulgebäude bereits freigegeben. Ende Februar wollen wir die Cafeteria wieder eröffnen.«

»Aber diesmal auf die Stromkabel achten.«

»Wie bitte?« Rodriguez verzog die Stirn. »Wieso sagen Sie so etwas?«

»Weil ich gehört habe, dass Stromkabel defekt gewesen sind.«

»Wer hat das behauptet?«

Rose zögerte. Hätte sie doch nur den Mund gehalten. Aber dann antwortete Kristen. »Ich hab's erzählt.«

Rodriguez sah die Lehrerin streng an. »Kristen, wir haben drei Todesfälle. Die Sache ist zu ernst, um mit Spekulationen um sich zu werfen. Die Ursache für Explosion und Feuer ist nämlich noch nicht geklärt. Außerdem sind wir von staatlicher Seite gehalten, die Umstände der Katastrophe nicht in die Öffentlichkeit zu tragen. Bei drei Toten und zwei Kindern im Krankenhaus müssen wir alle an einem Strang ziehen.«

Rodriguez straffte die Schultern. »Rose, ich möchte Ihrer Tochter Hallo sagen, wenn es Ihnen recht ist, und dann gehen. Die Arbeit ruft. Kristen, Sie begleiten mich bitte.«

Rose führte sie zum Zimmer und öffnete die Tür. Melly schlief fest.

Rodriguez zwinkerte. »Normalerweise schlafen die Menschen erst ein, wenn ich mit ihnen spreche.«

15

»Du hast wirklich keinen Durst?« Rose saß auf Mellys Bett. Sie war am Boden zerstört, verbarg es aber vor ihrer Tochter, die nur kurz geschlafen hatte.

»Nee.«

»Kein Wasser?«

»Kein Wasser.« Melly tippte mit ihren pinkfarbenen Fingernägeln auf das Sauerstoffkabel. »Ist Ms Canton gegangen?«

»Ja. Ich soll dich von ihr grüßen. Mr Rodriguez wollte dich besuchen. Aber du hast geschlafen, und ich wollte dich nicht aufwecken.«

»Hast du meine Spielkonsole?«

»Leider nicht. Ich habe sie mit dem Buch in Leos Wagen liegen lassen. Auch meinen Laptop habe ich nicht dabei.«

»Oh. Am Samstagmorgen chatte ich doch mit meinen Freunden vom *Pinguinclub.* Ist aber nicht so schlimm.«

Rose achtete darauf, dass Melly nicht zu viel Zeit auf dieser Website verbrachte, auch wenn der *Pinguinclub* ein kindgemäßer Chatroom war.

»Darf ich fernsehen? Es gibt jetzt Zeichentrickfilme.«

»Ach nein.« Rose hatte Angst, dass das Programm unterbrochen werden könnte, um vom Feuer und seinen Opfern zu berichten.

»Was können wir dann tun?«

»Ich kann in den Laden gehen und ein Magazin kaufen. Darin lesen wir dann.«

Mellys Miene erhellte sich. »Vielleicht haben sie *Teen People.* Das liest meine Freundin gern.«

»Welche Freundin?«

»Ein Mädchen vom *Pinguinclub*. Sie mag alle Girlie-Magazine. Sie mag auch Harry Potter, kennt aber nur *Die Kammer des Schreckens.*«

»Okay, ich kaufe das Magazin.« Rose rollte den Nachttisch beiseite, da ging die Tür auf. Es war Leo. Er hatte den kleinen John dabei, der an seiner Schulter schlief. Leo war seltsamerweise in seinem Büro-Outfit. Er trug ein weißes Oxford-Hemd, hellbraune Dockers-Hosen und seine Slipper aus Kalbsleder.

»Hallo, Jungs! Wie geht's meinem lieben Johnnieboy?« Rose stand auf und nahm das schlafende Baby auf ihren Arm. John war groß für sein Alter. Sie war froh, ihren kleinen Liebling in den Arm nehmen zu können, auch wenn es nicht gerade eine großartige Idee war, ein krankes Baby mit ins Krankenhaus zu bringen. Doch John munterte sie wieder auf.

»Hallo, Mädels!« Leo legte die Wickeltasche auf dem Stuhl neben der Tür ab und ging zu Melly. »Wie geht's meinem kleinen Pfirsich?«

»Leo!« Melly kniete sich aufs Bett und empfing ihn mit offenen Armen. Leo drückte sie fest an sich und – wie nicht anders zu erwarten – knurrte dazu wie ein Bär.

»Ich bin so froh, dich zu sehen, meine Kleine.«

»Leo, ich kriege Sauerstoff.«

»Großartig.« Leo lachte. »Ich mag Sauerstoff nämlich auch.«

Rose beobachtete die beiden. Sie war froh, dass Melly ihren Stiefvater liebte, auch wenn sie ihn nicht Daddy nannte. All ihre Lieben waren jetzt versammelt, doch unter ihre Freude mischte sich auch Sorge, wenn sie an das Zimmer ein Stockwerk höher dachte. Sie drückte Leo einen Kuss auf die Wange, und die Duftwolke seines herben Aftershave umfing sie. »Seit wann riechst du auch samstags so apart?«

»Weil ich ein Womanizer bin.« Leo setzte ein schiefes Lächeln auf, aber dahinter spürte sie einen Anflug von Bedauern.

»Du gehst ins Büro?«

»Ich muss, mein Schatz. Das Gericht hat mich vor einer Stunde angerufen. Wir haben einen Verhandlungstermin am Montag bekommen.«

»Die rufen samstags an?«

»Manchmal schon. Richter können sich keine Leerzeiten leisten.«

»Und was ist mit John? Wenn sie herausfinden, dass er krank ist, werfen sie ihn hinaus.«

»Ich habe keinen Babysitter bekommen.« Leo schüttelte den Kopf. »Glaub mir, wenn es irgendeine Möglichkeit gäbe, das Büro abzusagen, ich würde es tun. Aber du weißt, wie wichtig der Fall für mich ist.«

Ja, das wusste sie. »Hat denn Jamie keine Zeit?«

»Nein. Und unser Ersatzbabysitter bereitet sich aufs Examen vor. Ich habe dem Mädchen gesagt, dass sie auch bei uns zu Hause lernen kann, aber sie hat abgelehnt. Unsere Nachbarin ist weggefahren, und sonst kenne ich keinen.«

»Und Sandy?«

»Da geht niemand ans Telefon.« Leo zuckte mit den Schultern. »Ich würde ihn ja mit ins Büro nehmen, aber ich erwarte Zeugen, die extra aus Denver einfliegen. Ich muss das ganze Wochenende durcharbeiten – und die nächste Woche wird auch kein Zuckerschlecken.«

»O nein.« Wieder stand Rose vor einem Dilemma, wieder war sie zwischen ihren beiden Kindern hin- und hergerissen. Denn sie wollte Melly nicht allein im Krankenhaus lassen. »John fühlt sich nicht mehr so warm an. Hat er noch Fieber?«

»Nein, aber ich habe seine Medikamente sicherheitshalber mitgebracht. Dem Hund habe ich etwas zu fressen gegeben.«

»Leo! Leo!«, rief Melly vom Bett aus. »Ms Canton hat mir Hermines Zauberstab geschenkt!«

»Den muss ich sehen.«

»Ich habe den Zauberspruch vergessen, damit Wasser aus dem Zauberstab kommt. Oh, warte! *Aguamenti!*« Melly wirbelte mit dem Stab herum, Leo zog dem Kopf ein.

»Cool. Darf ich auch mal? Auch wenn ich kein Harry-Potter-Spezialist bin?«

Melly gab ihm den Zauberstab, und er sprach: »Abrakadabra, dreimal schwarzer Kater. Wo bekomm ich einen Babysitter her?«

Melly verzog das Gesicht. »Leo, Mom lässt mich nicht *Carly* schauen.«

»Das hat sie gesagt? Die ist aber vielleicht eine Böse.« Leo redete auf den Zauberstab ein. »Lass sie ihre Meinung ändern. Presto!«

»Heute bitte kein Fernsehen.« Rose zwinkerte Leo zu, aber ohne Erfolg.

»Lass sie doch. Was ist denn Schlimmes dabei?«

»Gehst du kurz mit mir raus, Merlin?« Rose ging zur Tür. »Wir gehen kurz mal raus, Melly. Bleib du im Bett.«

»See you later, alligator!« Leo gab Melly einen Kuss.

Auf dem Gang informierte Rose Leo über Amandas Zustand. »Vielleicht ist schon …« Sie brachte den Satz nicht über die Lippen.

Leo legte den Arm um sie und John und strich ihr über den Rücken. »Wie schrecklich. Das arme Kind.«

»Wenn wir doch nur etwas für sie tun könnten.«

»Wir können nichts tun.«

»Bist du dir sicher?«

»Ja.« Leo ließ sie los. Er blinzelte gegen die Sonne. »Nichts können wir tun. Überhaupt nichts.«

»Und wenn wir ihnen unser Mitgefühl mitteilen?«

»Das hilft dir, aber ihnen nicht. Außerdem bist du die Letzte, von der sie bemitleidet werden wollen.«

Dieser Satz traf Rose hart. Wahrscheinlich, weil er der Wahrheit entsprach.

»Es könnte später auch wie ein Schuldbekenntnis interpretiert werden.« Leo verzog die Stirn. »Lass es gut sein. Kannst du das?«

Das hatte Rose noch nie gekonnt. Sie konnte sich noch nicht einmal etwas darunter vorstellen.

»Hör mal.« Leo rieb ihren Arm. John bewegte sich, schlief aber weiter. »Einige Reporter haben mich heute angerufen. Wir müssen uns klug verhalten. Ich weiß, dieser Prozess kommt genau zur falschen Zeit.«

»Könnte der Richter ihn nicht verschieben? Ein Kind von dir liegt im Krankenhaus.«

»Melly wird doch morgen entlassen.«

»Ja, gegen Mittag.«

»Dann geht das nicht.« Leo gab ihr einen Kuss auf die Wange. »Ich muss ins Büro. Geh heute Abend mit John nach Hause.«

»Ich habe keinen Wagen.«

»Doch. Ich bin mit deinem gekommen. Er steht draußen auf dem Parkplatz.«

»Danke.«

»In der Wickeltasche ist auch Mellys neues Buch und ihre Spielkonsole. Ruf mich an, wann immer du willst. Ich melde mich auch.«

Rose schüttelte den Kopf. »Ich kann nicht nach Hause gehen und sie allein im Krankenhaus lassen. Und Amanda liegt im Sterben. Das ist die Wahrheit.« Wieder sah sie die Teddybären im Krankenwagen vor sich.

»Das weiß ich.«

»Melly muss sich immer nach John richten. Nie ist es umgekehrt.«

Leo verstand nicht. »Nun, er ist das Baby.«

»Und es ist *dein* Baby.«

»Was? Bist du jetzt verrückt geworden?«

Vielleicht. Sie war verantwortlich für den Tod eines Kindes. Daran konnte sie nichts mehr ändern.

»Ro, ich liebe beide Kinder. Das weißt du.« Leo fasste sie am Arm. John streckte sich, in seiner Nase blubberte es. »Die Familie ist alles für mich. Du, Melly, John, auch Googie gehört dazu.«

»Und deshalb lässt du uns jetzt allein?«

»*Wie bitte?*«

»Du hast mich verstanden.« Rose wusste, dass sie unrecht hatte. Sie verbiss sich in etwas. Sie wusste nicht, warum.

Leo schürzte die Lippen. Er wollte nicht etwas sagen, das er vielleicht später bereuen würde. Er drehte sich auf dem Absatz um und eilte in Mellys Zimmer zurück, um ihr einen Abschiedskuss zu geben.

Rose rührte sich nicht vom Fleck. Auch als er herauskam, blieb sie stehen.

Kein Wort kam über ihre Lippen.

Dann war er weg.

16

Rose lief mit dem quengelnden John auf und ab. Sie gab ihm einen neuen Schnuller und sang ihm sein Lieblingslied *Oh Susanna* vor. Ohne Erfolg. Er hatte fast den ganzen Nachmittag geschlafen. Von Amanda hatte sie nichts gehört. Sie fühlte sich von der Welt abgeschnitten, hatte schlechte Laune und war nervös.

»Mom, was will er denn?« Melly sah von ihrem Buch auf.

»Keine Ahnung. Wahrscheinlich hat er Ohrenweh.«

»Warum rufst du nicht einen Doktor?«

»Die haben keine Zeit. Außerdem ist er kein Patient.«

»Wieso nicht?«

»So ist das eben.«

Rose sang, und John schrie weiter. Sie ging mit ihm zum Fenster, aber Johnnie ließ sich von ein paar Bäumen und der untergehenden Sonne nicht beeindrucken. Sie musste ihn beruhigen, bevor die Schwestern etwas von ihrer Pyjama-Party mitbekamen.

»Melly! Ich gehe nach unten, einkaufen. Ich bin gleich wieder da.«

»Okay.«

»Falls du was brauchst, ruf die Schwester.« Unauffällig ließ Rose die TV-Fernbedienung unter Johns Decke verschwinden, dann putzte sie seine Nase an ihrem Ärmel ab und ging. Eine ältere Krankenschwester und ein junger Praktikant an der Rezeption sahen auf. Rose lächelte den beiden zu. »Wir gehen einkaufen. Können Sie das Zimmer meiner Tochter im Auge behalten? Sie ist allein.«

»Klar«, antwortete die Schwester. »Nehmen Sie die Treppe, das geht schneller. Die Cafeteria ist im Erdgeschoss, rechts.«

»Danke.«

John brüllte los. Der Praktikant zuckte zusammen. »Seine Lunge scheint in Ordnung zu sein.«

Rose schenkte ihm ein aufgesetztes Lächeln, wünschte ihm viele Kinder an den Hals und verschwand im Treppenhaus. Dort hörte John abrupt mit dem Schreien auf. Unsicher sah er sich um. Seine Nasenspitze war gerötet, seine Pausbäckchen waren rosa, und sein lockiges Haar war vom Schwitzen nass. Seine Augen glänzten wie die von Leo.

Und es ist dein Baby.

»Keine Angst, mein Schatz.« Sie rieb ihm den Rücken, sein Schlafanzug fühlte sich warm an. »Es ist alles in Ordnung, mein Großer. Alles ist in Ordnung.«

John lächelte, sie gab ihm einen Kuss und drückte ihn fest an sich. Sie liebte ihren Sohn, so wie sie Leo liebte. Wie hatte sie ihm nur unterstellen können, dass er John mehr liebte als Melly? Was war da in sie gefahren?

Mama!

Rose blieb stehen und zog ihr Handy aus der Tasche. Hier im Treppenhaus würde wohl kein Herzmonitor durch ein Telefonat gestört. Die Batterie ihres Blackberry war aber fast leer, deshalb schrieb sie Leo eine SMS. ES TUT MIR LEID. ICH LIEBE DICH. Doch die Nachricht wurde nicht weitergeleitet. Vielleicht wegen des schlechten Empfangs, vielleicht wegen des schwachen Akkus.

Unten in der Lobby war nicht viel los. Das passte zu einem Samstagabend. Rose war froh darüber. Auf einer bronzenen Tafel waren Spender und Sponsoren des Krankenhauses aufgelistet. Als der Duft von gebackenem Käse und Tomatensuppe ihr in die Nase stieg, wusste sie, die Cafeteria war nicht mehr weit. Der Eingang zur GROTTE, wie der Imbiss hieß, war mit Salamis und Käsescheiben aus Pappmaché dekoriert. Sie nahm ein rotes Tablett aus Plastik und reihte sich in die kurze Schlange der Wartenden ein.

»Was haben sie denn? Hot Dogs, Käsetoast und Nudeln.« Rose redete den ganzen Tag mit John. So hatte sie es schon mit Melly gehalten. Sie war sich sicher, dass alle

Babys – auch wenn Wissenschaftler das Gegenteil behaupteten – den Ausführungen ihrer Mütter nicht nur mit großem Interesse folgten, sondern sie auch verstanden.

»Johnnie, was sagst du zu den schönen Sachen hier?« Rose blieb bei den warmen Sandwiches, die in Aluminiumfolie eingewickelt waren, stehen und entschied sich für zwei Brötchen mit gebackenem Käse. Sie hoffte, für Melly etwas Leichteres zu finden. John machte seine Hand auf und zu, das tat er immer, wenn er Hunger hatte.

»Was für ein süßer kleiner Mann.« Doris, eine Cafeteria-Mitarbeiterin, kam mit einem Tablett Hamburger auf sie zu. »Ist er auch ein braves Baby?«

»Das bravste Baby der Welt.« Rose dachte an die toten Cafeteria-Mitarbeiterinnen von der Schule. Sie gab John ein Pommesstäbchen, der es in sein Händchen nahm und drückte, bevor er es in den Mund schob. »Lecker?«

»Ihm schmeckt mein Essen.« Doris lächelte.

»Ohne Zweifel.« Rose ging weiter, auf der Suche nach Pizza, und blieb hinter einer älteren Frau mit kurzem silbernem Pferdeschwanz stehen, die die verschiedenen Suppentöpfe studierte.

»Entschuldigung, können Sie mir das vorlesen?«, fragte sie Rose. »Ich habe meine Lesebrille vergessen. Steht da Gemüsesuppe?«

»Ja, genau.«

»Vielen Dank.« Die müden Augen der alten Dame begannen zu leuchten, als sie John entdeckte. »Wie schön, ein Baby. Und wie lieb sie ist.«

Rose hegte nicht die Absicht, sie über Johnnies wahres Geschlecht in Kenntnis zu setzen.

»Ma'am, wollen Sie Suppe?«, fragte Doris die Dame.

»Bitte ein Schälchen Gemüsesuppe.«

»Die Hamburger sind wohl auch für Sie?«

»Ja, ich habe einige Mäuler zu stopfen.«

»Schön für Sie«, sagte Rose und ging weiter. Unter ein paar Wärmelampen hatte sie Pizzaschnitten entdeckt, und daneben ein Glasregal mit Kirsch- und Schokoladenpudding. Das war etwas für Melly.

»Sie haben mich zum Essenholen geschickt. Und ich bezahle es auch. Ich bin immer die, die bezahlt.« Die ältere Dame schmunzelte. Rose nahm sich drei Flaschen Wasser aus der Auslage.

»Das ist ein netter Zug von Ihnen«, sagte Rose lächelnd.

»Meiner Großnichte geht es schlecht«, sagte die alte Dame zu Doris, die die Hamburger in einer großen Papiertüte verstaute. »Sie hat es bei dem Feuer schwer erwischt.«

Rose horchte auf. Die Frau sprach von Amanda. Ein Zufall, aber kein allzu großer. Reesburgh Memorial war ein kleines Krankenhaus in einer kleinen Stadt. Amanda lebte also noch. Rose wollte mehr erfahren. Sie gab John noch ein Pommesstäbchen, damit er ruhig blieb.

»Das tut mir leid.« Doris legte jede Menge Ketchup-Tütchen zu den Hamburgern. »Ich hab's im Fernsehen gesehen.«

Rose senkte den Kopf. Sie wollte Information, aber keineswegs erkannt werden.

»Die Ärzte hatten heute Morgen mit ihrem Tod gerechnet. Aber sie hat uns alle eines Besseren belehrt. Es geht auf und ab wie bei einer Achterbahn.«

»Ich werde für sie beten«, sagte Doris.

»Wir sind die ganze Strecke von Pittsburgh hierhergefahren. Aber wir dürfen nur fünfzehn Minuten pro Stunde zu ihr.«

»Das sind die Bestimmungen.« Doris gab der Kassiererin die Tüte mit den Burgern. »Wollen Sie vielleicht vorgehen, Miss? Sie haben ein Baby«, fragte sie Rose.

»Gerne.« Rose ging mit gesenkten Kopf vor zur Kasse und lauschte.

»Ich glaube an die Macht des Gebets«, sagte die alte Dame. »Seit dem Tod meines Mannes bete ich jeden Tag. Und das schenkt mir Ruhe und Frieden. Dem Rest meiner Familie würde ein bisschen Beten auch guttun. Zum Beispiel meinem Neffen, er ist Rechtsanwalt und meistens schlecht drauf. Er ist gerade oben, schimpft und tobt. Kaum zu glauben, dass er christlich erzogen worden ist.«

»Da kenne ich einige von der Sorte.« Doris steckte noch einen Schwung Servietten in die Tüte.

»Er will die Schule und jeden in Reichweite verklagen. ›Köpfe werden rollen.‹ Das sind seine Worte.«

O nein. Rose holte den Geldbeutel aus ihrer Tasche, um zu zahlen. Die Kassiererin packte ihren Einkauf in eine Tasche.

»Achtzehn Dollar sechsunddreißig.«

»Behalten Sie den Rest.« Rose gab ihr einen Zwanzig-Dollar-Schein und hastete aus der Cafeteria. Sie wollte

Leo anrufen. Er hatte recht gehabt. Eine Prozesslawine drohte losgetreten zu werden.

Aber ihr Handy funktionierte auch in der Lobby nicht. Sie wollte es draußen probieren.

Doch vor dem Krankenhaus warteten Reporter mit ihren Kameras und Mikrofonen. Sie tranken und rauchten. Rose lief zurück und die Treppe hinauf.

17

Rose lag neben Melly auf dem Bett. John an ihrer Brust schnarchte und schlief, den Tropfen sei's gedankt. Über den Bildschirm flimmerten grellbunte Comic-Figuren. Rose sah auf die Uhr. Es war 20:15 Uhr. Von Leo hatte sie nichts gehört. Sie hatte ihn vom Zimmertelefon aus angerufen und ihm eine Nachricht hinterlassen.

»Es gibt ein Problem«, sagte sie zu Melly, die fernsah.

»Was für eines?« Melly war müde.

»Ich kann mit John nicht länger bleiben. Ich muss nach Hause.«

Melly runzelte die Stirn. »Und ich? Darf ich mit?«

»Nein. Aber ich bin morgen früh wieder bei dir. Du bist schon ein großes Mädchen. Da muss ich mir doch überhaupt keine Sorgen machen, wenn du heute Nacht allein hier bleibst.« Immer wenn Rose besorgt war, behauptete sie das Gegenteil. So machte es jede clevere Mutter.

»Und ich bleibe hier ganz allein?«

»Du bist nicht allein. Draußen direkt vor der Tür sind die Krankenschwestern. Sie sind die ganze Nacht da. Sollen wir zu ihnen gehen?«

»Nee.«

»Okay. Bevor ich gehe, rede ich mit ihnen. Sie werden sich um dich kümmern.«

»Warum kann ich nicht mit dir kommen?«

»Morgen, aber nicht heute Abend. Sie müssen deinen Sauerstoff kontrollieren.«

»Aber ich hab den Schlauch die ganze Zeit anbehalten.« Melly war beleidigt.

»Das stimmt. Aber du musst ihn auch heute Nacht noch anbehalten.«

»Und warum musst du gehen?« Melly blieb hartnäckig.

»Babys dürfen hier nicht bleiben. Und wir haben keinen Babysitter gefunden. Das weißt du.« Jetzt half nur noch Bestechung. »Du darfst auch den ganzen Abend fernsehen, aber nur den Kinderkanal.«

»Wirklich?« Melly schnellte hoch. Da ging die Tür auf.

»Guten Abend, meine Damen.« Eine große brünette Krankenschwester lächelte sie an. Ihr Kittel war auf der Vorderseite mit dem Bild eines Welpen bedruckt, auf ihr Stethoskop hatte sie ein kleines laminiertes Foto von einem weißen Pudel geklebt. »Ich bin Rosie, die Nachtschwester.«

»Ha!« Melly lachte und setzte sich auf. »Sie heißt genau wie du, Mom.«

»Richtig.« Rose stand mit dem schlafenden John an ihrer Brust vom Bett auf. »Ich heiße auch Rose. Und beide scheinen wir Hunde zu lieben.«

»Erwischt. Ich habe einen Pudel. Sein Name ist Bobo.«

»Und wir haben einen Cavalier King Charles Spaniel«, verkündete Melly stolz. »Sein Name ist Prinzessin Google Cadiz McKenna Ingrassia.«

Die Schwester lachte. »Das ist ein langer Name.«

»Deshalb rufen wir sie auch meistens nur Googie. Das ist lustiger.«

»Da habt ihr recht.« Die Krankenschwester nahm die Blutdruckmanschette aus einem weißen Korb an der Wand. »Melly, ich werde deinen Blutdruck messen. Du weißt, wie das geht?«

»Ja, es tut weh.«

»Nicht, wenn ich es mache.« Die Schwester griff nach Mellys Arm und sah zu Rose. »Mit dem Baby können Sie über Nacht leider nicht bleiben.«

»Ich weiß.« Rose lächelte und blickte zu ihrer Tochter. »Ich habe Melly beruhigt. Schließlich sitzen Sie die ganze Nacht vor der Tür. Außerdem habe ich ihr erlaubt fernzusehen.«

Die Schwester nickte und schloss behutsam die Manschette. »Melly, wir werden viel Spaß miteinander haben. Mir gefallen deine Fingernägel. Pink ist eine tolle Farbe.«

»Das finde ich auch.«

»Weißt du, was? Ich habe Nagellack dabei. Da könnten wir uns doch gegenseitig …«

»Juhu! Ich weiß, wie man das macht. Ich kann es ganz allein.«

»Tatsächlich?« Die Schwester pumpte die Manschette auf. »Das wird ein lustiger Abend.«

»Magst du Pudding?«

»Ich liebe Pudding. Sieh dir meine Hüften an.« Die Schwester kicherte und sah auf ihre Uhr. »Schokoladig mag ich ihn am liebsten. Er kann auch ein bisschen pampig sein. Hauptsache lecker.« Sie öffnete die Manschette wieder. »Fertig. Das hast du großartig gemacht, meine süße Maus.«

Melly lächelte, sie war überrascht. »Hey, das hat nicht wehgetan. Wie hast du das gemacht?«

»Das ist mein Geheimnis.«

Mellys Augen leuchteten. »Mom, du kannst jetzt gehen.«

»Ach, so ist das.« Rose gab Melly einen Abschiedskuss und verstaute die Fernbedienung in der Wickeltasche. Sicher ist sicher.

»In meiner Schule hat's gebrannt«, erzählte Melly der Schwester.

»Ich habe davon gehört.«

»Meine Mom hat mich gerettet.«

»Sie ist großartig. Weißt du, warum?«

»Nee.«

»Weil sie Rose heißt.« Sie zwinkerte Rose zu. »Bye, Rose Nummer eins.«

»Bye, Rose Nummer zwei.« Rose ging zur Tür. »Schatz, ich rufe dich in einer Stunde an.«

»Okay, Mom.«

»Ich hab dich lieb.« Rose eilte den Gang entlang, dann das Treppenhaus hinunter, John fest an sich gedrückt. Unten angekommen, lief sie zur Tür hinaus.

Sofort wurden Scheinwerfer eingeschaltet, Videokameras gestartet und Mikrofone gezückt. Tanya Robertson war wieder die Anführerin der Meute.

»Ms McKenna, wie geht es Melly? Bleibt es bei ihrer Entlassung morgen? Wie wär's jetzt mit einem Interview? Geben Sie Ihrem Herzen einen Stoß.«

»Kein Kommentar.« Rose hielt nach ihrem Wagen Ausschau, aber die Scheinwerfer blendeten sie. John begann zu weinen, der Tumult hatte ihn aufgeweckt.

Tanya und ihre sensationslüsternen Kollegen ließen nicht locker. »Was sagen Sie zu dem Zustand von Amanda Gigot, Ms McKenna?« »Haben Sie versucht, außer Ihrer Tochter noch ein anderes Kind zu retten?«

Rose entdeckte ihren blauen Ford Explorer auf dem Parkplatz. Sie spurtete los, den weinenden John fest an ihre Brust gedrückt.

»Stimmt es, dass Sie sich bei der Schulleitung über Amandas Verhalten gegenüber Ihrer Tochter beschwert haben?« »Hat sich der Anwalt der Gigots schon bei Ihnen gemeldet?«

Rose öffnete mit der Fernbedienung ihren Wagen, setzte John in den Kindersitz, schnallte ihn fest, sprang hinters Steuer, startete den Motor – und suchte das Weite.

18

Es war bereits dunkel, als Rose ihren Ford in der Einfahrt parkte. Ihr Nachbar von gegenüber trug gerade den Müll hinaus. Sie winkte ihm zu, aber er reagierte nicht. Wahrscheinlich hatte er sie nicht gesehen. John, der noch schlief, roch nach Pipi, als sie ihn aus dem Kindersitz hob. Sie war froh, dass es dunkel war. Die sternenlose Nacht legte sich wie ein schützender Schleier über sie.

Der schlechteste Wachhund Amerikas, Prinzessin Google mit Namen, wachte auf, als Rose den Plattenweg zum Haus hochging. Unvorstellbar, dieses neue Heim aufgeben zu müssen. Sie liebte ihr Backsteinhaus im Kolonialstil. Aber seit Freitag war alles möglich.

Sie legte ihre Taschen auf der Couch ab und ging mit John direkt nach oben. Dort wechselte sie ihm die Windeln, was der Kleine, ohne wach zu werden, über sich ergehen ließ. Seine Händchen hatte er zu Fäusten geballt, die Beine streckte er wie ein Frosch von sich. Auf Zehenspitzen schlich sie sich wieder nach unten, da klingelte das Telefon. Sie nahm das Gespräch in der Küche an. Der Anruf kam aus der Klinik.

»Ja, hallo?«, fragte Rose besorgt.

»Mom?« Es war Melly.

»Schatz, ich wollte dich gleich anrufen. Wie geht es dir?«

»Ich hab mein Zimmer nicht mehr für mich allein.«

»Ah, ja.« Rose hatte nicht an diese Möglichkeit gedacht. »Das passiert manchmal.«

»Das hat Leo auch gesagt. Er hat mich angerufen.«

»Lieb von ihm.«

»Das neue Mädchen ist nicht allein. Seine Mutter ist bei ihm.«

»Was ist das für ein Lärm?«, fragte Rose.

»Die Mutter schaut fern, und zwar richtig laut. Meine Cartoons verstehe ich nicht mehr. Und die Schwester ist auch nicht mehr aufgetaucht. Wir wollten uns doch die Nägel lackieren.«

Warum hatte sie ihre Tochter alleingelassen? »Wahrscheinlich hat sie zu tun. Siehst du den Knopf am …«

»Mom, im Fernsehen haben sie gesagt, dass Amanda auch im Krankenhaus ist. Stimmt das?«

O nein! »Ja, das stimmt.«

»In *meinem* Krankenhaus?«

»Ja.«

»Was fehlt ihr?«

»Das Gleiche wie dir. Rauchvergiftung.« Rose wollte nicht lügen, aber die ganze Wahrheit konnte sie ihr nicht am Telefon sagen. »Sie braucht Sauerstoff. Wie du.«

»Mom, ich will nicht, dass sie zu mir ins Zimmer kommt.«

»Das wird sie nicht.«

»Hoffentlich.« Melly klang ängstlich. »Das kleine Mädchen reicht mir. Amanda auch noch? Nein. Mom, darf ich nach Hause?«

»Noch nicht.«

»Aber ich will hier nicht allein bleiben.«

»Vielleicht finde ich einen Babysitter für John. Dann komme ich bald.«

»Bitte, Mom.«

»Ich versuch's. In der Zwischenzeit schlaf ein bisschen.«

»Der Fernseher ist zu laut. Wenn du hier wärest, würdest du es ihr verbieten.« Melly hatte wohl eine hohe Meinung von Roses Durchsetzungsvermögen.

»Vielleicht kann ich auch von zu Hause aus was ausrichten.« Sie sah auf die Uhr: Es war 21:25 Uhr. »Ich rufe gleich wieder zurück. Leg jetzt auf.«

Auch Rose legte auf und rief die Telefonzentrale der Klinik an. »Können Sie mich mit der Schwesternstation im dritten Stock verbinden?«

»Kein Problem«, antwortete die Telefonistin. Ein Klick in der Leitung und dann langes, langes Klingeln. Niemand hob ab. Rose rief erneut die Vermittlung an.

»Ich bin es wieder. Meine Tochter liegt im dritten Stock, und ich möchte mit der Nachtschwester sprechen, weil der Fernseher in …«

»Bleiben Sie am Apparat«, sagte die Telefonistin.

»Nein, einen Augenblick!« Aber schon klickte es wieder in der Leitung. Rose ließ es zehnmal klingeln, dann gab sie auf. Sie holte ihr Handy aus der Tasche und schloss es mit dem Ladegerät ans Netz. Die Mailbox zeigte einen Anruf von Leo an. Sie hörte ihn ab.

»Schatz, ich habe deine SMS erhalten. Mir tut es auch leid. Ich stecke bis über beide Ohren in der Arbeit. Warte also nicht auf mich. Hoffentlich hast du einen Babysitter gefunden. Ich liebe dich. Grüß mir die Kinder.«

Schön, Leos Stimme zu hören. Rose ging sofort ihr Adressbuch durch, auf der Suche nach einem Babysitter.

Viele Telefonate und gut dreißig Minuten später stand sie noch immer ohne Hilfe da. Jetzt war es kurz vor zehn. Sie musste, ob sie wollte oder nicht, Melly anrufen und ihr die schlechte Nachricht mitteilen.

»Mom, wann kommst du?«

»Ich habe keinen Babysitter gefunden. Ich werde es weiter versuchen, und wenn ich Glück …«

»Mom, bitte komm.«

»War die Schwester da?« Rose hörte den lauten Fernseher im Hintergrund.

»Ja, aber sie musste gleich wieder weg. Bitte, komm.«

»Und der Fernseher?«

»Ich hab mich nicht getraut, was zu sagen.«

»Mel, siehst du den Knopf neben dem Bett? Er ist aus weißem Plastik und hängt an einer weißen Schnur. Drück darauf.«

»Mach ich. Aber die Schwester kommt nicht.«

»Hab Geduld, sie kommt schon.«

»Nein.« Melly begann zu wimmern.

»Nicht weinen, mein Schatz. Wenn die Schwester kommt, gib ihr das Telefon, damit ich mit ihr sprechen kann.« Rose hörte Melly schniefen. Dann wurde im Hintergrund geredet. Wahrscheinlich war die Schwester gekommen. »Melly, gib sie mir. Hallo?«

»Ja?«, antwortete jemand mit kühler Stimme. Das war nicht Schwester Rosie.

»Hier spricht Rose. Wer ist am Apparat?«

»Schwester Annabelle. Sind Sie die Mutter?«

»Ja. Der Fernseher ist zu laut. Meine Tochter kann nicht schlafen.«

»Einen Augenblick. Bleiben Sie dran.«

Kurz darauf hörte man den Fernseher nicht mehr. Aber Melly weinte noch immer.

»Hallo, Schwester? Sind Sie noch dran?«

»Was wollen Sie?«

»Kann ich noch einmal mit meiner Tochter sprechen? Sie hat gestern das Feuer überlebt, sie ist verängstigt.«

»So spät sind keine Telefonate mehr erlaubt.«

»Bitte, legen Sie nicht auf. Ich möchte mit meiner Tochter sprechen.«

»Nach zehn Uhr werden alle Gespräche automatisch gekappt. Sie ist bei uns in besten Händen.«

»Meine Güte. Darf ich ihr denn wenigstens eine gute Nacht wünschen?« Rose wurde wütend.

»Einen Augenblick.«

»Melly? Melly?«, rief Rose in den Hörer, aber die Verbindung war unterbrochen worden. Ihr Handy blinkte.

Neue E-Mails von Kim Barnett, Jane Llewellyn, Annelyn Baxter, alle drei Mitglieder des Elternbeirats. Sie las die erste Mail: ICH KENNE DIE GIGOTS. DIE GANZE FAMILIE IST TODUNGLÜCKLICH. ABER IHNEN GEHT'S WOHL GUT?

Rose legte ihr Handy beiseite. Reesburgh war eine kleine Stadt, aber das Internet machte sie noch kleiner. Sie wollte nicht weiterlesen.

Sie hatte verstanden.

19

Rose stand in der Küche, trank eine Cola light und wartete auf die TV-Nachrichten. Nicht, dass sie das Feuer noch einmal sehen wollte, aber sie wollte wissen, was Melly eventuell im Fernsehen mitgekriegt hatte. Sie strich der schlafenden Googie gerade mit dem Fuß übers Fell, als ein flotter Moderator auf dem Bildschirm auftauchte. Hinter ihm ein Foto von der brennenden Cafeteria. SCHRECKLICHES FEUER IN SCHULE lautete die Bildunterschrift.

»Guten Abend, ich bin Tim Dodson. Allmählich kehrt das normale Leben wieder nach Reesburgh zurück. Bei einem Brand in der Cafeteria der Grundschule waren eine Lehrerin und zwei Mitarbeiter der Schule tödlich verletzt worden. Tanya Robertson steht vor dem Reesburgh Memorial Hospital, in dem Amanda Gigot noch immer um ihr Leben kämpft. Hallo, Tanya?«

»Hallo, Tim! Die beiden Mädchen, die bei dem Feuer am Freitag verletzt wurden, dürfen die Klinik nicht verlassen.« Tanya stand in gleißendem Scheinwerferlicht, was ihr offensichtlich gefiel. »Beide sind Schülerinnen der dritten Klasse, aber da enden auch schon ihre Gemeinsamkeiten. Melinda Cadiz hat Glück gehabt. Die Achtjährige darf morgen nach der erfolgreichen Behandlung ihrer Rauchvergiftung wieder nach Hause. Ihre Mutter Rose McKenna hatte Melinda, die alle nur Melly nennen, aus dem Flammenmeer befreit. Wir waren gestern die Ersten gewesen, die Ihnen Bilder von der waghalsigen Rettung zeigen konnten. Erinnern Sie sich? Die mütterliche Heldin flieht mit ihrer Tochter auf dem Arm aus der brennenden Schule.«

Rose lief ein Schauder über den Rücken. Doch bei der Vielzahl der Handys auf dem Schulhof waren Bilder davon keine Überraschung.

Tanyas Gesichtsausdruck wurde ernst. »Nicht so viel Glück hatte die achtjährige Amanda Gigot. Sie hat eine schlimme Kopfverletzung und eine starke Rauchvergiftung und liegt noch immer im Koma. Amanda hat zwei ältere Brüder, und ihre Mutter, Eileen Gigot, muss ihre drei Kinder ganz allein aufziehen. Ihr Mann starb vor sieben Jahren bei einem Unfall mit einem Gabelstapler. Alle Verwandten von Amanda stehen in diesen Minuten an ihrem Bett und beten für ihre Genesung.«

Tanyas Tonfall wurde jetzt sachlicher. »Wie die Schule mitteilte, soll der Unterricht bereits am Montag wieder aufgenommen werden. Ein Sprecher der Gigots sagte mir im Vertrauen, dass die Familie gegen die Schule und die Schulaufsicht klagen will. Die Gigots haben bereits eine einstweilige Verfügung beantragt. Sie soll verhindern, dass die Schule Schäden beseitigt, bevor eine unabhängige Kommission die Ursache des Feuers geklärt hat. Die Familie hat auch Anzeige gegen Unbekannt erstattet. Wegen vermeintlicher krimineller Vergehen.«

Rose schüttelte den Kopf. Hoffentlich würden die Gigots nicht auch Anzeige gegen sie und Leo erstatten.

»Wir werden Sie über die Entwicklungen in diesem herzzerreißenden Drama auf dem Laufenden halten. Morgen können Sie nur bei uns mein Exklusiv-Interview mit Eileen Gigot sehen. Zurück zu Tim ins Studio.«

Rosa trank ihr Glas Cola aus. Die Geschichte nahm immer größere Ausmaße an und breitete sich wie ein Feuer aus. Wer würde die Flammen ersticken können? Sie schaltete den Fernseher aus und ihren Laptop, der auf dem Küchentisch stand, ein. Das Hintergrundbild zeigte Leo, Melly, John und sie in den gleichen Sweatshirts grinsend am Strand. Sie ging auf die Website des Fernsehsenders. SCHULFEUER LÖST KONTROVERSEN AUS war die Schlagzeile.

Sie überflog den Artikel, in dem nichts Neues stand. Allerdings entdeckte sie am Ende des Artikels einen Aufruf: SCHICKEN SIE UNS IHRE VIDEOS. Daneben gab es eine Menge Vorschaubilder zum Anklicken. Das Video mit den meisten Aufrufen: *Heldin aus Mutterliebe.* Rose sah sich die *Heldin aus Mutterliebe* an. Das Video zeigte Lehrer und Schüler auf dem Parkplatz herumirren, auf der Tonspur hörte man Sätze wie »Nein, nur die Cafeteria brennt«, »Die Viertklässler gehen als Erste« und »Mein Gott, und dabei ist die Schule ganz neu«.

Dann schwenkte die Kamera zum Schulgebäude. Ältere Kinder hasteten aus der Doppeltür zur Bibliothek. Plötzlich sah Rose sich selbst mit Melly auf dem Arm auf den Hof rennen. Das Bild wackelte. »Hilfe!«, hörte sie sich schreien. Die Tonqualität war nicht besonders gut, trotzdem wachte Prinzessin Google auf und war verstimmt.

Sie legte Melly ins Gras, aber die Sicht wurde durch

die herbeieilenden Leute mehr und mehr behindert. Das Video endete mit der Sirene des Krankenwagens aus dem Off. Roses Herz pochte. Sie starrte auf die Titel der übrigen Clips: *Die Tochter wird wiederbelebt. Mom bringt ihr Kind zum Rettungswagen. Die Cafeteria brennt!* Sie entschied sich für den letzten der drei.

Die Kamera blickte vom Schulhof auf die Cafeteria, aus der Rauch quoll, der immer dichter wurde. Verzweifelte Kinder rannten auf den Hof und schrien wild durcheinander. Plötzlich tauchte im Rauch Danielle auf und hinter ihr Emily, in Tränen aufgelöst. Damit endete das Video.

Rose saß wie gelähmt vor ihrem Laptop, ihre Hand ließ die Maus nicht los. Warum hörte das Video mit Emily auf? Wie gern hätte sie auch Amanda herausrennen sehen. Wie gern hätte sie gesehen, wie die Kleine in den Armen von Mrs Nuru Zuflucht fand.

Rose saß noch immer bewegungslos da. Prinzessin Google war wieder eingeschlafen. In der Küche war es mucksmäuschenstill. Draußen begann es leicht zu regnen. Was für ein zartes Geräusch, wenn die Regentropfen die Blätter der Bäume streiften.

Tränen stiegen Rose in die Augen. Wie lange hatte sie sie zurückgehalten, aber jetzt ließ sie ihnen freien Lauf.

20

Leise wurde ihr Name gerufen, sanft wurde sie an der Schulter berührt, zart wurde sie auf die Wange geküsst. »Leo?«, fragte sie benommen. Rose war vor dem Laptop eingeschlafen.

»Hi, mein Schatz.« Leo kniete sich neben sie, damit er ihr in die Augen sehen konnte. »Ich habe mich davongeschlichen. Aus Sorge um mein liebes Mädchen.«

»Oho.« Rose ließ sich gern von Leo in den Arm nehmen. Prinzessin Google zwängte sich zwischen die beiden und bettelte um Aufmerksamkeit. »Das ist lieb von dir.«

»Wenn du jetzt noch ins Krankenhaus willst, kein Problem. Und morgen früh muss ich nicht ins Büro, ich arbeite hier. Mittags könnte ich dann dich und Melly von der Klinik abholen. Klingt nicht schlecht, oder?« Leo küsste sie. Seine frischen Bartstoppeln fühlten sich angenehm an.

»Ich habe mich wie ein Idiot benommen.«

»Ich aber auch.« Leo lächelte.

»Ich mag es nicht, wenn wir streiten.«

»Ich auch nicht.« Leo küsste sie wieder. Wie warm, zart und vertraut sich sein Mund anfühlte.

»Ich liebe dich.«

»Ich liebe dich auch – was mich auf eine Idee bringt. Wir vergessen die Kinder, gehen nach oben und lieben uns wie ein junges Paar, das sein Hab und Gut statt in einem Schrank in Obstkisten aufbewahren muss.«

Rose lächelte. Aber dann wurde sie ernst. »Amanda liegt noch im Koma. Melly hat es im Fernsehen mitgekriegt.«

»O nein.« Leo verzog die Stirn. Prinzessin Google kratzte sich hinter dem Ohr. »Dann fährst du besser gleich ins Krankenhaus. Oder soll ich?«

»Nein, ich fahre.« Rose streckte sich, sie fühlte sich steif. »Die Gigots haben einen Anwalt in der Familie. Sie haben eine einstweilige Verfügung gegen die Schule beantragt. Ob sie auch gegen uns klagen werden?«

»Erheb dich, mein Spatz.« Leo half ihr beim Aufstehen. Er sah müde aus, sein Hemd stand offen. »Beim Staat und bei der Schule ist mehr zu holen als bei uns. Aber dennoch.«

»Was wird passieren? Was können wir tun? Ist unser Haus in Gefahr? Was ist mit der Hypothek?«

»Jetzt beruhige dich. Das ist der falsche Zeitpunkt, um sich den Kopf zu zerbrechen. Es ist spät, und wir sind beide erschöpft.«

»Würdest du unseren Fall übernehmen?«

»Bitte nicht jetzt.« Leo wirkte angespannt. »Alles zu seiner Zeit.«

»Entschuldigung.«

»Kein Problem. Alles kein Problem, mein Schatz.«

»Mit dir habe ich einen richtigen Glücksgriff getan.« Rose umarmte ihn liebevoll.

»Ist das eine Einladung zum Sex?«

Rose lachte.

Er drückte sie ganz fest und brummelte dazu sein obligates Leo-Knurren. »Kaffee, bevor du fährst?«

»Eine gute Idee.«

»Ich mache ihn.« Leo war Kaffeefetischist, immer auf der Suche nach dem besten Aroma. Wie viele Kaffeeautomaten er schon ausprobiert hatte. Er stellte die Tasse unter seine neueste Erwerbung und drückte auf einen blauen Knopf.

»Wie läuft die Prozessvorbereitung?«, fragte Rose.

»Nicht schlecht. Berge von Arbeit liegen noch vor mir, aber es läuft.«

»Melly wird mittags entlassen. Schaffst du das?«

»Ich habe es fest eingeplant. Den Spießrutenlauf durch die Presse will ich dir nicht allein zumuten.«

»Danke dir.« Rose wusste, wie zeitaufwändig es für ihn war, denn sein Büro lag über eine Stunde von der Klinik entfernt. »Auch wenn ich weiß, dass du es nicht einrichten kannst. Morgen ist auch die Totenwache für Marylou, Serena und Ellen.«

»Da willst du hingehen?« Leo verzog das Gesicht. Seine Tasse füllte sich mit wohlduftendem Kaffee.

»Ich muss. Einen Babysitter habe ich schon organisiert.«

»Geh nicht.«

»Wie sieht das aus, wenn ich nicht hingehe?« Rose zeigte auf den Computer. »Lies mal meine E-Mails. Sie halten mich für kalt und herzlos.«

»Ein Grund mehr, hierzubleiben. Wir sollten uns bedeckt halten und keinen Piep mehr von uns geben.«

»Aber die ganze Stadt wird da sein. Die tote Lehrerin wurde von allen geliebt und geschätzt. Es wäre respektlos.«

»Dann schick Blumen. Schick einen großen Strauß Blumen.« Leo gab Rose die Kaffeetasse, die sie sofort wieder abstellte.

»Ich weiß nicht.«

»Aber ich. Bleib hier. Tu mir den Gefallen.«

»Nicht auf die Art!«

»Auf welche Art?« Leo war von Roses heftiger Reaktion überrascht. »Du hast keine Ahnung, was passieren kann. Du hast keine Ahnung, was sie vorhaben und wie du darauf reagieren wirst.«

»Ich werde schon richtig reagieren.«

»Du könntest etwas Falsches sagen.« Leo nahm einen Schluck Kaffee. »Du könntest sagen, dass du dich schuldig fühlst. Wie traurig du bist, dass du nicht beide Kinder gerettet hast. All das Zeug, das du mir erzählst.«

»So etwas sage ich nur dir oder jemandem, dem ich vertraue.«

»Wem, zum Beispiel?«

»Keine Ahnung. Vielleicht Kristen.«

»Der Lehrerin der Förderstufe? Sie ist angestellt bei der Schule, die verklagt wird. Die sagt doch eher gegen dich aus, als dass sie ihren Job riskiert.« Leos Augen loderten. »Schatz, wir haben hier keine Freunde. Niemand kennt uns. Und was sie von uns wissen, gefällt ihnen nicht.«

»Aber das dürfen wir nicht akzeptieren. Das ist unsere Chance, ihnen zu zeigen, dass wir anders sind, als sie denken.«

»Nein.« Leos Stimme wurde leiser. »Da liegst du daneben.«

»Du verschwindest jeden Tag in dein Büro. Aber das hier ist meine Welt. Und ich will dafür sorgen, dass sich unsere Kinder darin wohlfühlen.«

»Geh bitte morgen nicht da hin. Bleib zu Hause. Hast du nicht genug zu tun?«

Rose stand da wie gelähmt.

»Oh, mein Gott.« Leo rieb sich die Stirn. »Ich habe es nicht so gemeint.«

Rose war verletzt. Sie ging. »Ich fahre in die Klinik. Wir sehen uns morgen.«

21

Vor dem Krankenhaus warteten keine Journalisten auf Rose. Ein Hausangestellter in einem ausgeleierten Kittel polierte in der Lobby den Boden mit einer Reinigungsmaschine. Auf Mellys Flur war es ruhig. Niemand war unterwegs. In der Station saß nur der Praktikant mit dem Ziegenbart. Er nickte Rose kurz zu, als er sie kommen sah.

»Ich bin Mellys Mutter. Ich bleibe über Nacht bei meiner Tochter.«

»Kein Problem.« Der Praktikant sah vom Computer auf. In seinen Brillengläsern spiegelten sich winzige Spielkarten.

»Sie sind jetzt im Zimmer zu zweit. Stimmt's?«

»Nicht mehr. Ein Bett in einem Einzelzimmer ist frei geworden.«

»Schön.« Rose sah sich um. »Ist Rosie, die Krankenschwester, in der Nähe?«

»Ich hab sie vor Kurzem gesehen. Wo sie jetzt ist, weiß ich nicht.«

»Okay, danke.« Rose ging zu Mellys Zimmer und öffnete die Tür. Drinnen war es still und dunkel, nur die Zeichen am Monitor flackerten in Rot, Grün und Blau.

»Mom?«, fragte Melly mit leiser Stimme. Rose schmolz das Herz. Sie legte ihre Tasche ab und ging zum Bett.

»Woher weißt du, dass ich es bin?«

»Weil du meine Mom bist.«

Rose lächelte. »Und wie geht's meiner Nachteule?«

»Du bist wieder da!«

»Leo ist bei John. Warum schläfst du nicht?«

»Ich bin nicht müde.«

»Ich aber.« Rose öffnete das Bettgeländer, zog die Schuhe aus und legte sich aufs Bett. »Mach Platz, mein Schatz.«

»Im Fernsehen haben sie gesagt, dass die Frauen aus der Küche im Feuer gestorben sind.«

Ich hasse Fernsehen. »Das stimmt. Auch eine Lehrerin ist tot. Marylou Battle.«

»Die kenne ich nicht.«

»Das dachte ich mir.«

»Sind sie verbrannt?«

Rose zuckte zusammen. Wieder log sie, anstatt die Wahrheit zu sagen. »Nein, sie sind im Rauch gestorben.«

»Ich beinahe auch.«

»Aber zum Glück ist es noch mal gut gegangen.«

Melly wurde ruhig, sie atmete flacher. Der Sauerstoffschlauch führte zwar noch zu ihrer Nase, aber sie bekam keine Infusionen mehr. »Sind sie jetzt im Himmel wie Daddy?«

»Bestimmt«, antwortete Rose. Bernardo starb, als Melly vier Jahre alt gewesen war. Obwohl er sie nach der Scheidung nicht mehr oft besucht hatte, sprach sie häufig von ihm.

»Kommt Amanda auch in den Himmel, wenn sie stirbt?«

»Ja«, antwortete Rose zu ihrer eigenen Überraschung. »Garantiert.«

»Das glaube ich auch«, sagte Melly nach einer kurzen Pause.

22

»Bist du hübsch!« Rose versuchte, aus allem das Beste zu machen. Und weil sie für Melly keine Kleidung zum Wechseln mitgebracht hatte, musste sie ihr im Klinikladen einen pinkfarbenen Trainingsanzug aus der Hello-Kitty-Serie kaufen.

»Niemand in der dritten Klasse trägt noch Hello-Kitty-Sachen.« Melly zog einen Schmollmund. Sie hatte geduscht und die Haare gewaschen, der Rauchgeruch war fast ganz verschwunden. »Das ist etwas für Babys.«

»Wenn wir zu Hause sind, kannst du ihn wieder ausziehen.«

»Und wenn mich Kinder aus meiner Klasse darin sehen? Zum Beispiel Amanda. Sie ist hier im Krankenhaus.«

»Sie wird dich nicht sehen.« Rose hatte von Amanda nichts gehört. Keine Nachrichten sind gute Nachrichten. Heute würde sie an die Richtigkeit dieser Lebensweisheit glauben. Sie hatte schlecht geschlafen und wollte nach Hause. Die Entlassungspapiere hatte sie bereits ausgefüllt, im Gegenzug hatte man sie mit einem Berg von Anweisungen für die Zeit der Nachbehandlung versorgt.

»Hätt ich doch nur mein Harry-Potter-Shirt noch. Die Schwester hat gesagt, dass sie es wegwerfen mussten. Hätten sie das doch nur nicht getan.«

»Wir kaufen ein neues.«

»Meines wird nicht mehr gemacht. Es stammt vom ersten Film.«

»Wir gucken bei eBay. Hör mal, falls Reporter draußen sind, rede nicht mit ihnen. Sie werden dich beim Namen rufen, aber du bleibst verschwiegen wie ein Grab.«

»Okay.«

Die Tür ging auf, und Leo, John auf dem Arm, kam herein. Der Kleine trug einen blauen Strampler und lallte vor sich hin.

»Leo, hast du was zum Anziehen für mich dabei?«

»Nein.« Leo sah zu Rose. »Sollte ich?«

»Nein. Hi.« Rose blieb Leo gegenüber distanziert.

John lächelte ihr zu und streckte ihr seine Fingerchen entgegen. Sie nahm ihn und küsste ihn, ohne dabei Leo in die Augen zu sehen. »Wie geht's ihm?«

»Besser. Er hat kein Fieber mehr. Er hat geschlafen wie ein kleiner Gott.«

»Leo, Bussi!«, rief Melly. Leo nahm sie in die Arme und drückte ihr einen Kuss auf die Wange.

»Mir gefällt dein neuer Katzenanzug. Sehr schick.«

»Igitt.« Melly rümpfte die Nase. »Hätt ich doch nur mein Harry-Shirt noch.«

»Öfter mal was Neues. Mir gefällt's. Erinnert mich an Zuckerwatte.« Leo vergrub das Gesicht in ihrem Nacken und machte Furzgeräusche. Melly kicherte, und auch John amüsierten die unanständigen Töne.

»Gehen wir nach Hause.« Rose nahm ihre Tasche und ging zur Tür. »Sind viele Reporter draußen?«

»Ein paar.« Leo trug Melly aus dem Zimmer und setzte sie erst wieder vor dem Aufzug ab. »Alles in Ordnung?«, fragte er Rose, während sie in den Fahrstuhl stiegen, doch die war damit beschäftigt, John zu beruhigen.

»Alles in Ordnung. Und bei dir?«

»Bei mir auch. Ich habe übrigens dein Blackberry mitgebracht. Du hast es auf dem Küchentisch liegen lassen.«

»Danke.« Rose steckte es mit einem formellen Lächeln ein.

»Du bleibst dabei?«

»Ja, ich bleibe dabei«, antwortete Rose. Das Wort Totenwache wollten beide in Mellys Gegenwart nicht aussprechen.

»Schade«, entgegnete Leo freundlich. »Vielleicht überlegst du es dir noch mal.«

»Nein.«

»Ich begleite dich zum Wagen.« Leo schürzte die Lippen, als sich die Aufzugstüren öffneten.

Draußen wartete ein Pulk Journalisten auf sie.

»Melly, es geht los. Wo ist dein Zauberstab?«

»In der Tasche.«

»Schade. Dann Augen zu und durch.«

Sofort waren die drei von Kameras und Mikrofonen umgeben. Die Reporter bombardierten sie mit Fragen.

»Wie geht es dir, Melly?« »Wie geht es Ihnen, Rose?« »Melly, ist Amanda deine Freundin?« »Wie war das, als deine Mutter dich gerettet hat?« »Gehst du morgen wieder in die Schule?« »Hattest du in der Cafeteria Angst?«

Tanya Robertson lief mit dem Mikro neben Rose her. »Ms McKenna, bitte. Ich habe ein Interview mit Eileen gemacht. Hier haben Sie die Möglichkeit, Ihre Sicht der Dinge darzustellen.«

»Kein Kommentar.« Rose rannte weiter.

»Lassen Sie uns in Ruhe!«, rief Leo. Melly vergrub das Gesicht in seinem Nacken.

Rose öffnete die Wagentüren mit der Fernbedienung, platzierte John auf dem Kindersitz, während John Melly auf dem Beifahrersitz ablud.

»Mr Ingrassia, wie stehen Sie zu der einstweiligen Verfügung, die die Gigots beantragt haben?« »Schließen Sie sich ihr an?« »Verklagen auch Sie die Schule?« »Geht Melly morgen wieder zum Unterricht?«

Rose sprang in den Wagen, da klingelte ihr Handy,

was sie ignorierte. Sie trat aufs Gaspedal und fuhr los. Die Reporter sprangen zur Seite. Sie war erleichtert. Bei der ersten Ampel hielt sie an und checkte ihr Blackberry. Annie Assarian, ihre beste Freundin, hatte versucht, sie zu erreichen. Sie rief sofort zurück. »Hey!«

»Mein Gott, wie oft habe ich dich angerufen und dir auf die Mailbox gesprochen. Was ist denn los? Auf deiner Facebook-Seite laden eine ganze Menge Leute eine ganze Menge Gemeinheiten ab. Wie geht's Melly?«

»Gut.« Rose sprach ruhig und leise, weil Melly zuhörte. »Kann ich dich zurückrufen? Ich sitze im Auto.«

»Ich bin diese und nächste Woche zu Dreharbeiten in Philadelphia. Für heute sind wir fertig. Hast du Lust auf einen Drink?«

»Ich muss zu Hause bleiben.«

»Dann komme ich vorbei. Ich bin mit meinem Wagen da.«

»Wenn es dir keine Umstände macht. Das wäre schön.«

»Ich komme, so schnell es geht.«

Rose strahlte. »Dann bis gleich.« Sie legte das Handy im Getränkehalter ab. »Rate mal, wer das war?«

»Tante Nemo. Juhu!«

»Wieso weißt du das?«

»Wenn du mit ihr telefonierst, bekommst du immer gute Laune.«

»Da hast du recht.« Rose fühlte sich besser. Seit dem Umzug sah sie Annie nicht mehr so oft. Ein guter Grund, noch schneller zu fahren.

Hoffentlich war ihr Kühlschrank nicht leer.

23

Im Tiefkühlfach fand Rose noch jede Menge Bagels. Nach dem Essen legte sie John für ein Nickerchen in sein Kinderbett, Melly und Prinzessin Google verfrachtete sie mit einer Harry-Potter-DVD ins Wohnzimmer. Und während sie und Annie die Küche aufräumten, erzählte sie ihrer besten Freundin die ganze Geschichte.

»Ro, du hast alles richtig gemacht.« Annie nickte. Sie hatte einen schwarzen Lockenkopf und große dunkelbraune, mandelförmige Augen, die eine asiatische Herkunft verrieten. Ihr warmer Hautton machte jedes Make-up überflüssig. Dabei war sie eine der begehrtesten Maskenbildnerinnen von New York.

»Ich fühle mich noch immer furchtbar.« Rose spülte einen Teller ab und stellte ihn in die Spülmaschine. »Hätte ich nur beide gerettet.«

»Das hast du doch. Amanda ist wieder zurückgerannt. Das konntest du nicht ahnen.«

»Vielleicht doch.«

»Du bist nicht Superman. Du bist nur ein Model.«

Rose lächelte. Wie lange hatte sie nicht mehr an ihre Zeit als Model gedacht.

»Wäre es um Joey oder Armen gegangen, hätte ich genau wie du gehandelt.« Annie hatte mit Simon, ihrem Ehemann, zwei Söhne. Der war Bildhauer und Kunstprofessor an der Universität von New York.

»Wirklich?«

»Wirklich.« Annie legte die übrig gebliebenen Bagels

zurück ins Gefrierfach. »Übrigens, diese Dinger haben gut geschmeckt. Dafür, dass sie aus der Tiefkühltruhe stammen.«

»Das finde ich auch.«

Das leichte Sommerkleid im Boho-Stil, das Annie trug, gab den Blick auf ihre tätowierten Arme frei: feuerspeiende Drachen, chinesische Schriftzeichen und einen orangefarbenen Koi, den die kleine Melly an Kapitän Nemo erinnert hatte. So hatte die Patin vor einigen Jahren ihren Spitznamen bekommen.

»O nein!« Annie lachte. Rose sortierte das Besteck streng geordnet nach Löffeln, Messern und Gabeln in die Spülmaschine ein.

»Wenn man das Besteck vor dem Spülen sortiert, spart man Zeit«, verteidigte sich Rose.

»Man spart überhaupt keine Zeit«, erwiderte Annie. Das war ein uralter Streit zwischen den beiden. Begonnen hatte er in einem winzigen Apartment im East Village, das beide vor langer Zeit geteilt hatten. Die Wohnung war so klein gewesen, dass sie ihre Stiefel im Herd aufbewahren mussten.

»Melly denkt wie ich. Sie hält Tante Nemo für verrückt.«

»Das ist sie auch. Aber nicht deswegen.«

»Aber im Ernst, du hättest das Gleiche getan? Du hältst mich nicht für kalt und grausam?«

»Rose, du bist der warmherzigste Mensch, den ich kenne.«

Rose lächelte. »An deine Komplimente könnte ich mich gewöhnen.«

»Dann tu es. Du weißt, wie gern ich dich hab.« Annies Lächeln verschwand. »Ich hasse es, wenn Melly gemobbt wird. Wenn Amanda Melly nicht geärgert hätte, wären sie beide vor Beginn des Feuers auf dem Schulhof gewesen. Hast du daran schon mal gedacht?«

»Habe ich. Aber so war es nicht.«

»Egal. Wegen dieser Göre wäre meine Melly beinahe an Rauchvergiftung gestorben.«

Rose zuckte zusammen. »Sag so etwas nicht.«

»Das klingt vielleicht bösartig. Aber denk mal an euch. Ihr seid wegen des ständigen Mobbings hierhergezogen. Ihr könnt nicht schon wieder umziehen.« Annie wischte mit dem Schwamm den Küchentisch ab. »Als ich die Beleidigungen auf deiner Facebook-Seite las, habe ich fast durchgedreht.«

»So schlimm? Ich wage nicht, sie zu lesen.«

»Lösch sie alle. Diese Leute haben einen Knall.«

»Sie machen sich Sorgen um Amanda.«

»Ich bitte dich! Diese Frauen sind eifersüchtig. Sie beneiden dich um dein Aussehen.« Annie spülte den Schwamm aus. »Du gehst durch die Hölle. Aber weil du schön bist, hat niemand Mitleid mit dir.«

»Darum geht es hier überhaupt nicht. Außerdem tauge ich nur für Versandhauskataloge. Erinnerst du dich?« Rose zitierte ihren früheren Agenten.

»Dieser Agent war ein Idiot. Du warst besser als die anderen und die Einzige, die auch zu uns Schminktanten nett war.«

Rose antwortete nicht. Was vergangen war, sollte vergangen bleiben.

»Wenn du Melly nicht bekommen hättest, hättest du eine steile Karriere gemacht. Sogar Bernardo hat das gesagt. Und da lag er ausnahmsweise mal richtig.«

»Zum Glück kam Melly. Wegen ihr habe ich noch rechtzeitig die Kurve gekriegt. Aber mich interessiert nur das Hier und Jetzt. Was, wenn man uns verklagt? Wenn wir unser Haus verlieren?«

Annie wurde nachdenklich. »Aber du hast doch nur dein Kind gerettet?«

Rose schraubte den Deckel auf das Glas Tomatensoße und stellte es in den Kühlschrank zurück. »Leo möchte nicht, dass ich zur Totenwache gehe. Aber ich denke, dass ich es tun muss. Sie ist heute Abend. Blöd, dass ich dir deshalb einen Korb geben muss. Wir sehen uns doch so selten.«

»Du gibst mir keinen Korb. Ich begleite dich.«

Rose war gerührt. »Das machst du?«

»Klar. Du solltest nicht allein gehen, und ich habe nichts vor.«

»Aber du kennst niemanden.«

»Du auch nicht.« Annie lächelte verschmitzt. »Übrigens gehe ich oft zu Partys, wo ich niemanden kenne.«

»Es ist eine Totenwache, keine Party.«

»Leihst du mir einen Pulli, damit man meine Tattoos nicht sieht?«

Rose lächelte. »Du bist eine *wahre* Freundin.«

24

Das Beerdigungsinstitut lag in der Altstadt von Reesburgh, die von der Allen Road durchschnitten wurde. Die späte Nachmittagssonne ließ die wunderschönen Backsteinhäuser mit ihren viktorianischen Veranden blass aussehen. Es gab einen Tante-Emma-Laden, in dem die Zeit stehen geblieben war, eine altehrwürdige Drogerie und einen abgefahrenen Buchladen, der sich »READsburgh« nannte.

Rose fuhr um den Block, auf der Suche nach einem Parkplatz, Annie folgte ihr in ihrem Wagen. Schließlich fand sie einen, zehn Blocks vom Bestattungsunternehmen Fiore entfernt. Sie setzte ihre Sonnenbrille auf, ihr Haar hatte sie unter einem Basthut verstaut. »Eine Menge los hier«, sagte sie beim Aussteigen.

»Stimmt.« Annie rümpfte die Nase. »Was ist das für ein Gestank? Pommes?«

»Eher Kartoffelchips. Homestead stellt sie her. Die Fabrik ist nicht weit von hier.«

»Ich liebe den Geruch von Bratfett.«

»Ich auch.« Die Luftfeuchtigkeit war noch hoch. Deshalb fühlte sich Rose in ihrem schwarzen Leinenkleid nicht gerade wohl. Viele Häuserfassaden waren frisch renoviert, die großen alten Bäume in den Vorgärten glänzten mit ihrem bunten Herbstlaub.

»Wo sind wir?« Annie blickte von links nach rechts. »In Mayberry?«

Rose lächelte. »Dieses Viertel heißt Bosses Row. Hier

lebten die Allen-Brüder, als sie Homestead aufgebaut haben. Früher war die Fabrik im Familienbesitz, heute nicht mehr.«

»Kein Wunder. Selbst Familien sind heute nicht mehr im Familienbesitz. Aber die Häuser sind schön.«

»Die meisten sind über hundertfünfzig Jahre alt.«

»Erinnere mich daran, Kartoffelchips für mein Team mitzunehmen.«

»Mir gefällt an der Stadt, dass sie nicht homogen ist. Die meisten Leute arbeiten zwar bei Homestead, aber es gibt auch viele Selbstständige. Kurzum, eine bunte Mischung von normalen Leuten.«

»Du meinst, von Langweilern.«

Rose lachte. »Du bist vielleicht eingebildet.«

»Nein, ich bin aus New York.« Annie zupfte an der schwarzen Strickjacke. »Ich hasse dieses Teil. Und so was trägst du?«

»Klar. Es ist praktisch.«

»Ich fühle mich darin wie eingesperrt. Wie eine Nonne in ihrer Tracht. Darin vergeht dir jede Lust.«

»Also bitte.« Rose entdeckte ein paar Reporter mit Kameras und Scheinwerfern. »Links vor uns, die Presse. Deshalb halten wir uns rechts.«

»Verstanden.« Sie waren am Ende der Warteschlange angekommen. Es durften wohl ein paar hundert Leute sein, die den Opfern die letzte Ehre erweisen wollten. Damit hatte Rose nicht gerechnet. Doch der Tod eines einzelnen Menschen konnte viele Menschen berühren, vor allem, wenn der Verstorbene Kindern den Weg ins Leben gewiesen hatte.

»Es kann eine Stunde dauern, bis wir reinkönnen.«

»Das macht nichts. Ich bin warten gewöhnt.« Annie zuckte die Schultern. »Außerdem verlängert die Luft, die ich hier einatme, mein Leben garantiert um mehrere Tage.«

Rose dachte an Marylou, Serena und Ellen. Sie sah die Rauchschwaden wieder vor sich – und sie dachte an Amanda.

Mama!

»Alles in Ordnung?« Annie fasste sie am Ellbogen. »Du siehst so traurig aus. Kanntest du die Toten gut?«

»Nein.« Rose wusste, warum sie traurig war. Aber sie wollte nicht darüber reden, nicht einmal mit Annie.

Ein paar Lehrer, darunter Mrs Nuru, verließen das Beerdigungsinstitut. Sie wirkten alle niedergeschlagen. »Da ist Mellys Lehrerin«, sagte Rose zu Annie. »Ich sollte ihr Hallo sagen.«

»Ich halte hier die Stellung.«

»Ich bin gleich wieder da.« Rose lief zu Mrs Nuru, die ihr verlegen zulächelte.

»Hallo, wie geht es Melly?«

»Danke, sie ist zu Hause. Ist Kristen hier?«

»Sie war da. Alle Mitarbeiter der Schule sind von den trauernden Familien persönlich eingeladen worden.« Mrs Nuru schürzte die Lippen. »Es war unklug, dass Ihnen Kristen die Geschichte mit den defekten Kabeln erzählt hat. Bitte behalten Sie sie für sich. Ich verlasse mich darauf.«

»Selbstverständlich.«

»Kristen ist jung. Sie muss in den Beruf noch hineinwachsen und noch viel lernen.«

»Denken Sie wirklich?«, fragte Rose vorsichtig. »Ich halte sie für eine gute Lehrerin.«

»Das wird man erst mit den Jahren, meiner Meinung nach.« Mrs Nuru schnaubte. »Ich sollte gehen. Man wartet auf mich. Kommt Melly morgen in die Schule?«

»Ich weiß es noch nicht.«

»Falls sie zu Hause bleibt, bestellen Sie ihr Grüße.«

»Das werde ich.« Rose ging zurück zur Warteschlange. Das Getuschel der Leute, das sicherlich ihr galt, versuchte sie zu ignorieren.

»Alles in Ordnung?«, fragte Annie.

»Sie ist noch geschockt. Wie alle.« Rose gefiel nicht, was Mrs Nuru über Kristen gesagt hatte. Viele Trauergäste starrten sie an. »Sieh mal.«

»Mir sind sie schon vor dir aufgefallen. Und jetzt kommt auch noch die Presse.«

Tanya Robertson schlich sich mit ihrem Filmteam von links an. »Ms McKenna, können wir einen Augenblick reden?«

»Kein Kommentar.« Rose hob die Hand, obwohl sie wusste, dass diese Geste im Fernsehen schlecht rüberkam. »Bitte, etwas mehr Respekt.«

»Wir sind hier auf öffentlichem Gelände. Haben Sie mein Interview mit Eileen Gigot gesehen? Möchten Sie auf ihre Anschuldigungen antworten?«

»Ich sagte, kein Kommentar.« Rose hatte das Interview nicht gesehen. Sie wusste nichts von Eileens Anschuldigungen.

»Mrs Gigot beschuldigt Sie, Amanda absichtlich nicht geholfen zu haben. Können Sie Amanda nicht leiden? Schließlich behaupten Sie, das Mädchen würde Ihr Kind mobben.« Tanya hielt Rose das Mikro provokativ vors Gesicht.

»Aufhören!« Annie unterbrach sie. »Sind Sie verrückt? Wenn Sie diese Frau nur ein bisschen kennen würden, dann ...«

»Annie, ist schon gut.« Rose legte die Hand auf ihren Arm, aber Annie ließ sich nicht beschwichtigen.

»Das ist eine Diffamierung. Ich rufe die Polizei. Wo ist die Polizei?« Annie versuchte, einen Mitarbeiter des Instituts herbeizuwinken. »Sir! Sir!«

»Annie, lass es gut sein.« Rose wollte die Situation entschärfen. Alle Anwesenden schauten zu ihr. Eine kleine Frau in einem schwarzen Hosenanzug marschierte geradewegs auf sie zu.

»Wie können Sie es wagen hierherzukommen?«, schrie sie Rose an. In der Menge kam nervöses Gelächter auf.

Rose trat zur Seite. Die Situation drohte außer Kontrolle zu geraten. »Annie, wir sollten ...«

»Schämen Sie sich nicht?« Die Frau rückte ihr weiter auf die Pelle. »Verschwinden Sie von hier. Sie haben hier nichts verloren.« Mit dem Zeigefinger wies sie ihr den Weg.

»Wie bitte?«, fuhr Annie die Frau an. »Meine Freundin hat sich nichts vorzuwerfen. Und wer sind Sie überhaupt? Die Einwanderungsbehörde von Reesburgh?«

Tanyas Kameramann machte unentwegt Großaufnahmen von den Streitenden, während die Reporterin sich als Tonfrau versuchte.

»Sie hat ein *Kind* im Feuer zurückgelassen. Damit es bei lebendigem Leib verbrennt!«

»Das stimmt nicht!«, schrie Annie zurück. »Die Kleine ist von sich aus wieder zurückgerannt.«

»Wie können Sie Amanda die Schuld geben? Sie ist noch ein Kind, ein kleines Mädchen!«

»Meine Damen, ich bitte Sie.« Der Angestellte vom Institut Fiore mischte sich ein. Er war schmächtig und hatte eine Glatze. »Das hier ist nicht der richtige Ort. Ich bitte Sie inständig.«

»Wir gehen.« Rose fasste Annie am Arm, aber die schob sie von sich und deutete mit dem Zeigefinger auf die kleine Frau.

»Diese Frau ist geisteskrank.« Dann zeigte sie auf Tanya. »Und diese Lady diffamiert ehrliche Bürger, weil sie so ihre Werbezeiten für Zahnpasta, Bier und Deodorant teurer verkaufen kann.«

»Gehen wir.« Rose gelang es, Annie mit sich zu ziehen, doch Tanya und ihre Crew hefteten sich an ihre Fersen.

»Ms McKenna, das Gericht hat die einstweilige Verfügung abgelehnt. Was sagen Sie dazu? Finden Sie, die Schule sollte morgen noch geschlossen bleiben? Werden die Gigots auch Sie verklagen? Und verklagen Sie ihrerseits die Schule? Werden Sie den Gedenkgottesdienst am Montagabend besuchen?«

Rose und Annie eilten zu ihren Autos.

25

Rose parkte ihren Wagen im Allen's Dam Park, der hinter der Altstadt lag. Das strahlende Gold, Orange und Rot der Bäume erinnerte sie an das Feuer, das so viel Schmerz und Zerstörung über die Stadt gebracht hatte.

Annie setzte sich zu Rose in den Wagen. »Was für ein Desaster!«

»Ich fühle mich beschissen.« Rose nahm die Sonnenbrille ab und legte sie auf die Ablage. »Wär ich doch nur zu Hause geblieben.«

»Wieso denn das? Du bist ein Mitglied dieser Gemeinde. Aber wo war die Polizei?«

»Reesburgh hat keine Polizeistation.«

»Was? Natürlich habt ihr ein Polizeirevier.«

»Nein.« Rose schüttelte den Kopf. »Nicht jede Stadt in Amerika hat ihre eigene Polizeistation. Gerade in ländlichen Gebieten, die nicht so stark bevölkert sind, hat man nach der Finanzkrise Polizeistationen geschlossen oder zusammengelegt.«

»Unglaublich. Man spart an der Polizei.«

»Ja.«

»Und was ist mit der Feuerwehr?«

»Da haben wir eine eigene. Bei einem Verbrechen müssen wir aber die Staatspolizei rufen. Bis die dann kommt, kann es dauern. Das hat uns unsere Maklerin erzählt. Man hat sie allerdings erst ein Mal gebraucht. Jemand hatte sich nicht an das Jagdverbot gehalten.«

Annie schüttelte den Kopf. »Ohne Polizei würde ich mich nicht sicher fühlen.«

»Ich schon. Hier gibt es keine Verbrechen. Die meisten schließen nicht mal ihre Türen ab. Paradiesische Zustände. Bis vor Kurzem.«

Annie verzog das Gesicht. »Ich hoffe, ich habe deine Lage nicht noch schlimmer gemacht.«

»Es ist in Ordnung.« Rose rieb sich die Stirn, sie dachte nach. Leo besaß eine Hütte am Lake Harmony. Melly war gerne dort. Ihre Nachbarn am See, Mo und Gabriella Vaughn, waren wie Großeltern für sie. »Vielleicht sollten wir uns für eine Weile in Leos Hütte zurückziehen. Wir haben uns alle ein bisschen Erholung verdient, und Melly versteht sich gut mit den Nachbarn dort.«

»Nein.«

»Wieso nein?«

»Es macht keinen Sinn davonzulaufen, Ro. Wenn ihr zurückkommt, hat sich nichts geändert.«

»Ich laufe nicht davon.«

»Ich denke schon.«

»Was soll ich machen? Melly morgen in die Schule schicken? Sie werden alles an ihr auslassen.«

»Schick sie trotzdem hin. Ich sage dir, warum.« Annie neigte den Kopf zur Seite. »Das Feuer, die Todesopfer, Melly, Amanda. Die Schmerzen und die Traumata. Alles gehört zusammen. Da müsst ihr durch. Alle. Auch Melly. Erst danach kann es ihr wieder gut gehen. Der erste Schritt ist ihre Teilnahme an der Gedenkfeier morgen früh in der Schule.«

Rose versuchte, ihr Ego beiseitezuschieben. Annie sagte auf ihre schonungslose Art die Wahrheit.

»Wenn du Melly aus dem Prozess ausschließt, wird sie noch mehr zur Außenseiterin. Und noch mehr ihr Gleichgewicht verlieren.«

»Du hast recht.«

»Sie versteht sich doch gut mit dieser Kristen.«

Rose dachte über die Situation nach. »Mrs Nuru meint, dass Kristen Melly bevorzugt.«

»Ich mag Kristen!«, rief Annie aus. »Denn ich mag jeden, der Melly mag.«

»Ich auch.« Rose lächelte. »Am liebsten würde ich das alles mit ihr besprechen. Sie hat versprochen, Melly im Auge zu behalten.

»Dann ruf sie an.«

»Ich habe ihre Nummer zu Hause. Da fällt mir etwas ein. Kristen wohnt nur zwei Blocks von hier.«

»Dann geh zu ihr. Sofort. Wenn sie Melly mag, wird sie dich verstehen.« Annie sah auf ihre Uhr. »Ich sollte mich vom Acker machen. Kartoffelchips werde ich keine mehr besorgen. Das gute Tier ist zu müde.«

Rose umarmte ihre Freundin. »Du bist die Beste. Danke, dass du gekommen bist.«

»Ich bin die Woche über in Philadelphia. Ruf mich an, wenn du mich brauchst. Und Grüße an alle.«

»Und du, grüß mir Simon und die Jungs.«

Annie öffnete die Beifahrertür, der Schalk sah ihr aus den Augen. »Übrigens, die Strickjacke behalte ich. Ich werde sie der Pennerin bei mir ums Eck verehren.«

»Gib mir sofort meine Jacke wieder.« Rose lächelte.

Annie lachte. »Wieso? Gehst du auf eine Beerdigung?«

Diese Bemerkung erwischte Rose eiskalt. Sie dachte sofort an Amanda.

»Oh. Da bin ich mal wieder in ein Fettnäpfchen getreten.«

»Nee. Und behalte die Jacke.« Rose versuchte, sich zu fangen. »Dann brauche ich sie vielleicht nicht.«

»Richtig!«, sagte Annie und stieg aus dem Wagen.

26

Kristen wohnte in einem älteren Zweifamilienhaus. Ein Mann in Jeans und weißem Unterhemd wusch in der Einfahrt einen roten Pick-up. Als er Rose kommen sah, stellte er das Wasser ab.

»Ups! Ich will Sie nicht nass spritzen«, sagte er mit einem Grinsen. »Hi.«

»Hallo. Ich möchte zu Kristen. Ich bin die Mutter eines Kindes aus ihrer Klasse.«

»Ich bin Jacob Horton und wohne im Erdgeschoss. Aber ich warne Sie. Kristen war bei einer Totenwache. Sie sieht sehr mitgenommen aus.«

»Ich weiß.« Rose stieg die Außentreppe hoch in den ersten Stock und klopfte an einer Fliegengittertür. »Kristen!« Sie wartete, aber niemand antwortete. »Kristen?«

Die Tür ging auf, und Kristen stand da in einem

schwarzen Baumwollkleid. Sie wischte sich Tränen aus den Augen. »Rose?«

»Kann ich für eine Minute hereinkommen?«

»Okay.« Kristen schniefte. Rose umarmte sie.

»Das ist eine schwere Zeit für Sie und die anderen Lehrer.«

»Es ist schrecklich. Die Totenwache war so traurig. Und Mrs Nuru und Mr Rodriguez waren verärgert. Und dann waren da noch Reporter, die uns mit Fragen bombardiert haben. Sie wollten zum Beispiel wissen, ob Melly und Amanda sich vertragen haben.«

»Ich weiß. Ich war auch da.« Rose sah sich um. Ein schwarzer Koffer stand auf einer rotkarierten Couch. Ein Stapel T-Shirts und Shorts lagen auf einem Bücherregal. »Verreisen Sie?«

»Ich gehe weg. Ich halte es hier nicht mehr aus.«

»*Was?*«, fragte Rose entsetzt. »Wann? *Und warum?*«

»Ich habe alles vermasselt. Ich rede zu viel. Jedes Wort von mir wird auf die Goldwaage gelegt. Ich stehe unter ständiger Beobachtung.« Wieder stiegen Tränen in ihre Augen. »Rodriguez behauptet, ich besäße kein Urteilsvermögen. Vielleicht tauge ich nicht zur Lehrerin. Zumindest glauben sie das hier. Ich gehe.«

»Übereilen Sie nichts.« Rose dachte an Melly. »Das geht vorüber. Es muss.«

»Das glaube ich nicht.«

»Kristen, Sie sind noch jung. Die Zeit ändert alles. Sie werden noch ganz andere Prüfungen in Ihrem Leben bestehen. Ich weiß das. Mir ist es passiert.«

»Es tut mir leid. Aber ich habe mich entschieden. Ich

gehe.« Kristen griff sich den Stapel T-Shirts und warf ihn in den Koffer. Eine weiße Katze erschrak und flüchtete aus dem Zimmer.

»Und was ist mit Melly und den anderen Kindern in Ihrem Kurs? Alle haben Schreckliches erlebt. Alle brauchen Sie. Melly braucht Sie.«

»Aber ich bin doch nur eine Lehrerin ohne Erfahrung. Immer wieder hat mir Mrs Nuru das unter die Nase gerieben.«

»Aber die Kinder lieben Sie. Melly liebt Sie.«

»Ich habe Ihre Nummer. Ich werde Melly anrufen.« Kristen legte ein Reisenecessaire in den Koffer. »Ich bleibe mit ihr in Kontakt.«

»Das ist nicht das Gleiche.«

»Das weiß ich auch.« Kristen legte ein paar Socken bereit. »Ich muss an mein eigenes Leben denken.«

»Kristen, ich bitte Sie.«

»Wenn ich bleibe, ist es zu ihrem Nachteil. Die Kollegen denken nämlich, dass ich sie bevorzuge. Es ist das Beste für Melly, wenn ich gehe.«

»Es ist nicht das Beste für sie. Ich weiß, was das Beste für sie ist. Warum warten Sie nicht einfach die nächsten beiden Wochen ab?«

»Ich habe Rodriguez meine Kündigung bereits gemailt. Aus familiären Gründen, so die offizielle Begründung. Sie sehen, alles ist geregelt.«

»Dann verlassen Sie uns tatsächlich?«, fragte Rose ungläubig.

»Ich gehe zu meinen Eltern. Bitte behalten Sie das für sich. Ich habe nämlich die Nase voll von durchgedrehten

Müttern und Vätern, die mich auf dem AB beschimpfen. Von Reportern übrigens auch.« Kristens Gesicht entspannte sich. »Es tut mir entsetzlich leid. Verzeihen Sie mir. Würden Sie mich jetzt allein lassen? Ich rufe Melly in ein, zwei Tagen an.«

»Versprochen? Sie brechen ihr das Herz, wenn Sie es nicht tun.«

»Versprochen ist versprochen.« Kristen führte Rose zur Tür.

»Sie sind nicht die, für die ich Sie gehalten habe.«

»Niemand ist das«, sagte Kristen. Dabei lächelte sie nicht.

27

Rose fuhr bei offenem Fenster, den Ellbogen auf das Fensterbrett gestützt, die Allen Road hinunter. Leo hatte sie eine Nachricht über Kristens Flucht hinterlassen. Mit ihr verlor Melly ihre einzige Verbündete. Wie sollte sie das ihrer Tochter beibringen? Es würde schrecklich werden.

Sie stoppte an einer roten Ampel. Hier am Stadtrand war wenig Verkehr. Allmählich wurde es dunkel. In den ordentlich herausgeputzten Häusern gingen die Lichter an. Eltern und Kinder versammelten sich um Küchentische, vielleicht bauten sie Indianerzelte mit Eisstielen, schütteten Backpulver auf den Tisch, um Lavaströme zu simulieren, oder gingen noch einmal die Hausaufgaben in Mathe und Französisch durch. Ein typischer Sonntagabend in der Vorstadt. Nicht überall würde das Ende des Wochenendes harmonisch verlaufen. Das wusste Rose aus eigener Erfahrung.

Sie trat aufs Gaspedal, die Wohnhäuser verschwanden und wurden von Lebensmittel- und Baumärkten abgelöst. In der Ferne zeichnete sich Mellys Schule mit ihrem langen flachen Dach und den breiten Seitenflügeln ab. In ihnen waren die Klassenzimmer und die Verwaltung untergebracht. Die eingeschossige Cafeteria mit ihren Oberlichtern hatte man vor die Schule gebaut. Von hier sah alles unversehrt aus, als hätte es kein Feuer gegeben. Und folglich lägen auch keine Erwachsenen in einem Sarg und keine Kinder in einem Krankenhaus. Es gäbe keine wütenden Eltern und auch keine junge Lehrerin, die ihren Job hingeschmissen und Melly alleingelassen hatte.

Aber dann bemerkte sie Leitkegel und Absperrungen auf der Straße zur Schule. Pick-ups, Baufahrzeuge parkten am Straßenrand, für den Schutt hatte man einen Container aufgestellt. Sie hielt neben einem verdreckten Pick-up. LASS DEINE ZIMMER VON EINEM RICHTIGEN ZIMMERMANN BAUEN, stand auf dessen Stoßstange. Es roch nach Verbranntem.

Das Schulgebäude war vollkommen intakt, nur die Cafeteria war zerstört. Ihr Dach war mit einer blauen Plastikplane abgedeckt worden, die Fenster waren zerbrochen, die Fensterbänke schwarz vom Ruß.

Rose dachte an die, die im Feuer gestorben waren. Unvorstellbar, dass hier morgen auf dem Schulhof Kinder Ball spielten oder Seil hüpften. Sie dachte an Melly, Emily und Danielle. Und natürlich dachte sie an Amanda.

Mama!

Sie stieg aus dem Wagen und ging über den Hof zur Cafeteria, die man mit gelbem Absperrband und einem orangefarbenen Netz abgeriegelt hatte.

Scheinwerfer strahlten die Fassade an und vergrößerten die Schatten der Arbeiter, die in Schubkarren Schutt zum Container fuhren, ins Riesenhafte. Einige waren mit der Errichtung eines Sperrholzzaunes beschäftigt. Ein Arbeiter in T-Shirt und Overall sah Rose lächelnd an.

»Was kann ich für Sie tun?«, fragte er freundlich. Er hatte eine längliche Nase und dunkle Augen. Das konnte Rose im Gegenlicht erkennen. Auf seinem weißen Schutzhelm klebte das Logo des Baseballteams von Philadelphia. »Kurt Rehgard ist mein Name.« Er streckte ihr seine klobige Hand entgegen, Rose schmerzte sein fester Händedruck.

»Ich bin Rose McKenna. Ich sehe mich nur um.«

»Da sind Sie nicht die Erste.«

»Das denke ich mir. Sie arbeiten so spät noch?«

»Wir arbeiten die ganze Nacht durch. Die Cafeteria soll so schnell wie möglich wieder eröffnet werden. Uns ist das recht. Überstunden sind bei der Wirtschaftslage nicht zu verachten.« Kurt zeigte auf seine Kollegen. »Wir sind alle aus Phoenixville, die Elektriker kommen aus Pottstown, und die Bauleitung ist aus Norristown. Man wollte Handwerker, die mit dem Bau der Cafeteria nichts zu tun hatten. Wegen der Gerichtsverfahren.«

»Soll es denn welche geben?« Rose spürte, wie sich ihre Brust zusammenzog.

»Was haben Sie denn erwartet? Jeder zeigt doch mit dem Finger auf den anderen. Der eine soll an dem schuld sein, der andere das verbockt haben.«

»Ein Loch in der Gasleitung und defekte Stromkabel sollen die Ursache sein.«

»Ich muss den Mund halten. Sonst geht's mir an die Gurgel.« Der Zimmermann packte sich selbst am Hals. »Sind Sie von der Presse?«

»Um Gottes willen.« Rose schüttelte den Kopf. »Ich bin nur eine einfache Mutter. Und man will prozessieren?«

»Man ist schon munter dabei. Die Elektrofirma gibt der Bauleitung die Schuld, die Bauleitung spielt der Gasgesellschaft den Schwarzen Peter zu – und die reicht ihn an den Heizungsbauer weiter.« Kurt schüttelte den Kopf. »Zuerst kamen die Brandermittler, die Baupolizei und sogar das FBI. Dann die Anwälte mit ihren selbsternannten Experten, die wie wild herumfotografiert haben. Was für ein Affentheater. Und Ihr Kind geht hier zur Schule?«

»Ja, meine Tochter geht in die dritte Klasse. Und morgen soll der Unterricht wieder beginnen!«

»Keine Angst. Die Cafeteria ist gesperrt. Und der Rest der Schule ist vollkommen intakt. Ihrem Kind kann nichts passieren.« Kurt neigte den Kopf zur Seite. »Ich habe Sie für eine Anwältin gehalten. Deshalb habe ich

Sie angesprochen. Und dann wollte ich wissen, ob Sie noch zu haben sind.«

»Ich bin verheiratet. Und zwar mit einem Anwalt.«

»O nein.« Kurt tat so, als hätte ihn eine Pistolenkugel getroffen. »Ich bin ein richtiger Glückspilz.«

Rose lachte.

»Wenn Sie wollen, kommen Sie mit und überzeugen Sie sich. Für Ihr Kind besteht keine Gefahr. Ich biete Ihnen eine Besichtigung gratis.«

»Gerne«, antwortete Rose. »Aber ist das erlaubt?«

»Die hohen Tiere liegen schon im Bett, und meinen Kumpels ist es egal. Tun Sie so, als wären Sie eine Anwältin.«

»Kein Problem für mich.« Rose duckte sich unter dem Absperrband hindurch.

28

Aus einem mit Farbe bespritzten Gettoblaster dröhnten die Altrocker von Aerosmith. Arbeiter sahen auf und nickten Rose zu, als sie mit Kurt über den Schulhof stapfte. Dann wandten sie sich wieder ihre Arbeit zu. Sie hatten sie nicht erkannt. Vielleicht, weil sie nicht aus Reesburgh waren, vielleicht, weil sie durch ihren Nonstop-Einsatz keine Gelegenheit gehabt hatten fernzusehen. Rose hatte ein professionelles Anwaltslächeln aufgesetzt.

»Erst muss wohl der ganze Schutt raus, bevor ihr

mit dem Wiederaufbau der Cafeteria beginnt?«, fragte Rose.

»Eigentlich schon. Unsere Firma kümmert sich um den Rohbau und hilft auch beim Innenausbau. Folgen Sie mir.« Schlackensteine dienten der verkohlten Doppeltür zum Hof als Türstopper. Der Flur dahinter wurde mit grellem Licht ausgeleuchtet. Die gläsernen Deckenleuchten waren zerbrochen. Die Wände waren voller Ruß.

»O Gott«, sagte Rose, halb zu sich selbst.

»Das sieht zwar schrecklich aus, aber die Bausubstanz ist vollkommen in Ordnung. Sobald das Wasser abgepumpt ist, ist er wieder benutzbar.« Kurt ging voraus und lenkte Roses Aufmerksamkeit auf ein paar Maschinen, die einen ohrenbetäubenden Lärm produzierten. Aus jeder davon ragte ein Schlauch, der zu dem verdreckten Fußboden führte. »Sie wollen bestimmt wissen, wozu diese kleinen Krachmacher gut sind.«

Doch Rose sah zur Cafeteria, die einen schrecklichen Anblick bot. Die Wände und die einst weiß-blauen Fliesen waren schwarz. Es gab keine Decke mehr, stattdessen ragten Stahlbalken, Aluminiumrohre und Elektrokabel frei in den Raum. Alle Tische, Stühle und Anschlagsbretter hatte man hinausgetragen. Wo gestern sich noch Kinder tummelten, herrschte jetzt gespenstische Leere.

»Mein Gott, ist das hier laut. Man versteht sein eigenes Wort nicht.« Kurt schaltete eine der Maschinen aus, was aber nicht viel Abhilfe schaffte. »Diese Maschinen laufen Tag und Nacht. Sie saugen die Feuchtigkeit aus dem Unterboden, damit der sich nicht verzieht.«

»Ich verstehe«, sagte Rose, die die Augen von der Cafeteria nicht abwenden konnte. Die blaue Plane, die das Dach ersetzte, bot in dem grellen Licht die Illusion eines tropischen Himmels.

»Die hier drüben funktionieren anders.« Kurt deutete auf ein paar Maschinen, die an einen Generator angeschlossen waren. »Das sind Luftentfeuchter auf steroider Basis, die die Bildung von giftigem Schimmel verhindern. Sie brauchen sich also absolut keine Sorgen um Ihr Kind zu machen. Was ist es? Ein Junge oder Mädchen?«

»Ein Mädchen.« Rose wagte einen Blick in die Küche, deren Vorderwand zusammengebrochen war. Die Kochherde aus Edelstahl lagen, in mehr oder minder große Teile zerborsten, auf dem Küchenboden wie die Überreste einer fürchterlichen Massenkarambolage auf einem Freeway. Kein Wunder, dass die Wucht der Explosion Serena und Ellen getötet hatte.

»Ich habe eine Nichte, die Tochter meiner Schwester. Ihr Vater ist im Iran. Ich verbringe eine Menge Zeit mit ihr. Ich war mit ihr in Disney World, und sie begleitet mich zum Baseball. Ich bringe ihr auch das Werfen bei. Ich hätte keine Bedenken, sie hierherzuschicken. Es ist alles paletti.«

»Das ist ja schön.« Rose bemerkte, dass die Explosion auch die Wand zwischen der Küche und dem Lehrerzimmer weggerissen hatte. Das Zimmer selbst war nur teilweise verrußt, auf dem Boden lagen die zersplitterten Teile von nicht mehr erkennbaren Möbelstücken.

»Wir bringen das alles wieder in Ordnung. Für einen besseren Neuanfang.« Kurt beugte sich zu Rose vor und senkte seine Stimme. »Wenn Sie mich fragen, die Schule wurde zu früh eröffnet. Denn bestimmte Sachen brauchen ihre Zeit. Zum Beispiel die Elektroinstallation. Jede Schlamperei rächt sich.«

»Das glaube ich auch.« Roses Gedanken wanderten wieder zu Serena und Ellen. »Schlimm, an einem Ort zu stehen, an dem Menschen gestorben sind.«

»Keiner von ihnen musste leiden, falls Sie das tröstet. Alles ging sehr schnell. Die Explosion passierte in einem Dreiviertel-Zoll-Rohr, das die Öfen in der Küche und das Lehrerzimmer mit Gas versorgt.«

»Eine undichte Gasleitung? Wieso haben die Frauen nichts gerochen?«

»Das Loch war in der Wand. Außerdem riecht man ausströmendes Gas nur zu Anfang, mit der Zeit gewöhnt man sich daran. Aber behalten Sie das alles für sich. Ich habe Ihnen nichts erzählt.«

»Was haben Sie mir nicht erzählt?«

Kurt lachte. »Gehen wir.« Er führte Rose den Flur entlang, zurück ins grelle Scheinwerferlicht. »Aufgepasst. Hier liegt eine Menge Gerümpel.«

Auf einer Plane lagen neben Mauerstücken eine Lunch-Box mit den Toy-Story-Figuren, eine zerdrückte Tüte Orangensaft und eine verdreckte, angestoßene Playstation. Plötzlich wusste Rose, warum Amanda zurückgerannt war.

»Der iPod. Ihr iPod«, platzte es aus ihr heraus.

»Wie bitte?«

»Nichts«, antwortete sie. Amanda lag im Koma wegen ihres funkelnagelneuen Spielzeugs. Und wegen Rose.

»Hier, meine Karte.« Kurt fischte aus seiner Hosentasche eine zerknitterte Visitenkarte. »Rufen Sie mich an, wenn Sie eine Dachterrasse brauchen oder wenn Sie Ihren Mann in die Wüste geschickt haben.«

Rose lächelte.

»Fühlen Sie sich nach unserer Besichtigung besser?«

»Ja«, log sie. Kaum hatte sie sich umgedreht, erstarb auch schon ihr Lächeln.

29

»Hallo, mein Schatz.«

Melly lag mit Prinzessin Google im Bett und las. Die Schmetterlingslampe auf dem Nachttisch erhellte mit ihrem warmen Schein die weiche Daunendecke, unter der Melly sich vergraben hatte, den weiß gestrichenen Sekretär und Schreibtisch sowie den Rest des Zimmers, der nichts anderes als eine Harry-Potter-Kultstätte war. Auf dem Bücherregal standen stolz aufgereiht alle sieben Bände, außerdem Harrys Zauberhut, Hermines Zauberstab und die wichtigsten Personen der Geschichte als Plastikfiguren. Die anderen Bücher stapelten sich lieblos im Regal darunter.

»Hi, Mom.« Mellys Augen blickten über den Buchrand von *Beedle, der Barde*. Ihr frisch gebürstetes gewelltes Haar bedeckte das Kopfkissen.

»Wie war dein Abend?« Rose setzte sich auf den Bettrand und gab ihr einen Kuss. »Was habt ihr gemacht?«

»Julie und ich haben uns *Kung Fu Panda 2* angesehen.«

»Klingt gut.« Rose hatte der Babysitterin eingebläut, kein normales Fernsehprogramm einzuschalten. »Hat dir der Film gefallen?«

»Ja.« Melly steckte ein Lesezeichen ins Buch und schlug es zu.

»Hi, Googs.« Rose fuhr Prinzessin Google durchs Fell, der Spaniel hob seinen Kopf und schüttelte sich.

»Sie ist so süß.«

»Ja, das ist sie. Hat sie wieder mit deiner Unterwäsche gespielt?«

Melly lachte. »Nein, sie war brav. Ich habe sie zweimal hinausgelassen.«

»Und John?«

»Der hat ordentlich gekackt.«

»Großartig!«

Melly kicherte. »Du bist blöd.«

»Danke.«

»War die Beerdigung traurig?«

»Es ist immer traurig, wenn Leute sterben.«

»Wie bei Daddy.« Auf Mellys glatter Stirn zeigte sich eine kleine Falte. Wie entzückend sie in Leos Baseball-T-Shirt aussah.

Je mehr Rose ihre Liebe zu Melly spürte, desto größer wurden ihre Sorgen um sie. »Melly, wir müssen eine Entscheidung fällen. Gehst du morgen zur Schule oder nicht?«

»Ist denn Schule?«

»Ja. Die Cafeteria ist abgesperrt, aber die Klassenzimmer nicht. Ich war gerade dort.«

»Man riecht's.« Melly rümpfte die Nase. »Du stinkst nach Rauch.«

»Widerlich.« Rose hatte es nicht bemerkt. »Zuerst ist eine Feier für die Toten, danach Unterricht. Aber nur am Vormittag.«

»Dann gehe ich.«

»Bist du wieder gesund?«

»Ich bin nicht krank. Das hat der Doktor gesagt.«

»Ich weiß. Aber wenn du noch müde bist, kannst du gerne noch einen Tag zu Hause bleiben.« Rose versuchte zu tricksen. Denn wie würde Melly morgen in der Schule empfangen werden? »Wie geht's deinem Hals?«

»Wieder gut. Ich gehe in die Schule.«

»Eines musst du aber wissen. Es gibt Leute, die mir vorwerfen, Amanda nicht gerettet zu haben.«

»Warum?«

Roses Antwort war schlicht und einfach. »Sie behaupten, ich hätte dich lieber gerettet.«

»Ich bin dein Kind.«

Rose lächelte. »Ich weiß. Amanda habe ich zur Tür gebracht. Aber dann ist sie wohl in die Cafeteria zurückgerannt. Wahrscheinlich hatte sie ihren iPod vergessen.«

»Sie hat über den iPod geredet. Er gehört ihrem großen Bruder. Der hat ihn zum Geburtstag bekommen.«

»Egal. Die anderen Kinder könnten dir über Amanda und mich Fragen stellen. Beantworte sie nicht. Genau wie bei den Reportern.«

»Ich rede mit Ms Canton. Sie wird es ihnen verbieten.«

Rose seufze. »Mel, ich muss dir etwas sagen. Ms Canton ist nicht mehr da. Sie musste nach Hause zu ihren Eltern.«

»Wann kommt sie zurück?«

»Sie kommt nicht zurück. Sie muss bei ihren Eltern bleiben.«

»Aber warum?« Melly war verwirrt.

»Ich weiß nur das, was ich dir gesagt habe. Jemand in der Familie ist wohl sehr krank. Um den muss sie sich kümmern. Deshalb ist sie gegangen.«

»Für immer?« Melly zog die Augenbrauen hoch, Rose nickte. Auch sie verbarg ihre Enttäuschung nicht.

»Ich weiß, du magst sie. Und sie mag dich auch sehr gern. Aber sie hatte keine Wahl, sie muss …«

»Sie *muss* wiederkommen.« Melly hob ihre Stimme, sie schien verschreckt. »Sie ist die beste Lehrerin, die ich je hatte.«

»Sie wird nicht zurückkommen können. Aber bestimmt wird sie dich bald anrufen.«

»Aber ich brauch sie. Ich will *nur sie* als Lehrerin.« Melly schob die Unterlippe nach vorn. Rose drückte sie fest.

»Vielleicht magst du deine neue Lehrerin genauso. Du musst morgen nicht in die Schule, wenn du nicht willst.«

»Ich will aber. Und sie soll auch kommen.« In Mellys blauen Augen standen Tränen. Man hatte ihr ohne Grund wehgetan. »Warum hat sie es uns nicht gesagt?«

»Es kam völlig überraschend für sie. So etwas passiert im Leben.« Rose rutschte auf dem Bett nach vorn. Prinzessin Google wurde wach, legte den Kopf auf Mellys

Bein und sah sie mit ihren braunen Augen mitleidvoll an. »Schau. Googie weiß, dass du Sorgen hast.«

Melly streichelte die Hündin. »Sei nicht traurig, Googie. Alles wird wieder gut. Glaub es mir.«

Rose verstummte. Sie sah ihrer Tochter zu, wie sie sich selbst tröstete.

»Mach dir keine Sorgen, Googie. Mach dir keine Sorgen.« Melly tätschelte ihren Hund, der die Augen schloss.

»Ich glaube, jetzt geht's ihr besser.«

»Ich sage ihr immer, sie soll sich keine Sorgen machen. Aber es nützt nichts.«

»Das ist aber auch manchmal schwierig«, sagte Rose.

»Ich weiß.« Melly kraulte Googies Rücken. »Schau, Mom. Diese weiße Linie ist wie ein Fluss. Und die roten Flächen daneben sind die Ufer.«

»Ich verstehe.« Rose lächelte.

»Das mag sie.« Melly kratzte an Googies Ohren. »Sie sind wieder verfilzt. Ich helfe ihr, den Dreck loszuwerden. Denn Googie will immer tipptopp aussehen.«

Danach fuhr sie über den rostbraunen Fleck im Gesicht des Spaniels. »Den hat sie der Gräfin in England zu verdanken.«

»Weißt du noch, wie man den Fleck nennt?« Rose hatte ihr von der Besonderheit dieser Rasse erzählt.

»Man nennt ihn den Fleck von Blenheim. Die Gräfin von Marlborough hatte ihren Daumen zur Beruhigung auf diese Stelle gelegt. Sie hatte Angst um ihren Mann. Denn der war noch immer nicht aus der Schlacht von Blenheim zurückgekehrt.«

»Gut hast du dir das gemerkt.«

»Die Gräfin hat in England gewohnt. Wie Harry Potter.«

»Richtig.« Rose lächelte.

»Deshalb habe ich Googie so gern. Wir haben beide einen Fleck.«

Diese Verbindung hatte Rose nie hergestellt. Sie hatte Googie gekauft, weil diese Spaniel-Züchtung als besonders kinderfreundlich gilt.

»Ich habe ihr gesagt, dass sie wegen des Flecks nicht traurig sein soll. Die Gräfin hat ihn ihr verpasst, und basta. Sie hat auch noch andere.« Melly deutete auf kleine Flecken an ihrem Bein. »Auch wegen dieser Flecken soll sie nicht traurig sein.«

»Und?«

»Sie ist nicht traurig.« Melly streichelte ihren Hund. »Ich sehe die Flecken gar nicht. Ich sehe sie. Und sie ist schön.«

Rose räusperte sich. »Ich finde sie auch schön.«

Melly sah hoch. »Mom, bin ich ein schönes Mädchen?«

»Natürlich bist du das.«

»So schön wie du? Du warst einmal Model.«

»Ja, das war ich. Und weißt du, was ich dabei gelernt habe?«

»Was?«

»Dass Schönheit nichts mit dem Aussehen zu tun hat. Sie kommt von innen. Wenn wir gut zu unseren Mitmenschen sind, werden wir schön. Deshalb bist du schön.«

»Und du auch, Mom.« Melly lächelte sie an.

»Danke, meine Liebling.«

»Und morgen gehe ich in die Schule.«

»Das ist eine gute Idee«, sagte Rose und hoffte, das Melly ihr das glaubte.

30

Nachdem Melly eingeschlafen war, sah Rose noch einmal nach John. Dann zog sie bequeme Jeans und ein T-Shirt an und ging nach unten. Während sie den Laptop hochfuhr, kochte sie in der Maschine eine Kanne koffeinfreien Kaffee. Sie dachte an Leo. Er steckte wohl voll im Stress, sonst hätte er sie zurückgerufen. Sie schickte ihm eine SMS.

Canton hat gekündigt. Ruf an, wann du willst. Ich liebe dich.

Mit einer Tasse Kaffee setzte sie sich an den Computer und loggte sich bei Facebook ein. Die Leute, die ihr geschrieben hatten, kannte sie nicht. Aber ihre Namen waren ihr von der Schule vertraut, genau wie ihre Mitteilungen:

Sie müssen eine schreckliche Person sein.

Gehen Sie wieder dahin, wo Sie herkommen.

Was für eine Frechheit, bei der Trauerfeier aufzutauchen.

Rose wollte nicht weiterlesen und deaktivierte sofort ihren Facebook-Account. Sie nippte an ihrem Kaffee und öffnete ihr Mailprogramm. Auch hier waren die Nachrichten nicht freundlich:

Sie sind so falsch.

Niemals mehr lass ich meinen Sohn in Ihre Nähe.

Tauchen Sie ja an unserer Schule nicht mehr auf.

Rose wollte gerade alle eingegangenen Mails löschen, da entdeckte sie eine von Schuldirektor Lucas Rodriguez, die an die gesamte Schulgemeinschaft von Reesburgh gerichtet war:

Wir alle trauern um Marylou Battle, Serena Perez und Ellen Conze. Zu ihrem Gedenken findet am Montagmorgen in der Turnhalle eine Feier statt. (Nur für Schüler.) Die Eltern treffen sich um 9:00 Uhr in der Aula. Vertreter der Schule beantworten dort gerne Ihre Fragen. Bitte bringen Sie Ihr Kind am Montag in die Schule und vermeiden Sie jede emotionale Überreaktion. Blicken wir gemeinsam in die Zukunft!

Rose las zwischen den Zeilen. Rodriguez wollte morgen an der Schule keinen Aufruhr, genau wie sie. Sie brauchte eine gewisse Zeit, bis es ihr gelang, ihren Mail-Account zu deaktivieren. Jetzt blieb nur noch eine Sache zu tun. Auf der Website des TV-Senders klickte sie das Interview von Tanya Robertson mit Eileen Gigot an. Sie wollte vorbereitet sein, um eventuell Melly für den morgigen Tag zu wappnen. Um John nicht zu wecken, setzte sie Kopfhörer auf.

»Ich bin Tanya Robertson.« Die Reporterin saß zusammen mit Eileen an einem Esszimmertisch. Hinter ihnen stand auf einem Buffet eine Batterie von Familienfotos. »Und das ist Eileen Gigot, die Mutter von

Amanda, die bei dem Brand in der Grundschule vom Feuer eingeschlossen wurde. Noch immer liegt die Kleine auf der Intensivstation.« Dann wandte sie sich direkt an Eileen. »Vielen Dank, dass Sie mir dieses Interview gewähren. Ich weiß, wie schwer das für Sie ist, und will mich deshalb kurz fassen. Als Erstes, wie geht es Amanda?«

»Sie liegt noch im Koma. Wir beten für sie.« Eileen wirkte erschöpft, ihr Lächeln bemüht. Sie trug wenig Make-up, ihr kurzes blondes Haar hatte sie zu einem Pferdeschwanz zusammengebunden. Sie glich ihrer Tochter. Die blutunterlaufenen Augen und die Falten um die Mundwinkel verrieten ihre tiefe Verzweiflung.

»Sie sind verwitwet und eine alleinerziehende Mutter. Neben Amanda leben noch zwei Söhne bei Ihnen: Jason, dreizehn, und Joe, zehn. Können Sie unseren Zuschauern erzählen, wie die beiden Brüder mit dem schrecklichen Unfall ihrer Schwester zurechtkommen?«

»Die Jungs sind immer hilfsbereit, denn ich arbeite als Sekretärin bei einem Buchhalter in Reesburgh. Sie tun, was sie können. Amanda ist die Jüngste. Sie lieben sie über alles.«

Rose zog es den Magen zusammen.

»Nun beschuldigen Sie«, fuhr Tanya fort, »Schule und Schulbehörde der Fahrlässigkeit.«

»Dazu kann ich nichts sagen. Mein Anwalt hat mir empfohlen zu schweigen.« Eileens Ton wurde bestimmter. »Nur eines: Wir werden dafür sorgen, dass so etwas nie wieder passiert.«

»Natürlich.« Tanya rückte näher. »Bei unserem Vorgespräch äußerten Sie Ihren Unmut über die Art und Weise, wie das Schulpersonal die Evakuierung der Kinder gehandhabt hat. Können Sie uns dazu etwas sagen?«

»Noch mal: Ich kann nicht ins Detail gehen. Nur eines: Die Sicherheitsvorkehrungen waren mangelhaft.« Eileen hob den Zeigefinger. »Außerdem: Bei Ausbruch des Feuers haben sich nur Freiwillige um die Kinder gekümmert. Und diese Freiwilligen haben sich nicht korrekt verhalten. Deshalb wurde meine Kleine ein Opfer des Feuers.«

Rose rang nach Luft.

»Das interessiert mich«, sagte Tanya.

»Ich kann nicht ins Detail gehen, nur eines: Bei diesen Freiwilligen handelt es sich um Mütter. Man hat mir geraten, keine Namen zu nennen. Nur so viel: Eine dieser Mütter hat sich nur um ihr Kind gekümmert und Amanda im Stich gelassen.« Eileen stockte, sie schürzte die Lippen. »Ach wär ich doch auch eine Mutter, die nicht arbeiten muss. Ich wäre bei meinem Kind gewesen, und es ginge ihm jetzt gut.«

»Ich verstehe.« Tanya nickte ihr zu. »Sie haben mir auch erzählt, dass diese Mutter sich bei Ihnen beklagt hat, Amanda würde ihre Tochter mobben.«

»Ja, sie hat mich angerufen.« Eileens Blick wurde finster. »Amanda mobbt niemanden. Noch nie hat sie ein Kind gehänselt oder gar geschlagen. Amanda ist ein wunderbares, braves Mädchen. Das weiß jeder. Und wenn sie mal ein bisschen über die Stränge schlägt, das tun alle Kinder, vor allem die, die ihren Daddy verloren haben. Kinder regeln das unter sich. Erwachsenen, die sich da einmischen, ist nicht mehr zu helfen.«

Rose traute ihren Ohren nicht.

»Glauben Sie«, fragte Tanya, »dass diese Mutter Amanda absichtlich …«

»Ich bin nicht berechtigt, mehr zu sagen. Nur so viel: Ich habe beim Bezirksstaatsanwalt Strafanzeige erstattet.«

Rodriguez hatte Rose von einer Strafanzeige gegen die Schulbehörde erzählt. Und jetzt auch gegen sie?

»Heißt das«, fragte Tanya nach, »dass Sie gegen diese Mutter Anzeige wegen unterlassener Hilfeleistung erstattet haben?«

»Der Bezirksstaatsanwalt hat …« Eileen brach mitten im Satz ab. »Man hat mich angewiesen, nicht darüber zu reden. Und das tue ich jetzt auch.«

»Vielen Dank, Mrs Gigot.« Tanya drehte sich zur Kamera. Sie lächelte zufrieden. »Zurück zu dir, Tim, ins Studio.«

Rose riss sich die Kopfhörer herunter und griff zum Telefon.

31

Endlich hob er ab. »Leo?«

»Schatz, ich wollte dich anrufen. Aber die Arbeit. Außerdem ist das Konferenzzimmer voller Leute. Einen

Augenblick.« Leo legte die Hand auf den Hörer. »Leute, gebt mir fünf Minuten. Ich bin gleich zurück. Mark, du hältst die Stellung.«

Rose hörte Stimmen im Hintergrund. Dann wurde eine Tür geschlossen. Sie nutzte die Zeit zum Durchatmen.

»Jetzt bin ich da«, sagte Leo. »Die Canton hat also gekündigt?«

»Ja. Sie hat den Druck nicht mehr ausgehalten.«

»Was ist los, Baby? Du klingst so seltsam? Ist bei der Totenwache etwas passiert?«

»Ja, aber das ist nicht das Problem. Hast du ferngesehen?«

»Du scherzt wohl. Ich habe noch nicht mal Zeit zum Pinkeln.«

»Eileen Gigot hat angedeutet, dass sie beim Staatsanwalt Strafanzeige gegen mich stellt. Was bedeutet das? Bin ich jetzt eine Kriminelle?«

Leo dachte nach. »Ich habe mit einem Zivilverfahren gerechnet. Aber Strafanzeige?«

»Sollen wir den Bezirksstaatsanwalt anrufen und nachfragen?«

»Nein, das wäre das Dümmste, was wir tun können. Einen Augenblick.« Leo hielt inne, dann sagte er mit gedämpfter Stimme: »Die sind in dem Aktenordner auf dem Schrank mit der Adlerstatue.«

Rose wartete voller Ungeduld. Schlimm genug, das Haus zu verlieren. Aber ins Gefängnis gehen? Das schien unvorstellbar. Doch eine Cafeteria war abgebrannt, und ein kleines Mädchen lag im Koma.

»Hat sie wirklich vom Bezirksstaatsanwalt gesprochen? Bist du dir da sicher, mein Schatz?«

»Ja, da bin ich mir sicher. Und der kümmert sich nicht um Zivilklagen, oder?«

»Nein. Der kümmert sich nur um Verbrechen. Im Zivilprozess geht es nur um Geldforderungen. Einen Augenblick.« Leo legte die Hand wieder auf den Hörer. Seine Stimme war angespannt. »Nein, auf dem hinteren Schrank. Unter dem Adler, neben dem Softball-Pokal.«

»Heißt das, dass sie mir etwas anhängen wollen?«

»Einen Augenblick.« Leo stieß einen tiefen Seufzer aus. »Unter dem Adler. Ist das so schwer zu kapieren? Wie geht's Melly?«

»Sie ist traurig wegen ihrer Lehrerin.«

»Hör mal. Wie es aussieht, muss ich zwei Wochen nach Philadelphia. Aber wir sollten uns um diese Strafanzeige sofort kümmern. Ich versuche, jemanden zu bekommen, der alle deine Fragen beantworten kann. Dean kennt einen Strafverteidiger. Ich sage dir Bescheid.«

»Okay, danke.«

»Kopf hoch. Ich liebe dich.«

»Ich liebe dich auch«, sagte Rose. Aber Leo hatte schon aufgelegt.

32

Die Sonne versteckte sich hinter zinnfarbenen Wolken, als Rose mit John auf dem Arm und Melly an der Hand sich einen Weg über den völlig überfüllten Schulparkplatz bahnte. Der war nicht für so viele Autos konzipiert worden. Rose selbst hatte ihren Wagen auf einer Wiese abgestellt. Sie waren nach einem hektischen Morgen ziemlich spät aufgebrochen.

Den Verband an Hand und Knöchel hatte sie ausgetauscht und ein blaues Hemdblusenkleid angezogen. Melly hatte dreimal ihr Outfit gewechselt, wahrscheinlich wollte sie den Gang zur Schule hinausschieben. Schließlich hatte sie sich für ein Blümchen-T-Shirt und pinkfarbene Shorts entschieden. Rose hatte sie nicht zur Eile gedrängt. Sie war erleichtert, dass Harry Potter heute einmal zu Hause blieb.

John war wieder gesund und munter. Er hatte gut geschlafen. Voller Vergnügen saugte er an seinem Schnuller und strampelte mit seinen molligen Beinchen. In Jeans und blau gestreiftem Polohemd sah er geradezu schick aus. Rose würde ihn auch nachher zu dem Anwalt mitnehmen, den Leo ihr besorgt hatte. Sooft sie konnte, nahm sie ihn mit. Schließlich war sie nicht Mutter geworden, um ihre Kinder bei einem Babysitter abzugeben.

Erfreut stellte Rose fest, dass die Presse sich hinter einer Absperrung außerhalb des Schulgeländes postiert hatte. Von Tanya und ihrer Filmcrew war nichts zu sehen. Rodriguez begrüßte mit der stellvertretenden Direktorin, der Vertrauenslehrerin, dem Sport- und dem Computerlehrer sowie der Bibliothekarin die Eltern. Die Luft roch immer noch schwach nach Rauch. Rose fragte sich, ob sie das als Einzige bemerkte. Sie dachte an die verdreckte Playstation und an Amanda.

»Mom, beeil dich.« Melly zog an ihrer Hand. »Wir kommen zu spät.«

»Wie geht's dir, mein Schatz? Alles in Ordnung?«

»Ich bin okay.« Ein Windstoß blies Melly das Haar von der Wange und legte ihr Muttermal frei. Reflexartig schob sie das Haar wieder zurück.

»Mach dir keine Sorgen.«

»Ich mach mir keine Sorgen.«

»Ich hole dich nach dem Unterricht ab. Vielleicht können wir etwas Schönes unternehmen. Sollen wir essen gehen?«

»Warum nicht?«

»Mrs Nuru wollte auch, dass du kommst.« Rose fühlte, wie Mellys Händedruck fester wurde. »Sie mag dich nämlich sehr.«

»Vielleicht kommt Ms Canton auch, als Überraschung.«

Rose fühlte ein Stechen in der Brust. »Nein, Mel. Aber sie wird dich anrufen.«

»Wann?«

»Sobald sie Zeit hat.«

Ein Junge aus der ersten Klasse, der Melly wohl zum ersten Mal sah, starrte auf ihr Feuermal. Dann sah er wieder weg.

»Mel, falls dich heute jemand ärgert, nimm's wegen des Feuers nicht so ernst.«

»Wird Amanda auch da sein?«

»Nein, die ist noch im Krankenhaus.«

»Und Emily und Danielle?«

»Wahrscheinlich schon. Mach einen Bogen um sie, wenn du willst.«

»Muss ich nicht. Ich benutze meinen unsichtbaren *Protego*-Schutzschild. Für mich sind die beiden einfach Slytherins. Amanda ist der hochnäsige Draco Malfoy, und Danielle und Emily sind seine Kumpel Crabbe und Goyle.«

»Hallo, Ms McKenna. Hi, Melly. Schön, dass du wieder auf den Beinen bist und heute in die Schule kommst.« Rodriguez ging auf die beiden zu und gab Rose die Hand.

»Ich bin nicht krank, und Schule ist Pflicht. Kommt Ms Canton auch?«, fragte Melly.

»Nein, die musste nach Hause«, antwortete Rodriguez, ohne zu zögern, und zerzauste Melly das Haar, was sie überhaupt nicht mochte. »Mrs Nuru erwartet dich. Sie freut sich auch, dass du da bist.« Er streckte ihr die Hand entgegen. »Kommst du mit mir?«

»Und meine Mom?«

»Die geht zu ihrer eigenen Feier mit den Eltern.« Rodriguez' Hand blieb ausgestreckt wie eine unbeantwortete Frage.

»Melly, geh mit Mr Rodriguez. Wir sehen uns später.« Rose drückte ihr einen Kuss auf die Wange.

»Bye, Mom. Bye, John.«

Rose blieb stehen und schaute ihrer Tochter nach. Gemächlich trottete sie in Richtung Turnhalle, ihr pinkfarbener Harry-Potter-Ranzen wippte auf und ab. Die stellvertretende Direktorin, die Bibliothekarin und der Turnlehrer begrüßten sie mit offenen Armen und einem herzlichen Lächeln. Plötzlich empfand Rose eine tiefe Dankbarkeit. Hoffentlich geht alles gut! Sie betete. Manchmal war Beten das Einzige, was eine Mutter tun konnte.

Zehn Minuten später wartete Rose mit den anderen Eltern im Flur vor der Aula. Die Fenster, die den Gang mit Licht durchfluteten, erinnerten sie an die Oberlichter in der Cafeteria, bevor sie durch die Explosion in tausend Scherben zerbrochen waren. Nein, sie wollte sich zusammennehmen. John lächelte ihr zu und streckte sein Händchen nach ihrer Nase aus. Sie ergriff es und küsste es. So kam sie auf andere Gedanken.

Die Warteschlange bewegte sich ein Stückchen. Rose spielte mit Johns Hand. Der Kleine kicherte. Gern hätte sie ihm auch ein paar Stories aus ihrem Leben erzählt – wie sie es öfters tat –, aber sie wollte keine Aufmerksamkeit erregen. Die Eltern vor ihr in der Schlange kannte sie nicht. Zwei Männer trugen die gelben Schlüsselbänder der Homestead-Fabrik um den Hals, eine Frau in einem Hosenanzug blätterte auf dem Handy ihre Mails durch.

»Eins, zwei, drei, Test.« In der Aula wurde rüde gegen ein Mikrofon geschlagen. Es gab nur noch Stehplätze. Die Klimaanlage versuchte vergeblich, in dem völlig überfüllten Auditorium für Abkühlung zu sorgen. Rose fand zum Glück einen unauffälligen Platz unter dem Balkon. Sie wollte weder Emilys noch Danielles Mutter begegnen.

Der Bühnenvorhang in den blauweißen Schulfarben war geschlossen. Der Turnlehrer hantierte noch am Mikro herum, während Rodriguez die Vertreter der Stadt zu ihren Plätzen führte. Das Publikum schaltete seine Handys aus, es wurde ruhig im Saal.

Rodriguez stieg aufs Podium und klopfte gegen das Mikrofon, was ein ohrenbetäubendes, knallendes Geräusch verursachte. »Guten Morgen, meine Damen und Herren.« Seine Stimme klang ernst, dem Anlass entsprechend. »Danke, dass Sie gekommen sind. Die letzten Tage waren sehr schwierig für Sie, wie für uns auch. Fangen wir sofort an, denn ich weiß, dass viele von Ihnen Fragen haben, von denen wir so viele wie möglich in der nächsten Stunde beantworten wollen.«

»Mist!« Eine gut gekleidete Frau, die neben Rose stand, schlug auf ihr iPhone. »Ich soll für die American-Girl-Puppe meiner Tochter ein Kleid bestellen, aber mit diesem Touchscreen komme ich einfach nicht zurecht.«

Rose sagte nichts. Sie hasste es, wenn man während einer Rede seinen Mund nicht halten konnte. Immer wieder überraschte es sie, wie rüpelhaft Erwachsene sich benehmen konnten.

»Dennoch«, fuhr Rodriguez auf der Bühne fort, »zuerst wollen wir Marylou Battles, Ellen Conzes und Serena Perez' gedenken. Ihr Tod ist für unsere Gemeinde ein großer Verlust. Zu ihrem Andenken bitte ich einen Mann auf die Bühne, den ich Ihnen nicht vorstellen muss. Es handelt sich um den Bürgermeister von Reesburgh, Leonard Krakowski.« Ein kleiner kahlköpfiger Mann in dunklem Anzug eilte auf das Podium zu.

»Wie sehr ich die Tasten vermisse.« Die Frau mit dem iPhone gab keine Ruhe. »Aber andererseits ist es ein geiles Gerät. Haben Sie auch ein iPhone?«

»Nein«, antwortete Rose, in der Hoffnung, dass die Frau endlich schwieg.

Der Bürgermeister bog das Mikro zu sich herunter und räusperte sich. »Guten Morgen, meine Damen und Herren. Uns alle macht der Verlust dieser drei wunderbaren Frauen zutiefst traurig. Und man wird nachdenklich. Das ganze Wochenende habe ich nachgedacht. Über ihr Leben, über unser aller Leben. Komischerweise zeigt eine Gemeinde wie Reesburgh gerade in solch tragischen Momenten ihre Stärke. Denn wir alle stehen zueinander wie eine Familie.«

»Haben Sie einen Jungen oder ein Mädchen?« Die Frau tippte weiter auf ihrem iPhone herum. Inzwischen drehten sich einige Leute zu ihr um.

»Ein Mädchen«, flüsterte Rose, die allmählich nervös wurde.

»Gedenken wir«, fuhr der Bürgermeister fort, »in einem Augenblick der Stille dieser wunderbaren Frauen und rufen wir uns in Erinnerung, was sie für uns alle bedeutet haben.« Er senkte den Kopf wie die meisten Zuhörer. Rose knuddelte John, damit er ruhig blieb. Ein, zwei Leute niesten, die Frau mit dem iPhone sorgte weiter für Unruhe.

»Hat Ihre Tochter auch ein American Girl?«

»Pst«, flüsterte Rose der Störerin zu, deren Augen ganz langsam größer wurden.

»O nein! Sie sind doch die, die Amanda im Stich gelassen hat.«

Rose errötete, ihr Mund wurde trocken. Mehr und mehr Leute drehten sich um. Was sollte sie tun? Bleiben oder gehen? Sie schämte sich.

Der Bürgermeister hob den Kopf, die Gedenkminute war vorbei. »Dankeschön. Erlauben Sie mir, jemanden auf die Bühne zu bitten, den ich Ihnen nicht vorstellen muss. Senator Paul Martin.« Der Senator war ein großer schlanker Mann mit dickem grauem Haar, er trug eine Schildplattbrille. »Guten Morgen, Herr Bürgermeister, Mr Rodriguez, liebe Lehrer, Eltern und Freunde.«

Rose blickte stur auf die Bühne. Sie wollte nicht mitbekommen, wie die Frau mit dem iPhone jetzt mit einer anderen tuschelte, wie immer mehr Leute sie anstarrten und sich über sie leise den Mund zerrissen.

»Ich fühle mich geehrt«, fuhr der Senator fort, »heute morgen zu Ihnen sprechen zu dürfen. Ich sehe die Trauer und den Schmerz über den Verlust dieser drei wunderbaren Menschen in Ihren Gesichtern. Ich weiß, Sie alle werden jetzt für Ihre Familien und vor allem für Ihre Kinder zusammenstehen. Reesburgh ist zwar eine kleine Gemeinde, aber sie ist stark. Und sie ist so stolz, wie eigentlich jede unserer Gemeinden sein sollte.«

Rechts von Rose hatten ein paar Frauen die Köpfe zusammengesteckt. Sie flüsterten. Rose drückte John noch fester an sich. Ein Raunen umgab sie, aber niemand sagte ein Wort zu ihr. Einige suchten demonstrativ das Weite.

Sie war jetzt jemand, über den man redete, aber mit dem niemand mehr sprach. Melly ging es wohl oft so.

Vielleicht an jedem Tag ihres Lebens.

33

Rose wurde in ein kleines Konferenzzimmer geführt, dessen Fenster vom Boden bis zur Decke reichten. In der Mitte stand ein runder Tisch aus Walnussholz. Die beiden Anwälte erhoben sich sofort. Der linke war schlank und groß, der rechte untersetzt und klein. Ihre Gesichtszüge konnte sie im Gegenlicht zunächst nicht erkennen. Die Szene hatte etwas Surreales.

»Danke, dass Sie so kurzfristig Zeit für mich gefunden haben«, sagte sie und hob John hoch. Der große Anwalt kam auf sie zu und streckte ihr seine langgliedrige Hand entgegen. Zuerst bemerkte sie sein höfliches Lächeln, dann seine hellen Augen hinter einer coolen randlosen Brille. Er hatte rötliches Haar, das in Stufen geschnitten war.

»Ich bin Oliver Charriere.« Seine Händedruck war knapp und fest. In seinem feinen italienischen Nadelstreifenanzug sah er fast wie ein Model aus.

»Ich bin Tom Lake«, sagte der andere und lächelte ihr mit seinen braunen Augen, die hinter einer Fliegerbrille steckten, herzlich zu. Sein Händedruck erinnerte an einen Gewichtheber. Seine braune Anzugshose war am Saum fadenscheinig. Sein Hals war so kräftig, dass er über den Hemdkragen quoll. »An dieser Stelle stelle ich uns gewöhnlich als Dick und Doof vor. Aber die kennen Sie nicht mehr. Sie sind zu jung.«

»Keineswegs.« Rose lächelte.

»Kaffee?«, fragte Oliver.

Tom lächelte. »Er kümmert sich um die Getränke. Ich bin fürs Essen zuständig. Den ganzen Morgen habe ich gebacken.«

Rose schmunzelte. »Kaffee wäre toll.«

»Mit Sahne und Zucker, hab ich recht?«

»Ja. Wie kommen Sie darauf?«

»Das ist mein sechster Sinn«, antwortete Oliver. »Nein, im Ernst. Die meisten Frauen nehmen Sahne und Zucker. Nur wenige trinken ihren Kaffee schwarz. Doch dafür sind Sie zu schön.«

Tom schnaubte. »Glauben Sie's oder nicht, aber Olivers angeborener Sexismus ist ein guter Ratgeber bei der Auswahl von Geschworenen.«

»Oder von Geliebten«, fügte Oliver hinzu. Alle lachten.

»Nehmen Sie doch Platz. Geht das mit dem Kind?«, fragte Tom.

»Natürlich.« Rose setzte sich. John lächelte sie an und sog mit all seiner Kraft an seinem Schnuller. »Danke, dass ich ihn mitbringen durfte.«

»Keine Ursache. Wir haben nichts gegen Haustiere.« Oliver brachte den Kaffee, Tom bedachte ihn mit einem zweideutigen Lächeln.

»Mehr Respekt, bitte. Das ist Leo Ingrassias Sohn.«

»Das finde ich auch.« Rose entspannte sich allmählich. »Und er beißt.«

»Ich auch.« Oliver stellte den Kaffee auf den Tisch, öffnete einen Knopf an seinem Jackett und nahm gegenüber von Rose Platz.

Tom setzte sich neben ihn. »Und jetzt beginnen wir unsere Unterrichtsstunde über den Unterschied zwischen einem Strafverteidiger, wie er einer ist, und einem Zivilanwalt wie ich. Er ist ein eitler Geck, ich hingegen bin die Bescheidenheit selbst.«

Rose lachte.

Oliver schüttelte den Kopf. »Immer wieder die gleichen abgestandenen Witzchen. Du bist gefeuert.«

»Feuern ist sinnlos, denn ich kündige. Aber jetzt geht es erst mal um Sie.« Tom wies mit dem Zeigefinger auf Rose. »Sie sind also mit Leo verheiratet. Dieser glückliche Schweinehund. Fangen wir an.« Tom sah zu Oliver. »Soll ich zuerst Klarschiff machen?«

»Oh, bitte nicht.«

»Oh, bitte doch.« Tom streckte seinen Arm aus und schob alle Memos, Zeitungsausschnitte und amtlichen Papiere vom Tisch herab.

Rose brach in schallendes Gelächter aus. Oliver verdrehte die Augen hinter seiner Designerbrille.

»Rose, Sie sitzen heute Morgen einem Strafverteidiger und einem Zivilanwalt gegenüber, weil Sie vielleicht beide brauchen werden. Verstehen Sie?«

»Ja.«

»Wir gehen folgendermaßen vor: Da man beim Strafrecht im Knast landen kann, fange ich an. Tom versucht derweil, nicht in der Nase zu bohren. Klar?«

»Klar.« Rose lächelte weiter, auch wenn ihr das Wort Knast missfallen hatte.

»Wir kennen beide Ihren Fall. Wir haben die Berichterstattung im Fernsehen verfolgt. Bitte erzählen Sie uns, was am Freitag passiert ist. Lassen Sie nichts aus.«

»Nun, ich hatte Dienst als Pausen-Mom«, begann Rose und erzählte ihnen die ganze Geschichte von Amandas Marmeladenfleck auf der Wange bis zu den Bergen von Schutt, die sie gestern Abend gesehen hatte. Oliver machte sich Notizen auf dem Laptop, während Tom einen Schreibblock benutzte. »Wie lautet Ihr Urteil, meine Herren?«, fragte Rose am Ende ihres Berichts.

Oliver lehnte sich zurück. »Erst einmal, schauen Sie nicht so besorgt. Sie sind bei uns in besten Händen. Wir sind gerissener, als wir aussehen.«

»Gut.« Rose hob John kurz hoch. Er sah sie mit großen Augen an.

»Strafrechtlich sieht es so aus: Nach pennsylvanischem Recht kann man für eine Handlung oder die Unterlassung einer Handlung nur dann belangt werden, wenn man per Gesetz dazu verpflichtet ist. Gibt es keine gesetzliche Pflicht, kann man niemanden für eine Unterlassung zur Verantwortung ziehen. Verstanden?«

»Ja.«

»Unter gewissen Voraussetzungen stehen aber Erwachsene gegenüber Kindern immer in der Pflicht. Eltern, zum Beispiel. Das leuchtet ein?«

»Ja.« Rose sah zu John, der dabei war einzuschlafen.

»Nun, diese Pflicht besteht nicht nur für Eltern. Jeder, der auf ein Kind aufpasst, sei es der Babysitter oder die Kindergärtnerin, kann zur Verantwortung gezogen werden.«

»Also auch eine Pausen-Mom?«

»Genau. Aber auch andere freiwillige Mitarbeiter in Schulen oder Büchereien, Sporttrainer oder Begleiter bei Schulausflügen.«

»Wirklich?«

»Ja.«

»Mein Gott.« Was das bedeuten konnte, entsetzte Rose. »Also wenn jemand in einer dieser Funktionen Mist baut, kann er strafrechtlich verfolgt werden.«

»Ja, man ist haftbar. Nicht nur zivil-, sondern auch strafrechtlich.«

Rose strich Johns Haar glatt. Sie hatte das Gefühl, sich selbst zu trösten.

»Jeden Sommer halte ich einen Vortrag vor Baseball-Trainern. Vor mir spricht ein Arzt, der die Trainer über medizinische Hilfe bei Unfällen aufklärt. Dann komme ich und rate den Trainern nur zu einem: Tun Sie nichts, sondern rufen Sie sofort den Notarzt. Basta.«

»Warum?«

»Weil man Sie bei einem Fehler sonst zivil- oder strafrechtlich zur Verantwortung ziehen kann.«

Rose war überrascht. In ihren Augen war das nicht gerade eine humanitäre Vorgehensweise. »Und wenn man strafrechtlich verantwortlich ist, wandert man ins Gefängnis?«

»Nicht immer, aber meistens.«

»Dann muss ich also ins Gefängnis?« Rose war entsetzt. Oliver hob beschwichtigend die Hand.

»Stopp. Als Ihr Anwalt werde ich natürlich behaupten, dass Sie als Pausen-Mom nicht zur Verantwortung gezogen werden können. Allerdings haben Sie andere Erwachsene daran gehindert, Hilfe zu leisten.«

»Das habe ich nicht.«

»Doch, das haben Sie. Sie haben die Mädchen nach Beginn der Pause in der Cafeteria festgehalten.« Oliver sah ihr in die Augen. »Die Kinder konnten nicht auf den Hof gehen, wo andere Erwachsene ihnen hätten helfen können. Terry, die andere Pausen-Mom, ist auch nach draußen gegangen?«

»Das war einzig ihre Entscheidung.« Rose schüttelte den Kopf. »Ich wollte nicht, dass sie geht.«

»Das spielt rechtlich keine Rolle. Rechtlich eine Rolle wird die Tatsache spielen, dass Terry Mrs Synder darüber informiert hat, dass Sie die Mädchen daran gehindert haben, in den Schulhof zu gehen. Und dass Sie Amanda angeblich nicht mögen, weil sie Ihre Tochter mobbt, ist auch nicht gerade ein Pluspunkt.«

Rose fühlte sich immer schlechter. »Bitte reden Sie mit Emily und Danielle. Sie können bestätigen, dass ich sie zum Ausgang gebracht habe.«

»Wir können das versuchen, aber wir werden nicht mit ihnen reden dürfen, wenn deren Eltern Sie und die Schule verklagen wollen. Dessen bin ich mir sicher.«

Rose nickte. Das glaubte sie auch. Die Wahrheit würde erst einmal nicht ans Licht kommen. Dafür würden die diversen Anwälte schon sorgen.

»Die Kinder werden aussagen, dass Sie sie festgehalten und angeschrien haben. Ein Mädchen hat sogar geweint. Stimmt's?«

»Ja«, gab Rose zu. Sie fühlte sich miserabel.

Tom schürzte die Lippen, während Oliver beschwichtigend die Hand hob. »Schauen Sie. Nichts deutet im Moment darauf hin, dass man Sie strafrechtlich belangt.«

»Und wann wissen wir Genaues?« Rose befiel Panik. »Wer entscheidet das?«

»Der Bezirksstaatsanwalt.«

»Dann sollten wir ihn fragen.«

»Nein. Besser, wir warten ab und ...«

»Aber das ist mein Leben, und diese Unsicherheit ist schrecklich.«

»Noch schrecklicher wäre es, den Staatsanwalt zu provozieren. Der wird sowieso ordentlich unter Druck geraten. Zum Glück haben wir kein Wahljahr.«

Rose konnte dieses Glück nicht nachempfinden. »Und wenn man mich anzeigt, komme ich in Haft?«

»Wir bekommen Sie garantiert auf Kaution frei. Es besteht kein Fluchtrisiko.«

In Roses Kopf drehte es sich. Kaution. Haft. Fluchtrisiko.

»Nehmen wir mal an, Sie haben sich dafür entschieden, Amanda und die beiden anderen Mädchen im Stich zu lassen, um Ihr Kind retten zu können. Dann ist das ein Fall für den Staatsanwalt.«

»Aber so war es nicht.«

»Ich weiß. Aber wir brauchen Beweise. So wie die Gegenpartei für ihre Behauptung Beweise braucht. Gibt es Überwachungskameras in der Cafeteria und in der Schule?«

Daran hatte Rose nicht gedacht. »Ich weiß nicht. Aber ich glaube nicht. Im Schulbus gibt es eine Kamera. Aber Melly fährt nicht mit dem Bus.«

»Verstehe.« Oliver nickte. »Der Staatsanwalt braucht mehr Fakten, um Sie zu belasten. Darum wird er sich in den nächsten Tagen bemühen. Wenn Sie also von der Staatsanwaltschaft angerufen werden, sagen Sie nichts. Sagen Sie zu niemandem etwas über den Fall. Verstanden?«

»Ja.«

»Und falls er Sie anklagt – wir wissen, wie es wirklich war. Ich kann mir nicht vorstellen, dass Geschworene Sie bei der Faktenlage schuldig sprechen.«

»Sind Sie da sicher?«

»Nein. Aber immerhin mache ich diesen Job seit sechsundzwanzig Jahren. Ohne allzu viele Niederlagen übrigens. Gut, dass Amanda noch lebt. Sonst würde man Sie wegen fahrlässiger Tötung anklagen.«

Rose wurde übel. Wenn Amanda sterben würde, wäre das der Supergau.

»Bleiben Sie ruhig und voller Zuversicht. Das ist mein Lebensmotto.« Oliver wagte ein verhaltenes Lächeln. »Fahrlässige Tötung hat nichts mit Mord zu tun. Wer fahrlässig tötet, handelt ohne irgendeinen Vorsatz. Das ist doch schon mal was.«

»Ja, ein Alptraum.«

»Nein, eine Situation, mit der wir zurechtkommen können – und werden. Gut, manches ist noch ungeklärt.« Oliver lächelte. »Aber ich sollte jetzt trotzdem die Bühne für meinen genialen Partner räumen, der sicherlich, was das Zivilrecht betrifft, mit einer brillanten Strategie aufwarten wird.«

Tom stand an der Anrichte und füllte einen Styroporbecher mit Wasser. »Wollen Sie auch?«

»Gerne.«

»Sind Sie bereit?«, fragte er in mitfühlendem Ton und setzte sich.

»Natürlich«, log sie. »Ich bin ganz Ohr.«

34

Rose trank einen Schluck Wasser, während Tom seine handgeschriebenen Notizen durchging.

»Darf ich Ihnen als Erstes ein paar Fragen stellen?«

»Klar.«

»Hat man Ihnen als Pausen-Mom irgendwelche Anweisungen für den Notfall oder für Feuer gegeben?«

»Nein.«

»Hat man Sie gebeten, an einer Feuerwehrübung an der Schule teilzunehmen?«

»Nein.«

Tom machte sich eine Notiz. »Haben Sie von einer Feuerwehrübung an der Schule gehört?«

»Nein. Die Schule ist ganz neu. Und wir sind erst im Juni hierhergezogen.«

Tom machte sich eine weitere Notiz. »Haben Sie an

einer anderen Schule bei einer solchen Übung teilgenommen?«

»Nein.«

»Nächstes Thema. Sie sagten, für Pausen-Moms gibt es Verhaltensregeln.« Tom sah von seinen Papieren auf, die Finger umklammerten einen Kuli. »Wie wurden Sie über diese Regeln informiert?«

»Eine der Mütter hat mich eingewiesen.«

»Wer?«

»Oh. Robin Lynn Katz.«

»Aber diese Dame ist keine Angestellte der Schule oder der Schulbehörde?«

»Doch. Nein, natürlich nicht. Sie ist eine Mutter wie ich.« Rose war etwas verwirrt. Sie musste sich erst an Toms rasantes Fragetempo gewöhnen.

»Und wie hat Robin Lynn Katz von diesen Regeln erfahren?«

»Keine Ahnung.«

»Sind die irgendwo niedergeschrieben?«

»Nicht, dass ich wüsste.«

»Man hat Ihnen also diese Regeln nie schriftlich ausgehändigt?«

»Richtig.«

»Nächstes Thema: Die blonde Lehrerin am Ausgang zum Schulhof. Sind Sie sicher, dass es eine Lehrerin und keine Pausen-Mom war?«

»Ja.«

»Wieso?«

»Ich weiß nicht. Sie hat wie eine Lehrerin die Kinder angewiesen hinauszugehen. Irgendwie offiziell.«

»Okay.« Tom machte eine Notiz. »Als Sie zurück in die Cafeteria gerannt sind, war da die blonde Lehrerin immer noch da?«

»Ich denke schon.«

»Haben Sie sie gesehen? Anders gefragt: Sie haben nicht gesehen, wie sie hinausgegangen ist?«

»Nein.«

Wieder machte Tom eine Notiz. »Nächstes Thema. Die Schule von Reesburgh ist neu. Sie wurde erst Ende August fertiggestellt. Richtig?«

»Richtig.«

»Kristen Canton hat Ihnen von dem Loch in der Gasleitung und den defekten Stromkabeln erzählt. Kurt Rehgard, der Zimmermann, sagte das Gleiche. Hat noch jemand darüber gesprochen?«

Rose dachte nach. »Kristen wusste es von Jane Nuru, der Lehrerin.«

»Entschuldigung. Das hatten Sie bereits erwähnt. Mein Irrtum.« Tom machte eine Notiz. »Okay, beeilen wir uns etwas. Nächste Frage. Wie sind Sie in die Schule hinein- und hinausgegangen?«

Rose verstand nicht. »Sie meinen, in welchem Tempo?«

»Nein.« Tom schüttelte den Kopf. »Ich habe mich unklar ausgedrückt. In der Realschule meines Sohnes ist nur der Haupteingang offen. Und der führt zum Büro, nur zum Büro. Alle Besucher müssen sich anmelden.«

»In Reesburgh funktioniert es genauso.«

»Man braucht also einen Kartenschlüssel für die anderen Türen?«

»Ja.« Rose dachte nach. »Einmal wollte ich einen Seiteneingang benutzen, aber der war abgeschlossen. Die Lehrer tragen die Kartenschlüssel um den Hals.«

»Gut.« Tom schrieb das auf. »In der Schule meines Sohnes werden die Türen automatisch abgeschlossen, wenn sie ins Schloss fallen.«

»In Reesburgh auch.«

»Zurück zum Freitagmorgen. Sind die Kinder in einem kontinuierlichen Strom auf den Hof gerannt?«

»Meistens.«

»Also nicht die ganze Zeit?«

»Nein. Ich weiß es nicht.«

Von Tom ins Kreuzverhör genommen zu werden war bestimmt nicht angenehm. Zum Glück war er auf Roses Seite.

»Mussten die Kinder die Tür einzeln aufmachen?«

»Ich bin mir nicht sicher.«

Tom hob die Hand wie ein Hypnotiseur. »Schließen Sie die Augen. Konzentrieren Sie sich auf die Kinder. Was sehen Sie?«

Rose sah Feuer, Rauch und flüchtende Jungs und Mädchen.

»Schließt sich die Tür vor Ihren Augen? Drückt ein Kind auf die Klinke, um sie wieder zu öffnen?«

Plötzlich wusste Rose die Antwort. »Nein. Die Tür stand die ganze Zeit offen.«

Tom grinste.

Oliver schenkte seinem Partner ein verschlagenes Lächeln. »Bingo.«

Rose verstand nicht. »Ist das von Bedeutung?«

»Geduld, Geduld.« Tom warf den Kopf zurück. »Warum stand die Tür offen? Ist das üblich? War das das erste Mal?«

»Nein. Wenn ich Melly abgeholt habe, stand sie immer offen.« Rose verlagerte ihr Gewicht, John bewegte sich, schlief aber weiter. »Es war die letzten Wochen sehr warm. Deshalb haben sie die Tür offen gelassen, damit es im Flur abkühlt.«

Tom verzog die Stirn. »Und was ist mit der Klimaanlage?«

»Im Flur gibt es keine Klimaanlage. Nur in den Klassenzimmern.«

»Jawohl!« Tom hob seine Hand zum Abklatschen. »Schlag ein, Bruderherz!«

Tom wich zurück. Er lächelte. »Nicht so laut. Du weckst den Zwerg da auf. Und nenn mich nicht Bruderherz.«

Tom schmunzelte. »Jetzt geht's mir besser.«

»Aber warum?«, wollte Rose wissen.

»Aufgepasst!« Tom legte den Notizblock beiseite. »Erst einmal gibt es im Zivilrecht keine Verpflichtung, jemanden zu retten. Sie mussten Amanda also nicht retten. Wenn Sie es aber versuchen, so steht es im Haftpflichtrecht, dann müssen Sie es mit angemessener Sorgfalt tun.«

»Okay.«

»Die Frage des Gerichts lautet also: Wie sieht angemessene Sorgfalt unter diesen Bedingungen aus?« Tom fasste sich mit dem Finger an die Stirn, als würde er nachdenken. »Liefere ich Amanda und die anderen auf dem Schulhof ab und riskiere dabei, dass mein eigenes Kind den Flammentod stirbt? Oder mache ich es wie Rose und suche eine Lösung, mit der ich alle retten kann? Oder ist mir Amandas Schicksal egal, und ich rette nur mein Kind?«

Roses Mund war trocken. Sie trank einen Schluck Wasser.

»Zwischen dem, was Sie behaupten, getan zu haben, und dem, was all die anderen behaupten, gibt es einen Widerspruch. Den müssen wir lösen. Und wie tun wir das am besten? Wir schieben jemand anderem den Schwarzen Peter zu.«

»Und wem?«

»Der Schule, dem Staat. Anstatt zu warten, bis Amandas Eltern die Schule und Sie verklagen, gehen wir in die Offensive und strengen einen Prozess gegen die Schule an.«

»Was? Nein.« Rose schreckte zusammen. »Ich mag die Schule.«

Tom hob die Hand. »Seien Sie nicht befangen.«

»Nie würde ich die Schule verklagen.«

»Warum nicht?«

»Sie mag Sahne und Zucker«, warf Oliver süffisant ein. »Würde sie ihren Kaffee schwarz trinken, würde sie auch klagen.«

Tom ging nicht auf seinen Kollegen ein. »Sie sind verletzt. Ihr Kind ist verletzt. Es wäre fast gestorben. Auf Sie werden hohe Arztrechnungen zukommen.«

»Ja, schon. Aber …«

»Lassen Sie mich aussprechen. Vergessen wir für den

Augenblick die defekten Kabel, weil wir die genaue Faktenlage noch nicht kennen. Ich möchte Ihr Augenmerk ganz auf Sie selbst richten. Sie haben nämlich ein völlig falsches Bild von Ihrer Situation.« Tom zeigte auf Rose. »Man hat Sie als Pausen-Mom ins kalte Wasser geworfen, ohne Ihnen schriftlich oder mündlich Anweisungen für den Brandfall zu geben. Sie und Ihre Tochter hätten sterben können.«

»Ich will niemanden beschuldigen, und die Schule erst recht nicht.«

»Der Lehrerin an der Tür fällt nicht auf, dass ein Kind zurückrennt, was ganz klar Vernachlässigung der Aufsichtspflicht ist. Außerdem steht die Ausgangstür sperrangelweit offen. Kein Problem für einen Schüler, unbemerkt wieder zurückzulaufen. Was Amanda getan hat – und dabei lebensgefährlich verletzt wurde.«

Rose versuchte, Toms Argumentation zu folgen. »Aber was hat die Schule bitte mir und Melly gegenüber falsch gemacht?«

»Sie hatten keine Ahnung, wie Sie sich im Ernstfall verhalten sollen. Das war unverantwortlich. Sie hätten in den Flammen umkommen können.«

»Okay, aber was hat die Schule Melly gegenüber falsch gemacht?«

»Es hat keine Feuerwehrübung in der Schule gegeben. Außerdem müsste die Schule mehr Pausen-Moms einstellen. Hätten drei oder vier an jenem Morgen Dienst gehabt, hätte eine den Weg zur Toilette im Auge behalten können. Das stimmt doch.« Tom schüttelte den Kopf. »Rose, Sie sollten die Schule aus dem gleichen

Grund verklagen, wie es die Gigots vielleicht auch tun. Rechtlich gesehen können Amanda und Melly die gleichen Forderungen stellen.«

»Aber Melly geht es gut. Und Amanda stirbt vielleicht.«

»Das macht rechtlich gesehen keinen Unterschied. Nur die Schadensforderungen werden verschieden sein.« Tom breitete die Hände aus. »Schauen Sie. Unser Ermittler ist ein ehemaliger Detektiv und Fachmann für Versicherungsbetrug, er hat sehr viel Erfahrung. Er wird die Berichte der Polizei und der Feuerwehr genau studieren und jedes Detail hinterfragen. Und er wird selbst ermitteln. Wenn wir dann über die Brandursache genau Bescheid wissen, können wir unsere Klage bis ins Kleinste ausarbeiten.«

»Dennoch.« Rose schüttelte den Kopf. »Ich will die Schule nicht verklagen. Sie können sich nicht vorstellen, was das bedeuten würde. Sie werden meine Tochter kreuzigen. Bei der Feier haben sie mich schon wie ein Stück Dreck behandelt. Und wir können nicht schon wieder umziehen.«

»Okay, in Ordnung.« Tom schürzte die Lippen. »Sie sind der Auftraggeber. Sie entscheiden. Wir machen nur Vorschläge.«

»Gut.«

»Aber falls man Sie verklagt, würden Sie mit meinem Vorschlag besser fahren, selbst wenn Amanda stirbt. Dann wären Sie ein Opfer wie Amanda und die anderen. Denn Sie alle sind Opfer eines Schulsystems, das unausgebildete und unbezahlte Väter und Mütter schlecht ausgerüstet und unvorbereitet in den Schulbetrieb wirft, nur um Geld zu sparen.« Tom sah ihr in die Augen. »In unserer Gesellschaft liegt so manches im Argen. Je weniger unser Staat für Schulen ausgibt, desto mehr Kinder werden *sterben.*«

Rose schloss die Augen. Tom sagte kein Wort mehr. Im Konferenzzimmer war es still. Nur John saugte an seinem Schnuller und träumte wohl einen Babytraum.

Oliver klatschte verhalten. »Die beste Ansprache an die Geschworenen seit Langem. Ich liebe aufrüttelnde Botschaften zum Finale.«

Tom grinste. »Ich habe mich aber auch ganz schön verausgabt. Doch es hat sich gelohnt.«

Oliver wandte sich an Rose. »Jetzt verstehen Sie, warum er mein Partner ist. Er macht alle platt.«

»Und trotzdem klage ich nicht«, sagte Rose aufgewühlt. »Ich muss mit meiner Familie hier in Reesburgh leben. Schon jetzt sind sie gegen uns. Ich musste meine Seite auf Facebook sperren.«

Oliver nickte. »Der Mob von heute braucht keine brennenden Fackeln und Umzüge mehr. Er macht den Leuten auf Facebook den Prozess. Deshalb müssen wir realistisch bleiben. Ihre defensive Haltung ist nicht ideal. Auf jeden Fall sollten wir eine Presseerklärung herausgeben. Wir müssen die öffentliche Meinung auf Ihre Seite bringen.«

»Warum?«

»Sonst werden wir bei einem Prozess ganz schön dumm aus der Wäsche gucken.«

Rose war von Olivers Vorschlag irritiert. »Vorhin haben Sie noch gesagt, ich soll zu keinem ein Sterbenswörtchen sagen.«

»Das sollen Sie auch nicht. Wir machen das. Wir geben die Erklärung heraus. Sie schweigen.« Oliver dachte laut. »In einer kleinen Stadt wie Reesburgh ist eine öffentliche Stellungnahme unerlässlich. Wir müssen das Ruder herumreißen.«

Tom presste die Lippen zusammen. »Rose, auch wenn Sie meine Frau wären, würde ich Ihnen den gleichen Ratschlag geben. Sie müssen in Ihrer Situation an die Öffentlichkeit gehen. Egal, ob Sie einen Prozess anstrengen oder nicht. Die Presse macht Sie sonst fertig, und das nimmt die Geschworenen gegen Sie ein. Im Zivil- und im Strafprozess.«

Daran hatte Rose nicht gedacht. Und sie erschrak bei der Vorstellung.

»Passen Sie auf.« Toms Stimme wurde weicher. »Sie müssen handeln. Aber Sie haben ein, zwei Tage Zeit. Denken Sie darüber nach. Sprechen Sie mit Leo. Wenn Sie noch eine andere Meinung einholen wollen, tun Sie es. Aber sagen Sie uns so bald wie möglich Bescheid.«

Oliver stand langsam auf. Er knöpfte sein Jackett zu. »Sie stecken ganz schön in der Klemme. Sie wollen einerseits die Schule nicht verklagen, andererseits wäre es für Ihr Strafverfahren das Beste, denn damit bringen Sie klar zum Ausdruck, dass Sie unschuldig sind. Vielleicht würde der Staatsanwalt sogar von einer Anzeige absehen. Angriff ist die beste Verteidigung. Das ist zwar ein Klischee, aber es stimmt. Entweder Sie oder die anderen. Entscheiden Sie sich.«

Rose stand auf. »Vielen Dank, meine Herren, dass Sie mir Ihre Zeit geopfert haben. Vielen Dank für Ihre Ratschläge.«

»Noch ein letztes Wort. Denken Sie auch an den, den Sie auf dem Arm tragen.« Tom deutete auf John. »Diesen kleinen Kerl, Ihre Tochter, Leo, Ihr Zuhause, das müssen Sie beschützen. Nicht die Schule.«

Rose hörte die Wahrheit in seinen Worten, auch wenn es ihr das Herz zerriss. Sie dachte daran, wie nett Rodriguez und seine Kollegen heute Morgen zu Melly gewesen waren.

»Zögern Sie den ersten Schuss nicht zu lange hinaus.« Tom sah Rose fest in die Augen. »Das ist Selbstverteidigung.«

35

Rose trat aufs Gaspedal, die Augen starr auf die Straße gerichtet. So musste sie Melly nicht in die Augen sehen. Die Vorstellung, verklagt zu werden, war schon unangenehm, aber ins Gefängnis zu müssen … Das Treffen mit den Anwälten hatte sie beunruhigt, trotzdem machte sie ein fröhliches Gesicht. »Mel, wie war dein Morgen?«

»Gut.«

Rose hielt vor einer roten Ampel. Sie hatte Melly von der Schule abgeholt. Ohne Zwischenfälle. Die anderen Eltern hatten sie nicht beachtet. Die Presse war hinter der Absperrung geblieben, und selbst wenn einige Fotos bei ihrer Abfahrt geschossen worden waren, hatte niemand sie verfolgt. »Was habt ihr in der Schule gemacht?«

»Wieder im *Flat Stanley* gelesen.«

»Das ist ein schönes Kinderbuch.«

»Ms Canton war nicht da. Sie kommt nicht mehr.«

»Das ist schade.«

»Sie muss sich um ihre Mom kümmern. Die ist krank.«

»Ich verstehe. Hat Mrs Nuru gesagt, wann ihr eine neue Lehrerin für den Förderkurs bekommt?« Rose blickte zu Melly, die aus dem offenen Fenster sah.

»Nein.«

»Hast du viel mit Mrs Nuru geredet?«

»Nein. Sammy und Seth haben sich geprügelt. Wie immer.«

»Und wie war die Feier?«

»Traurig.«

»Unsere auch.« Rose hatte sich in der Aula wie eine Aussätzige gefühlt. Eigentlich waren ihr nur die ständigen Beteuerungen über die sofortige Rückkehr zum normalen Schulbetrieb in Erinnerung geblieben – was sicher das Beste für die Kinder war. »Bei uns gab es eine Schweigeminute.«

»Bei uns auch.«

»Was haben sie euch erzählt?«

»Dass wir keine Angst haben sollen. Dass es kein Feuer mehr geben wird. Dass wir eine neue Cafeteria bekommen. Und dass wir Halloween feiern.« Melly sah zu Rose. »Ich möchte wieder als Hermine gehen.«

»Klar.«

»Jetzt, wo ich noch ihren Zauberstab hab …«

»… wird es perfekt.« Richtig überzeugt davon war Rose nicht. Denn so großartig Harry Potter auch war, Mellys Begeisterung könnte noch einen Keil mehr zwischen sie und die anderen Kinder treiben.

»Wir haben Karten für Amanda gezeichnet. Meine war richtig gut.«

»Wie schön. Ich bin stolz auf dich.« Rose meinte es ernst. Denn sicherlich war es Melly nicht leichtgefallen, eine Karte für ihre Peinigerin zu zeichnen. »Wo wollen wir essen?«

»Keine Ahnung.«

»Worauf hast du Lust?« Auf diesem Stück der Allen Road reihten sich Einkaufszentren und Fast-Food-Läden aneinander. Wegen des frühen Schulschlusses war viel Verkehr. »Willst du ein Happy Meal? Oder ein Hühnchen? Oder einen Hamburger?«

»Ms Canton mag keine Hamburger. Sie mag Veggieburger. Wir haben sie zusammen gegessen. Die waren gut.«

»Wann war das?«

Die Ampel schaltete auf Grün. Rose fuhr weiter.

»Sie hat mir gezeigt, wie man Veggieburger macht.«

»Tatsächlich? Und wann?«

»Beim Mittagessen. Sie holt einen Veggieburger aus der Truhe, stellt ihn in die Mikrowelle und legt eine Gurke obendrauf. Dazu Ketchup.« Melly ahmte die Bewegungen mit ihrer Hand nach. »Die Gurke hat sie im *Giant* gekauft. Den Veggieburger auch.«

Rose verstand noch immer nicht. »Warum hast du mit ihr gegessen?«

»Sie hat mich gesehen, wie ich aufs Klo gegangen bin.« Melly sah Rose erwartungsvoll an. »Kaufen wir auch Gurken und Veggieburger?«

»Können wir.« Rose wollte genau wissen, was passiert war. Vielleicht hatte der Vorfall Kristen veranlasst, Rose die E-Mail zu schreiben. »Warum bist du aufs Klo gegangen? Gab es ein Problem?«

»Ms Canton hat gesagt, dass ich eine Pause brauche. Sie nennt das Auszeit. Sie isst freitags allein. Wie ich.«

Freitags aßen die Lehrer im Klassenzimmer. Sie gaben den Kindern Ordner mit den Arbeiten der vergangenen Woche mit nach Hause. Kristen, als Lehrerin des Förderkurses, musste keine Ordner vorbereiten. Deshalb aß sie als Einzige im Lehrerzimmer. Aber das ergab alles keinen Sinn. Warum hatte sie mit Melly gegessen?

»Was war passiert?«

»Sie hat gesagt, ich brauche eine Auszeit von Amanda und Emily.«

»Haben die beiden dich geärgert?« Rose versuchte, das Puzzle zusammenzusetzen.

»Sie haben gesagt, dass Harry Potter nur etwas für Jungs ist. Und ich habe gesagt, das stimmt nicht. Sie kennen nur die Filme, also haben sie keine Ahnung. Er rettet Hermine aus dem Badezimmer. Erinnerst du dich, Mom? Wie du mich gerettet hast. Ich habe gewusst, dass du kommst.«

Rose spürte ein Stechen in der Brust. »Ich liebe dich, Mel.«

»Ich dich auch.« Melly drehte sich zum Rücksitz und winkte dem schlafenden John zu. »Ich liebe dich, John!« Dann drehte sie sich wieder um. »Ist er nicht süß?«

»Er ist sehr süß.« Rose strahlte. »Ich habe eine Idee. Wir kaufen uns etwas und machen im Park Picknick.«

»Aber es scheint keine Sonne.«

»Dazu braucht man keine Sonne. Hauptsache, es regnet nicht.«

»Okay.« Melly nickte. »Kaufen wir dann die Veggieburger?«

»Klar.«

»Hurra!«, jubelte Melly, während Rose von der Hauptstraße abbog.

Zwei Stunden später hatten sie ihr Picknick auf dem Allen-Damm inmitten des bunten Herbstlaubs beendet. Auf dem Nachhauseweg wollte Rose noch bei einem Einkaufszentrum vorbeischauen. »Wie wär's mit ein paar Büchern?«

»Klasse!« Melly drehte sich zu John, der auf dem Kindersitz vor sich hinbrabbelte. »Johnnie, wir kaufen Bücher!«

»Aufgepasst, wir parken!« Rose schnappte sich Handtasche und Wagenschlüssel und befreite John aus seinem Kindersitz. »Na, Kumpel, wie läuft's?«

»Babababababab«, antwortete er. Rose drückte ihm einen Kuss auf die Wange.

»Mom, darf ich das Auto abschließen?«, fragte Melly.

»Selbstverständlich.«

»*Colloportus!*« Melly zeigte mit der Fernbedienung Richtung Wagen.

»Gute Arbeit.« Rose kannte die wichtigsten Zaubersprüche aus Harry Potter, schließlich gehörten sie zu Mellys zweiter Sprache. Sie warf die Schlüssel in die Tasche und nahm Melly bei der Hand. »Ich will mir ein Buch kaufen, und du darfst dir auch eines aussuchen.«

»Es gibt ein neues über Quidditch. Meine Freundin vom *Pinguinclub* hat's mir erzählt. Sie ist Harryfan 373, und ich bin HarryP2009. Ist das nicht toll?«

»Mel, mögen auch andere Kinder in deiner Klasse Harry Potter?«

»William mag ihn.«

»Redet ihr darüber?«

»Nein. Aber er hat eine Gryffindor-Mütze. Genau wie ich.«

»Dann können wir ihn vielleicht mal zum Spielen einladen.«

»Mom.« Melly verdrehte die Augen. »Er mag die Videospiele, nicht die Bücher.«

»Mir hat eine Frau bei der Feier erzählt, dass ihre Tochter die Bücher vom American Girl mag. Sie sollen gut sein.«

»Sind sie nicht.« Melly trat gegen einen Stein, der über den spröden Asphalt rollte.

»Hast du eines gelesen?«

»Nein.«

»Lesen Kinder in deiner Klasse sie?«

»Alle Mädchen lesen sie. Sie haben auch die Puppen.«

»Wirklich?« Rose öffnete die Tür zur Buchhandlung.

»Und wie funktioniert das? Wenn du das Buch kaufst, bekommst du die Puppe dazu?«

Melly löste sich von Rose und hüpfte in den Laden. Eine Frau, die bei der Belletristik stand, sah ihr nach. Ihr Blick verweilte einen Augenblick zu lang auf Mellys Gesicht. Zum Glück bemerkte Melly es nicht, denn sie war schon auf dem Weg in die Fantasy-Abteilung, über die ein Albus Dumbledore aus Pappe – selbstverständlich mit seinem Zauberstab in der Hand – den Vorsitz führte. Hinter ihm prangte die Hogwarts-Flagge, deren Schild von künstlichen Spinnweben überzogen war.

»Mel, kommst du mal?«, rief Rose. Mellys Augen strahlten, in Buchläden blühte sie auf.

»Wohin soll ich kommen?«

»Hierher.« Pinkfarbene Pilze, gezeichnete Papageien und ein Landhaus aus Pappmaché schmückten die Kinderbuchabteilung, die in Pastellfarben gehalten war. »Bestimmt haben sie American-Girl-Bücher hier. Und für John haben sie auch was.«

»Ich mag kein American Girl.«

»Und was ist mit John? Der will auch Bücher.« Rose lächelte ihr aufmunternd zu. »Danach gehen wir zu Harry Potter.«

»Okay.«

»Siehst du American-Girl-Bücher?«

»Hier.« Melly stand vor einem gelben Regal, die Knie angewinkelt und nach hinten gebeugt. Eine typische Körperhaltung von ihr. Denn Melly war hypermobil, einer der Gründe, warum sie im Sport nicht so gut war.

»Hast du irgendwas Interessantes entdeckt?«

»Nee.«

»Ich guck mal.« Rose zog ein American-Girl-Taschenbuch aus dem Regal. Auf dem Titel war ein dunkelhaariges Mädchen mit einem altmodischen Strohhut abgebildet: *Rebecca und das Kino.*

»Die sieht bescheuert aus.«

»Okay.« Rose zog die Schultern hoch. Wie man sieht, beherrschte Rose die umgekehrte Psychologie wie jede professionelle Mom. »Vielleicht finden wir was Besseres.«

»Hier.« Ein hellblondes Mädchen, das von einem Schmetterling umgarnt wurde, strahlte vom Cover des Buches, das Melly in der Hand hielt.

Lanies große Abenteuer. Rose fand das Buch in Ordnung. »Wie wär's damit?«

»Amanda mag Lanie. Sie hat auch eine Lanie-Puppe.«

Ups. »Amanda sieht ein bisschen wie Lanie aus, oder?«

»Ja.« Melly legte das Buch zurück. Sorgfältig ordnete sie es wieder zwischen die anderen American-Girls-Bücher ein. »Jetzt hab ich dich erwischt, Mom. Du willst nur Bücher und Puppen, die wie du aussehen. Wir gucken im Internet. Da finden wir eine Puppe, die dir gleicht.«

Rose hätte sich einen Fußtritt verpassen können. Keine der American Girls hatte ein Muttermal. Da entdeckte sie ein Buch mit einem Mädchen, das einen gefleckten Hund umarmte. »Wie wär's mit dem hier? Diese Nicki scheint wie wir Hunde zu mögen.«

»Bbsbssbss.« John wedelte mit dem Arm.

»Er mag das Buch. Dann kaufen wir's.«

Eine Stunde später fuhr Rose mit einem Wagen voller Lebensmittel und einer Tüte mit neuen Büchern in die Einfahrt ihres Hauses. Die Kinder schliefen. Der Himmel war dunkel geworden, es sah nach Regen aus. Sie wollte gerade Melly aufwecken, als sie ein unbekanntes Auto vor ihrem Haus entdeckte. Es war ein marineblauer Ford Crown Victoria. Zwei Männer im Anzug stiegen aus und gingen auf ihren Wagen zu.

»Entschuldigung, sind Sie Ms McKenna?«, fragte ein jung aussehender Mann, der Gel in sein sandfarbenes Haar geschmiert hatte. Zu seinem dunklen Anzug trug er eine ausgefallen gemusterte Krawatte. Er hielt ihr eine schmale schwarze Brieftasche entgegen, in der ein goldener Dienstausweis steckte.

Rose erschrak.

»Ich bin Rick Artiss vom Büro des Bezirksstaatsanwalts aus Reesburgh. Könnte ich kurz mit Ihnen sprechen?«

36

Roses Mund wurde trocken. Melly schlief auf dem Beifahrersitz, John schnarchte hinten vor sich hin. Doch für ein paar Sekundenbruchteile vergaß sie, dass ihre Kinder da waren, ja, dass es sie überhaupt gab. Sie fühlte sich zurückversetzt in einen früheren Lebensabschnitt, und der schmolz mit dem jetzigen zusammen, ununterscheidbar wie die Wellen des Ozeans.

»Ms McKenna?« Der junge Assistenz-Staatsanwalt blickte finster drein. Ebenso sein Begleiter, der älter und größer war, eine Hornbrille trug und eine schicke Streifenkrawatte umgebunden hatte. Sue Keller, eine von Roses Nachbarn, machte gerade mit ihren Hund, einem alten grauen Pudel, ihren Abendspaziergang.

Rose blinzelte. Nicht die Anwälte oder die Nachbarin rissen sie aus ihrem Tagtraum, es war der Pudel. Der hieß Boris. Vorige Woche hatte er Melly und Prinzessin Google einen Schrecken eingejagt, als er sie angeknurrt hatte. Die Erinnerung an diesen Vorfall holte sie zurück in die Gegenwart.

»Hallo! Keine Angst!« Der junge Staatsanwalt steckte seine Brieftasche wieder ein. »Wir wollen nur ganz kurz mit Ihnen sprechen.«

»Einen Augenblick.« Rose dachte an Olivers und Toms Ratschlag, nicht mit der Staatsanwaltschaft zu reden. Aber sie wollte auch nicht noch schuldiger erscheinen, als sie sich schon fühlte. Sie zog den Schlüssel aus dem Zündschloss und versuchte, sich zu beruhigen.

»Mom?« Melly bewegte sich.

»Schlaf nur weiter. Es ist alles in Ordnung.«

»Okay«, antwortete Melly schlaftrunken. Rose stieg vorsichtig aus dem Wagen.

»Wir wollten Sie nicht erschrecken.« Der junge Staatsanwalt wich zurück, während sein älterer Kollege, dem nur ein paar Haarbüschel auf seinem ansonsten kahlen Kopf geblieben waren, forsch auf Rose zuging.

»Entschuldigung, aber Rick hält man leicht für einen Kriminellen.« Er streckte ihr die Hand entgegen. »Ich bin Howard Kermisez. Ich bin auch Assistenz-Staatsanwalt. Nennen Sie mich Howard.«

»Rose McKenna.« Sie gab ihm die Hand. Es gelang ihr, dabei zu lächeln. Sue und ihr Pudel beobachteten die Szene.

Howard äugte in den Wagen. »Und das muss Melly sein.«

»Ja.« Rose stellte sich instinktiv vor das Seitenfenster, um ihm die Sicht zu versperren.

»Herzlich willkommen in Reesburgh. Es ist schön, wenn Leute hierherziehen. Vor allem, wenn sie Kinder haben. Reesburgh ist eine fantastische Stadt in einem fantastischen Staat.« Howards Lächeln wirkte aufgesetzt. »Wie gefällt es Ihnen und Ihrem Mann? Er ist aus Worhawk, glaube ich.«

»Entschuldigen Sie, aber ich muss die Kinder ins Haus bringen.« Sie deutete mit dem Daumen hinter sich, als erklärte das alles. Klar, sie konnte nicht mit ins Gefängnis gehen, weil sie Abendessen kochen musste. Danach warteten die Fotos, die beim Picknick gemacht worden waren, darauf, ausgedruckt zu werden. Ja – und fast hätte sie es vergessen – Bruchrechnen musste auch noch geübt werden.

»Sie haben zu tun, das sehe ich. Ich habe drei Söhne, die sind zwar älter, aber wissen Sie, was meine Frau sagt? Kleine Kinder, kleine Probleme. Große Kinder, große Probleme.« Wieder lächelte er übertrieben. »Deshalb machen wir es kurz. Wir haben nur ein paar Fragen. Sie haben am Freitag in der Grundschule freiwillig Dienst getan, als das Feuer …«

»Warten Sie. Meine Anwälte Oliver Charriere und Tom Lake haben mir geraten, nicht mit Ihnen zu sprechen.« Beinahe wäre Rose Toms Nachname nicht eingefallen, so aufgeregt war sie. »Rufen Sie die beiden an, falls Sie Fragen haben. Ich gebe Ihnen ihre Karte.«

»Müssen wir auf diese formelle Art miteinander umgehen?«

»Ja.« Rose öffnete die Wagentür, holte aus ihrer Handtasche die Visitenkarte und gab sie Howard. »Jetzt entschuldigen Sie mich, die Kinder brauchen etwas zu essen.«

»Klar.« Howards Lächeln erstarb. »Ich kenne Oliver gut. Ich rufe ihn an, dann melde ich mich wieder bei Ihnen.«

»Wunderbar«, sagte Rose beschwingt, als ginge es um ein Date.

»Mom, was sind das für Kerle?«, fragte Melly. Sie war inzwischen aufgewacht.

»Anwälte.« Sie öffnete Mellys Sicherheitsgurt und schickte sie ins Haus. So schnell wie möglich wollte sie mit Oliver telefonieren. »Vergiss deinen Ranzen nicht.«

Die beiden Staatsanwälte gingen zurück zu ihrem Wagen. Sue Keller und Boris setzten ihre Runde fort.

»Beeil dich.«

»Bist du okay, Mom?«

»Ja, ich muss nur dringend auf die Toilette. Also Tempo.«

»Mom, vergiss die Tüte mit den Büchern nicht.«

»Die hole ich später.« Schnell hatte sie John aus dem Kindersitz befreit, ohne dass er wach geworden war.

»Aber ich will meine Bücher jetzt.«

»Dann trag du sie.« Die Limousine stand noch vor dem Haus. Noch nicht einmal der Motor war angelassen.

»Die ist aber schwer.« Melly hatte ihren Ranzen angezogen und kämpfte jetzt mit der Büchertüte.

»Dann lass es. Ich nehme sie.« Roses Herz begann zu pochen. Die Limo bewegte sich nicht von der Stelle. Staatsanwälte, Verteidiger, Richter, unterlassene Hilfeleistung und fahrlässige Tötung. In ihrem Kopf drehte es sich. »Mel, bitte, beeil dich.«

»Mom, hast du die Veggieburger?«

»Die Lebensmittel hole ich später.«

»Essen wir sie heute Abend? Du hast es versprochen.«

»Ja, doch. Ich muss erst mal aufs Klo.« Rose konnte sehen, wie Howard auf seinem Handy eine Nummer wählte. Ob er Oliver anrief? Inzwischen näherte sich Sue Keller mit ihrem unberechenbaren Hund wieder dem Haus. Rose eilte zu Melly. »Komm, ich helfe dir.«

»Ich schaff das schon allein, Mom.«

»Das weiß ich. Ich will nur nicht, dass Boris dir zu nahe kommt. Erinnerst du dich?«

»O ja. Norbert, der Drache. Er wollte mich und Googie beißen.«

»Jetzt komm.« Rose trieb Melly den Gehweg hoch. Howard sprach in sein Handy. Sein Kollege auf dem Beifahrersitz beobachtete sie.

»Mom, wir haben den Wagen nicht abgeschlossen.«

»Das mache ich nachher.«

»*Colloportus!*« Melly sprach trotzdem den Zauberspruch.

»Kannst du die Tür aufsperren? Ich habe keine Hand frei.«

»*Alohomora!*«

»Bitte keine Zaubersprüche. Nimm den Schlüssel.«

Melly nahm ihn aus Roses Handtasche und sperrte auf. »Geschafft!«

»Großartig. Ich bin gleich wieder da.« Rose stellte die Büchertüte im Wohnzimmer ab, ging mit John nach oben und legte ihn auf sein Bettchen. Dann ging sie ins Badezimmer und rief auf ihrem Handy die Kanzlei an. »Hallo? Könnte ich mit Oliver oder Tom sprechen? Ich bin eine neue Mandantin, Rose McKenna. Ich war heute bei Ihnen.«

»Es tut mir leid«, sagte die Dame vom Empfang, »Tom ist im Gericht, und Oliver spricht gerade. Kann er Sie ...«

»Telefoniert er gerade mit dem Staatsanwalt von Reesburgh?«

»Das kann ich Ihnen nicht sagen. Soll er Sie zurückrufen?«

»Gerne.« Rose hinterließ Name und Handynummer, dann rief sie Leo an. Es klingelte und klingelte, dann sprang die Mailbox an. »Leo, ich habe die Anwälte getroffen. Zwei von der Staatsanwaltschaft haben vor dem Haus auf mich gewartet. Ruf mich an, sobald du kannst.«

Sie setzte sich auf den Rand der Badewanne. Ihre Gedanken wanderten in die Vergangenheit. Eine lange abgeschlossene Tür ging wieder auf. Sie wollte es so. Wirklich. Ihr Herz schlug schneller, sie begann zu schwitzen. Ihr Blick jagte von einer Ecke des Raumes in die andere. Dieses Badezimmer war ein Traum. Da waren die beiden Säulenwaschbecken für sie und für Leo und der kornblumenblaue Duschvorhang, der so gut zu den Badetüchern passte.

Das Badezimmer in dem neuen Haus hatte sie allein eingerichtet. Dieses schöne Badezimmer, sie hatte es nicht verdient. Das wurde ihr mit einem Schlag klar. Weder die schönen italienischen Bodenkacheln noch die überteuerten Shampoos, die auf dem Rand der Wanne bereitstanden. Sie hatte wieder von vorn anfangen wollen. Zum letzten Mal in ihrem Leben. Wie oft hatte sie schon von vorn angefangen? Wie oft war sie schon umgezogen? Wie oft hatte sie irgendwo Unterschlupf gesucht? Die Farbe der Badetücher hatte sich jedes Mal geändert.

Rose schloss die Augen. Ihre Mutter lag im Morgenrock auf dem Badezimmerboden. Sie war ohnmächtig. Man müsste sie aufwecken, hochheben, waschen, sie ausnüchtern. Ihr langes dunkles Haar verbarg ihr einst schönes Gesicht. Die Badetücher in diesem Badezimmer waren gelb gewesen. Dann waren sie pink, danach weiß. Die Farbe der Badetücher war das Einzige, was sich in den Wohnungen, in denen ihre Mutter auf dem Boden lag, änderte. Bis man sie eines Tages nicht mehr wachrütteln konnte.

Mama!

»Mom?«

Melly war an der Tür. Der Türknauf bewegte sich.

»Warum ist die Tür abgeschlossen?«

»Ich komme.« Rose stand auf und sah in den Spiegel. Sie erkannte sich kaum wieder. Sie hatte den Blick einer Gehetzten.

»Alohomora.« Melly kicherte auf der anderen Seite der Tür.

37

Rose spülte gerade das Geschirr, als das Telefon klingelte. Hastig trocknete sie die Hände ab und klemmte sich das Handy zwischen Wange und Schulter. »Hallo?«

»Rose, ich bin's, Oliver. Sie haben Besuch bekommen?«

»Ja. Bei Ihnen haben sie sich auch gemeldet?« Rose sah sich um. Melly saß außerhalb der Hörweite im Wohnzimmer am Computer und druckte die Fotos vom Picknick aus. John saß in der Küche in seinem Kinderstuhl und spielte mit den Nudeln. *Bum, bum, bum* machte es, wenn er mit der flachen Hand auf die Ablage seines Hochstuhls schlug.

»Sie möchten ein Treffen, morgen früh um zehn in unserem Büro. Haben Sie Zeit?«

»Mein Gott, morgen schon. Was ist denn in die gefahren?«

»Bleiben Sie ruhig und voller Zuversicht. Mein Motto. Erinnern Sie sich?«

»Bedeutet das, dass ich angezeigt werde?«

»Es bedeutet, dass sie ermitteln.«

Roses Magen zog sich zusammen. »Aber warum schon morgen früh?«

»Je eher, desto besser für uns. Ein Treffen mit ihnen, solange Amanda noch lebt, kann nur von Vorteil für uns sein.«

Rose lief ein Schauder über den Rücken. »Warum?«

»Derzeit ist der Druck der Öffentlichkeit und der Druck der Familie Gigot noch gering. Amanda lebt noch.«

»Aber warum haben sie es so eilig?«

»Da gibt es viele Gründe. Einmal ist Ihre Erinnerung noch frisch. Dann wollen sie vielleicht zeigen, wie schnell und verantwortungsbewusst sie arbeiten. Oder sie wollen vorbereitet sein, falls Amanda stirbt.«

»Ich kann's nicht mehr hören.«

»Was?« Oliver überlegte, seine Stimme wurde weicher. »Entschuldigung. Normalerweise bin ich ein feinfühliger Mann. Das wissen Sie ja.«

Rose lächelte nicht. John trommelte weiter auf die Ablage. *Bum!*

»Rose, seien Sie guten Mutes. Bis jetzt hat sich die Staatsanwaltschaft noch keine feste Meinung gebildet. Können Sie um neun Uhr im Büro sein? Damit ich Sie briefen kann?«

»Natürlich.« Rose überlegte. »Und wenn ich so schnell keinen Babysitter finde?«

»Melly ist in der Schule, oder?«

»Ja.«

»Lassen Sie das mit dem Sitter. Howard und sein Lakai sollen Sie live mit dem Baby auf dem Arm erleben. Das wirkt.«

»Sie reden von John wie von einem Requisit.«

»Ist er doch auch.«

»Oliver, er ist mein Sohn«, sagte Rose verstimmt.

»Haben Sie schon mit Leo gesprochen?«

»Nein.«

»Aber Sie haben sich bereits entschieden? Unser Büro soll Sie zivil- und strafrechtlich vertreten?«

»Ja.«

»Sehr schön. Das freut uns sehr. Ich spreche auch im Namen von Tom. Geben Sie mir Ihre Mailadresse, und ich schicke Ihnen die Vertragsunterlagen zu. Bei Gelegenheit überweisen Sie uns fünftausend Dollar Vorschuss.«

»Okay. Da fällt mir ein, ich habe meine E-Mail gesperrt.«

»Eröffnen Sie ein neues Konto, das unter uns bleibt. Wie sieht's mit der Presse aus? Haben wir grünes Licht?«

»Ich möchte zuvor noch mit Leo sprechen.«

»Das verstehe ich. Sagen Sie mir Bescheid. Bis bald.«

Sie beendete das Gespräch und rief sofort Leo an. Wieder nur die Mailbox. »Ich treffe morgen früh den Staatsanwalt. Melde dich.«

Sie legte das Handy beiseite. Ihr Blick fiel auf John. Er saugte glücklich an seinen Fingern. Was würde aus ihm oder Melly, wenn sie ins Gefängnis müsste? Leo müsste eine Fulltime-Haushälterin engagieren. John käme vielleicht damit zurecht, aber Melly? Niemals. Sie hatte bereits ihren Vater verloren. Und jemand wie Kristen gab es an der Schule auch nicht mehr.

Traurigkeit überfiel sie. Sie lehnte sich an den Kühlschrank. Ihr war der Gedanke unerträglich, dass Leo und die Kinder für ihre Taten büßen sollten. War das, was ihr jetzt passierte, die perfekte Revanche und Rache? Sie versuchte, mit ihren Gedanken in der Gegenwart zu bleiben. Hier gab es Geschirr zu spülen, Schränke abzustauben und ein Baby zu baden. Die alltäglichen Aufgaben einer Hausfrau und Mutter. All diese kleinen Dinge erledigte Rose sehr gerne, denn sie waren wichtig, weil sie aus einem Haus ein Zuhause machten.

Sie hob John aus dem Stuhl und drückte ihn fest an sich. Wie beruhigend, seinen Körpergeruch einzuatmen und sein Gewicht zu spüren. Sie legte seine Ärmchen um ihren Hals, fuhr mit ihrer Nase über sein Kinn und schaukelte ihn. Bloß nicht daran denken, dass sie ihn vielleicht verlassen musste.

»Gehen wir deiner Schwester hallo sagen?«, flüsterte sie ihm ins Ohr. Melly blickte voller Erwartung vom Computer auf. »Hat Ms Canton angerufen?«

»Nein, Melly.«

»Wann ruft sie an?«

»Bestimmt bald.«

»Wirklich?«

»Wirklich.« Aber Rose war sich nicht sicher.

Nachdem sie die Kinder ins Bett gebracht und die Küche geputzt hatte, schaltete sie ihren Laptop wieder ein. Sie fand nichts Neues zu Amanda. Sie lebte also noch.

Gott, ich danke dir.

Draußen regnete es, der Himmel war dunkel, er ähnelte einem Vorhang aus schwarzem Samt. Das Spitzdach des Nachbarhauses war gut zu erkennen. In den Boden eingelassene Scheinwerfer strahlten die Backsteinfassade wie ein Bühnenbild an. Blätter fielen von den mächtigen Bäumen im Innenhof. Der Regen und die Dunkelheit ließen die Schönheit ihrer Farben verblassen.

Welches Blatt fiel wohl als nächstes? Das war ein Spiel, mit dem sich Rose die Wartezeit vertrieb. Ein Spiel, das ihr auf unangenehme Weise bekannt vorkam. Denn so, wie sie jetzt auf Neuigkeiten von Amanda oder der Staatsanwaltschaft wartete, wartete sie seit Jahrzehnten. Seit jenem Abend wartete sie.

Es war ein Abend wie heute gewesen. Es hatte stark geregnet. Es war die gleiche Jahreszeit, aber Ende Oktober, Halloween. Die Bäume waren schon kahl.

Jetzt war sie wieder in der Gegenwart. In der Küche war es schummrig. Regen prasselte auf das Dach, die Geschirrspülmaschine wurde lauter. Rose beobachtete, wie die blauen Ziffern an der Maschinentür wechselten: 36, 35, 34. Und ein Wunsch, den sie seit dem Feuer unterdrückt hatte, regte sich wieder.

Ich brauche einen Drink.

Sie stand auf und holte die erstbeste Flasche aus dem Weinständer im Schrank. *Louis Jadot* stand auf dem Etikett. Das Öffnen der Flasche bereitete ihr wegen ihrer bandagierten Hand Schwierigkeiten. Sie goss sich ein

Glas Merlot ein und leerte das Glas stehend, wie in den schlimmsten Tagen. Der Wein schmeckte bitterer, als sie erwartet hatte. Aber vielleicht lag es auch an ihrer Gemütslage.

»Verrat mich nicht«, sagte sie zu Prinzessin Google, die zu ihr hochsah.

Sie setzte sich mit der Flasche an den Tisch. Sie goss sich noch ein Glas ein. IST SIE WIRKLICH EINE HELDIN? Das stand auf der Website der Zeitung und darunter: *Neue Videos!*

Rose stellte das Glas ab und klickte auf den Link für die Videos. Eine Liste mit vielen Titeln erschien, die sich wie eine Chronologie des Schreckens las: *Die Cafeteria brennt. Flucht aus der Feuerhölle. Die ersten Helfer am Unglücksort. Amanda Gigot wird gerettet.* Rose blieb ruhig, zum Glück.

Sie goss Wein nach, stellte den Ton an ihrem Laptop ab und klickte auf ein Video. Kinder rannten aus der Schule auf den Hof. In ihren Gesichtern die nackte Angst. Urplötzlich war die Aufnahme zu Ende. Rose klickte noch einmal auf das Video und sah es sich wieder und wieder an, bis sie nichts mehr dabei empfand. *Bilder aus dem Heli* hieß ein anderes Video. Es zeigte, wie aus dem Schwelbrand des Cafeteriadaches ein loderndes Feuer wurde. Mithilfe des Cursors konnte sie sich die Flugaufnahmen auch zeitverkehrt ansehen. Vom Ende zum Anfang, dann wieder vom Anfang zum Ende und wieder zurück. Ein richtiges Zeitenkarussell.

Erst jetzt bemerkte sie, dass das Telefon klingelte. Es war Leo. »Hallo?«

»Schatz, bist du das? Du klingst seltsam.«

»Ich habe schon geschlafen.«

»Entschuldigung. Nur kurz. Morgen ist ein Treffen mit dem Staatsanwalt?«

»Ja. Aber ich bin müde.«

»Klar. Oliver ist ein guter Anwalt. Hör auf ihn. Lasst euch nicht aus dem Konzept bringen. Falls du in der Nacht aufwachst, ruf mich an. Egal, wie spät es ist.«

»Mach ich.« Sie legte auf und griff nach der Flasche.

38

Rose nippte an ihrem Kaffee, aber richtige Besserung brachte er keine. Heute waren sie in einem größeren Konferenzzimmer mit einem größeren Tisch, der aber auch aus Walnussholz bestand. Vom Fenster konnte man bis in den Wald hinter dem Bürozentrum schauen. Der Himmel war blau, die Sonne schien, auch wenn sie nicht mehr wärmte.

Rose hielt John auf ihrem Schoß. Sie trug ein marineblaues Kleid mit einem passenden Pulli dazu und hatte nur wenig Make-up aufgetragen. John trug ein weißes Polohemd und Jeans, hatte den Schnuller im Mund und umklammerte mit der Hand einen Bund Plastikschlüssel. Vor langer Zeit hatte sie fast im gleichen Outfit für einen Versandhauskatalog posiert.

»Meine Herren, bedienen Sie sich.« Oliver wies auf das Büfett aus Walnussholz, auf dem zwei Kannen Kaffee, frische Bagels und Frischkäse bereitstanden. »Nehmen Sie sich Kaffee. Und die Bagels – sie werden im ganzen Land kaum eine Kanzlei mit besseren finden.«

»Danke, nein«, antwortete Howard, was offensichtlich auch für seinen jungen Kollegen galt. Rick wies er einen Stuhl zu, dann knöpfte er sein khakifarbenes Jackett auf und setzte sich. Rose schenkte er ein warmes Lächeln. »So sieht man sich wieder. Ihr Baby ist sehr süß, und die Ähnlichkeit ist verblüffend.«

»Danke.« Rose lächelte zurück, doch sie war auf der Hut. Oliver hatte sie gewarnt. Howard würde sicherlich den netten, mitfühlenden Onkel geben, um sie zum Reden zu bringen.

»Fangen wir an.« Oliver setzte sich neben Rose. Die beiden hatten das Fenster im Rücken, sodass Howard und Rick gegen die Sonne blicken mussten. Die Sitzordnung hatte Oliver vorher festgelegt.

Er räusperte sich. »Zuerst kann Ms McKenna uns erzählen, was an der Schule passiert ist. Danach können Sie Fragen stellen. Einverstanden?«

»Ja.«

»Um eines klarzustellen: Rose ist heute hier, damit endlich die Wahrheit ans Licht kommt. Wir erwägen übrigens eine Zivilklage gegen die Schule und die Schulbehörde. Meiner Mandantin ist aufgrund deren Fahrlässigkeit Schaden entstanden.«

Rose sagte nichts. Dieses Statement hatte Oliver mit ihr nicht abgesprochen. Doch sie verbarg ihre Missbilligung hinter einem Lächeln.

»Ich verstehe.« Howard zog die Augenbrauen hoch.

Unterhalb des Kinns hatte er eine kleine Wunde. Ob er sich beim Rasieren geschnitten hatte?

Oliver nickte. »Ich und mein Partner Tom haben ihr zu der Klage geraten. Sie und ihr Mann haben aber noch keine Entscheidung getroffen. Ihre Tochter Melly ist, wie Sie vielleicht wissen, beinahe im Feuer umgekommen. Und wie Sie sehen können, hat meine Mandantin Brandverletzungen an Hand und Knöchel.« Oliver deutete auf Rose, John warf seine Plastikschlüssel auf den Tisch. »Eine Frage in diesem Zusammenhang. Beabsichtigt der Staat eine Klage gegen Schule und Schulbehörde?«

»Das haben wir noch nicht entschieden.« Howards Lächeln verschwand, und Rick neben ihm starrte auf den Tisch, als gäbe es da etwas zu entdecken.

»Gut wäre es.« Oliver lehnte sich zurück. »Wer entscheidet das? Der Bezirksstaatsanwalt persönlich? Und Sie beraten ihn?«

»Ungefähr so.« Howard wirkte leicht gereizt.

»Was sagt die Feuerwehr? Ich habe Gerüchte von einem Loch in der Gasleitung und defekten Stromkabeln gehört.«

»Dazu gibt es von unserer Seite noch keine Stellungnahme.«

»Jedenfalls« – Oliver ließ sich nicht von seiner Linie abbringen – »wurden alle am Bau beteiligten Firmen von der Schule kontrolliert. Ich nehme an, dass die Schulbehörde sie ausgewählt hat. An Ihrer Stelle würde ich die Auswahlkriterien der Behörde genau unter die Lupe nehmen.« Oliver rümpfte die Nase, als hätte jemand gefurzt. »Staat und lokale Behörden spielen oft eine zweifelhafte Rolle bei der Vergabe von Bauaufträgen. Falls der Auftrag an eine Firma gegangen ist, die bewusst zu niedrige Kosten für den Bau angesetzt hat, dann war eine mögliche Katastrophe damit vorprogrammiert.«

Rose war überrascht, wie gezielt Oliver die Sache anging. Die Spannung im Raum war mit Händen zu greifen. Howard straffte sich.

»Nicht zu vergessen die mangelnden Sicherheitsvorkehrungen in der Grundschule, die Ihre Untersuchung sicher noch zutage fördern wird – falls sie es nicht schon getan hat.« Oliver deutete auf Rose. »Meine Mandantin ist froh, mit Ihnen sprechen zu können. Sie möchte Ihnen helfen, diejenigen zu finden, die für den Tod dreier unschuldiger Menschen verantwortlich sind. Hoffen wir, dass es nicht vier werden. Hoffen wir, dass Amanda Gigot überlebt. Wahrscheinlich stehen Sie mit den Gigots schon in Kontakt. Ich nehme an, dass Sie sich von der Familie nicht beeinflussen lassen. Die sähe nämlich Rose gerne als Hauptschuldigen.«

»Wir lassen uns von niemandem beeinflussen.« Howard verzog die Stirn.

»Dann verstehe ich nicht, warum Sie meine Mandantin gestern zu Hause aufgesucht haben. Sie ist ein Opfer wie die Gigots. Also bestimmt keine Person, mit der der ermittelnde Staatsanwalt als Erstes reden will.«

»Ist ja gut.« Howard wurde ungeduldig. »Könnten wir jetzt vielleicht …«

»Noch eines: Nur einer stellt die Fragen. Und das sind Sie.« Oliver zeigte auf Howard. »Und wenn Rose eine

Pause braucht, bekommt sie sie. Wenn sie sich unwohl fühlt, unterbrechen wir. Und wenn sie nicht mehr will, hören wir auf. Verstanden?«

Howard nickte.

»Rose, dann fangen Sie an.« Oliver lächelte ihr zuversichtlich zu.

»Okay.« Rose setzte John auf ihrem Schoß zurecht und begann mit der Geschichte. Sie erzählte sie in groben Zügen, wie sie sie auch Oliver und Tom erzählt hatte. Howard hörte interessiert zu. Als sie zu der Stelle kam, an der sie von Mellys Abtransport mit dem Krankenwagen berichtete, hob Oliver wie ein Schülerlotse die Hand.

»Und den Rest kennen wir alle«, sagte Oliver zu Howard. »Egal, was die Presse und die Gigots behaupten – wie Sie sehen, hat meine Mandantin zuerst Amanda und Emily gerettet, bevor sie sich um ihre Tochter gekümmert hat. Jede Anschuldigung gegen sie ist also aus der Luft gegriffen.«

Howards Blick wanderte von Oliver zu Rose, und dann wieder zurück.

Rose hielt den Atem an. Sie saß einem Mann gegenüber, der ihr Schicksal und das ihrer Familie in der Hand hatte. Er konnte dafür sorgen, dass sie ins Gefängnis wanderte.

Oliver redete weiter. »Keine Geschworenen-Jury in der Welt wird an dem Verhalten meiner Mandantin etwas auszusetzen haben. Denn sie ist eine Heldin. Dass Amanda trotzdem verletzt wurde, liegt ganz allein an der mangelnden Aufsicht der blonden Lehrerin im Flur.

Wegen ihr konnte Amanda zurücklaufen, um ihren iPod zu suchen.«

Rose schwieg. John knallte die Schlüssel auf den Tisch, aber niemand beachtete ihn.

Howard war in Gedanken versunken. Er sah Rose an. »Nur der Klarheit willen: Wo war Terry Douglas, die andere Pausen-Mom, als Sie Amanda und die anderen Kinder zurückgehalten haben?«

Eine unangenehme Frage. »Sie war …«

»Stopp.« Oliver hob die Hand. »Ich habe etwas gegen den Ausdruck Zurückhalten. Außerdem haben wir über diesen Punkt lange genug geredet.«

»Es geht nur um Klarheit.«

»Die Dinge sind klar genug.«

»Nicht für uns.« Howard schüttelte den Kopf. »Der Staat Pennsylvania geht davon aus, dass Ihre Mandantin beide Kinder daran gehindert hat, auf den Schulhof zu gehen.«

Roses Magen zog sich zusammen.

»Das bestreiten wir«, entgegnete Oliver in ruhigem Ton. »Sobald Rose wieder bei Bewusstsein war, hat sie Amanda und Emily auf den Hof geschickt und sie der Aufsicht der Lehrerin dort anvertraut.« Oliver sah auf die Uhr. »Seit einer Stunde sitzen wir hier zusammen. In dieser Zeit hätten Sie besser die Baufirmen, die Schulbehörde und die Lehrerin, die ein Kind in ein brennendes Gebäude zurückrennen ließ, befragt.«

Howard sah auf und schürzte die Lippen. »Ihr Hang zur Selbstdarstellung wird Ihrer Mandantin nichts nützen.«

»O bitte.« Oliver zuckte nicht mal mit den Wimpern. »Ich bin kein Schauspieler. Aber wenn Sie darauf bestehen: Mich interessiert es schon lange, warum Sie sich so *gar nicht* für die Rolle der Schulbehörde und der anderen staatlichen Stellen in diesem Fall interessieren. Bitte antworten Sie nicht, dass Sie Ihre Brötchengeber in Ruhe lassen müssen. Das hört nämlich kein Geschworener gern.«

»Was?« Howards Augen flackerten vor Zorn. Er stand auf. »Was unterstellen Sie mir? Dass ich bestechlich bin?«

»Das habe ich nicht gesagt.« Oliver ging zur Tür und öffnete sie gemächlich. »Und jetzt lassen Sie meine Mandantin in Ruhe. Sonst bekommen Sie es mit *mir* zu tun.«

39

Oliver ließ sich lächelnd in Howards Sessel fallen. »So, jetzt können wir reden. Wie geht's?«

»Krank bin ich, krank vor Sorge.« Rose nippte an ihrem Kaffee, der kalt war. »Wie ist Ihr Eindruck? Wird er mich anzeigen?«

»Das weiß ich nicht.« Oliver schob die Unterlippe vor. »Aber Sie waren gut. Ihr Bericht war knapp und präzise. Der Rest liegt nicht in unserer Hand.«

»Trotzdem. Was meinen Sie? Wird er mich anzeigen?«

»Wir müssen abwarten. Wir müssen abwarten, was mit Amanda passiert. Wir müssen …«

Rose gab auf. »Warum haben Sie mit einer Klage von unserer Seite gedroht?«

»Um ihm zu zeigen, dass wir zurückschlagen können.« Olivers Lächeln verschwand. »Das hier ist Krieg. Wir dürfen uns keinen Fehler erlauben.«

Rose wusste nicht, was sie sagen sollte. Sie war einfach nur krank vor Sorge.

»Sie wollen doch sicher nicht im Zellenblock C sitzen und denken: Ach, wäre mein Anwalt doch aggressiver gewesen. Hätte er doch mehr um mich gekämpft.«

Rose wollte sich nicht eingestehen, dass er recht hatte. »Und mit der Schulbehörde läuft was in Richtung Schmiergeld?«

»Natürlich nicht. Ich wollte ihm nur zu verstehen geben, dass ich ihn und seinen Boss nicht aus den Augen lasse. Ich denke, wir sollten jetzt an die Presse gehen. Und die Möglichkeit einer Klage dabei nicht unerwähnt lassen.«

»Warum? Ich will niemanden verklagen.«

»Die erste Frage, die mir die Presse stellen wird, ist: Klagt sie? Wenn ich dann mit nein antworten muss, schwächt das Ihre Position enorm.« Er schüttelte den Kopf. »Dann lieber kein Statement. So kann alle Welt wenigstens vermuten, dass Sie über eine Klage nachdenken.«

»Dann schweigen wir. Zu sagen, ich denke über eine Klage nach, ist das Gleiche, wie wenn ich klage. Alles andere sind Spitzfindigkeiten von Anwälten, Oliver.«

»Dann sprechen Sie zumindest mit Leo darüber.«

»Gut, das werde ich.«

»Wir brauchen Geduld. Zunächst kann es schwierig werden, aber wir werden gewinnen. Doch Sie brauchen einen langen Atem.«

»Den habe ich.«

John war eingeschlafen, jetzt, da die Besprechung zu Ende war. Vorsichtig zog sie ihm den Schlüsselbund aus der Hand. »So ein braves Baby.«

»Heute hat er sich seinen Schlaf verdient, unser Schaustück.«

»Sein Name ist John.«

»Gut, John, unser wertvolles Schaustück.«

Rose lächelte nicht, als sie die Plastikschlüssel in ihre Handtasche steckte. Sie stand auf.

»Mit unserem Schaustück habe ich es endlich begriffen.« Oliver stand auch auf.

»Was begriffen?«

»Warum Frauen Kinder haben wollen. Ich wollte das nie, aber alle meine Freundinnen.«

»Kinder sind das Einzige, was zählt, Oliver.« Rose sah ihm in die Augen. Sie meinte es ernst. »Dieses Baby braucht mich, so wie Melly mich braucht. Beide lieben ihren Vater. Aber ich bin die Welt für sie. Für sie muss ich in Freiheit bleiben, nicht für mich.«

Jede Ironie war aus Olivers Gesicht verschwunden. »Ich versuche mein Bestes. Aber versprechen kann ich nichts.«

»Das weiß ich.« Rose nahm ihre Handtasche und ging.

Da war etwas, das sie tun wollte. Sie durfte keine Zeit verlieren.

40

Rose bog auf den Schulparkplatz ein, ihr Gesicht verbarg sie hinter einer Sonnenbrille. Doch Tanya Robertson und die anderen Journalisten erkannten ihren Wagen. Sie machten ein paar Fotos, riefen ihr ein paar Fragen zu, die sie aber bei geschlossenem Fenster und Disney-Wiegenliedern aus dem CD-Player nicht verstehen konnte. John lauschte stillvergnügt der Musik und bewegte dazu rhythmisch seinen Schlüsselbund. Dieses Plastikspielzeug war Gold wert.

Sie parkte so weit wie möglich von der Presse entfernt. Der Parkplatz war fast leer, denn das Unterrichtsende ließ noch eine Weile auf sich warten. Aber Rose war jetzt schon hier, weil sie eine spezielle Mission zu erfüllen hatte. Sie hob John aus dem Kindersitz und gab ihm einen Kuss.

»Bsbbsbbsb«, lallte er. Der Kleine grinste und sabberte. Dabei entdeckte Rose etwas, das ihr im Trubel der letzten Tage entgangen war. »Ein Zahn!« Zumindest der Ansatz eines solchen spitzte aus dem Zahnfleisch hervor.

ALLE BESUCHER MÜSSEN SICH ANMELDEN. Sie ging durch die einzige Tür, die für die Öffentlichkeit zugänglich war, und dachte an Tom. Niemals könnte sie die Schule verklagen.

Das Sekretariat war geräumig, die Wände waren zartblau gestrichen, dazu gab es einen passenden Teppichboden. Ein Tresen teilte das Büro. Die vordere Hälfte diente als Wartezimmer mit vier stoffbezogenen Stühlen und einem Beistelltisch, auf dem Broschüren zum Eltern-Lehrer-Dialog bereitlagen.

»Hi, Jill.« Rose nahm die Sonnenbrille ab und ging zum Tresen. Hinter ihm saß eine kleine Frau mit Namen Jill Piero.

»Hallo, Rose.« Jill sah vom Computer auf. Sie lächelte kalt. »Wie geht es Melly?«

»Danke, gut.« Rose war von Jills unfreundlichem Empfang nicht völlig überrascht. »Vielleicht kannst du mir helfen. Melly mochte Kristen Canton sehr gern und ist jetzt traurig.«

»Ja, schade, dass sie weg ist.« Jill schürzte die Lippen.

»Kristen hatte versprochen, Melly anzurufen. Sie hat es aber noch nicht getan. Weißt du, wo ich sie erreichen kann?«

»Ob wir die Nummer haben, weiß ich nicht. Und wenn, darf ich sie dir nicht geben.«

»Aber Kristen hätte nichts dagegen. Sie mag Melly.«

»Das geht trotzdem nicht.« Jill sah zu ihren Kolleginnen, aber die telefonierten beide.

»Kannst du Kristen anrufen und sie bitten, sich bei uns zu melden? Ich gebe dir meine Handynummer.«

»Ich weiß nicht, ob wir eine Nummer von ihr haben.«

»Könntest du vielleicht nachsehen?« Rose überlegte. »Falls du die Adresse ihrer Eltern hast, das ginge auch. Melly könnte ihr vielleicht eine Postkarte schicken.«

»Warte.« Jill verschwand hinter der Wand, hinter der Rodriguez' Büro lag.

Rose hörte die beiden reden, verstand aber kein Wort. Doch sie ahnte, wo das Gespräch hinführte. Deshalb ergriff sie die Initiative. Sie wollte Rodriguez selbst fragen, da sah sie auf dem Weg zu seinem Büro im Gang die Briefkästen der Lehrer.

Sie ging die Namensschilder durch, bis sie das von Kristen Canton entdeckte. Ihr Briefkasten lag weiter unten und stand wie alle anderen offen. Sie nahm die Post heraus und merkte sich die Adresse, die neben der durchgestrichenen Schuladresse stand: 765 Roberts Lane, Boonsboro, Maryland. Dann ging sie ins Büro zurück und wartete auf Jill, die nach ein paar Minuten zurückkam.

»Die Handynummer haben wir leider nicht, und die Adresse ihrer Eltern dürfen wir nicht herausgeben.«

»Trotzdem danke für deine Mühe.« Rose setzte ihre Sonnenbrille wieder auf, verließ das Gebäude und tippte die Adresse in ihr Handy ein. Da das Wetter zu schön war, um im Wagen auf Melly zu warten, machte sie mit John einen Spaziergang um die Schule. Hinter dem Gebäude, auf dem Lehrerparkplatz, stiegen ein paar unangenehme Erinnerungen in ihr hoch.

Vorsicht! Da kommt der Rettungswagen!

Auf dem Gemeindeparkplatz links von ihr standen die gelben Schulbusse. Sie ging über den Sportplatz, auf dem die Fußballtore aufgebaut waren, und näherte sich der Cafeteria von der anderen Seite.

Der Gestank von verbranntem Plastik stieg ihr in die Nase und machte sie traurig. Die Cafeteria hatte man hinter einer Sperrholzwand versteckt. Das Gras war verkokelt und verdreckt. Arbeiter transportierten mit Schubkarren Schutt aus der Cafeteria heraus und Baumaterialien hinein. Einer von ihnen war ihr Freund von vorgestern Abend, der Zimmermann Kurt Rehgard.

Er erkannte sie sofort. »Hey, Frau Anwältin«, rief er und ging zu ihr. Seine Kollegen tauschten hinter seinem Rücken Blicke aus. »Wie geht's Ihrer Tochter?«

»Sie ist in der Schule.«

»Da ich nichts von Ihnen gehört habe, befürchte ich, dass Sie die Scheidung noch nicht eingereicht haben.« Kurt grinste. »Selbst mit dieser dunklen Brille erkenne ich Sie. Ich habe Ihr Bild im Netz gesehen. Die Bildunterschrift war nicht sehr nett.«

»Ich wollte das nicht vor Ihnen geheim halten.« Rose errötete. Kurt sah ihr in die Augen. Sein Blick war schwer zu deuten.

»Doch, das wollten Sie.«

»Okay, vielleicht.« Rose fühlte sich ertappt. »Ihre Kollegen wissen wohl auch, wer ich bin.«

»Diese Clowns. Die gehen doch nur ins Internet, um Pornos zu gucken. Ich war ein Jahr auf der Volkshochschule, und seitdem glauben sie, ich sei Einstein.«

Rose konnte nicht lächeln. »Ich habe das kleine Mädchen nicht im Stich gelassen. Das müssen Sie mir glauben.«

»Das habe ich nie geglaubt. Ich bin ein Menschenkenner. Ich habe gelesen, dass die Familie des kleinen Mädchens Sie verklagen will. Meinen die das ernst?«

»Offensichtlich.«

»So ein Blödsinn.« Kurt schüttelte den Kopf. »Sie haben keine Schuld. Der Generalunternehmer Campanile sollte sich warm anziehen. Er ist für die defekten Kabel und das Loch in der Gasleitung verantwortlich.«

Rose merkte sich den Namen. »Ist das eine gute Baufirma?«

»Schon. Eigentlich eine Top-Firma. Aber Fehler passieren überall. Da nützt der beste Ruf nichts. Die Elektrofirma hat Mist gebaut, die Baupolizei hat nichts gemerkt, also hat sie auch Mist gebaut.«

»Aber die Baupolizei hat doch bestimmt vor der Eröffnung der Schule ihr Okay gegeben?«

»Klar.«

»Wieso ist es jetzt erst passiert, im Oktober?«

»Haben Sie noch nie einen Penny in einen Sicherungskasten gesteckt? Viele Handwerker erledigen ihren Job nur behelfsmäßig, damit sie den Termin des Bauherrn einhalten können. Später wollen sie dann alles vorschriftsmäßig in Ordnung bringen. Aber das passiert nie, weil sie es vergessen oder gefeuert werden. Wenn das hier auch so war, sind Campanile oder der Bauinspektor schuld. Nicht Sie.«

Rose schüttelte den Kopf. »Das kann ja kompliziert werden. Und wenn sie mich ins Gefängnis stecken wollen …«

»Sie? Das ist lächerlich. Ich sage Ihnen was.« Kurt

blickte sich vorsichtig um. »Ich höre mich ein bisschen um. Vielleicht kann ich Genaueres in Erfahrung bringen. Streng vertraulich.«

»Tatsächlich?«

»Kein Problem. Als ich den Artikel gelesen habe, habe ich an meine Nichte gedacht, von der ich Ihnen erzählt habe. Kinder sind etwas Kostbares. Und wir sollten uns um sie kümmern. Genau das haben Sie das getan.«

»Danke.« Rose war gerührt.

»Geben Sie mir Ihre Telefonnummer. Ich werde sie nicht für private Zwecke missbrauchen.« Kurt zog sein Handy aus der Tasche, ebenso Rose, und sie tauschten ihre Nummern aus.

Kurt grinste. »Wenn das jetzt kein Telefonsex ist!«

41

Rose rief die Auskunft an und ließ sich die Festnetznummer von Kristens Eltern geben.

»Das ist der Anschluss der Familie Canton«, sagte der Anrufbeantworter. Rose war enttäuscht. Sie wartete auf den Signalton.

»Hallo, hier spricht Rose McKenna. Ich bin auf der Suche nach Kristen. Sie hat meine Tochter in der Grundschule in Reesburgh unterrichtet und wollte uns anrufen. Wenn Sie Zeit haben, rufen Sie bitte zurück.« Sie hinterließ Festnetz- und Handynummer.

Es war 14:25 Uhr – zehn Minuten vor Schulschluss.

Die Busse warteten schon im Leerlauf an der großen Zufahrt. SUVs und Minivans bogen auf den Parkplatz ein. Eltern, die in der Nähe der Schule wohnten, warteten mit Babys in Kinderwagen vor dem Haupteingang. Sie unterhielten sich angeregt. Niemand bemerkte Rose. Plötzlich bog ein weißer Kastenwagen auf den Parkplatz, der Tanya und ihren Kameramann ausspuckte.

Rose blieb sofort stehen und drückte John an sich. Sie wollte Tanya nicht in die Arme laufen, deshalb blieb sie, wo sie war. Die Schultüren öffneten sich, und die Fünftklässler rannten mit ihren schweren Ranzen heraus. Andere Kinder folgten. Alle liefen zu den Bussen oder zu ihren Eltern, die sie abholten.

Mellys Klasse fehlte noch. Rose machte einige Schritte nach vorn, da wurde sie entdeckt. Jamie Rayburn, deren Sohn in Mellys Klasse war, drehte sich weg, als Rose sie anlächelte. Die anderen Mütter warfen ihr unfreundliche Blicke zu.

Jetzt verließ Mrs Nurus Klasse die Schule. Melly ließ den Kopf noch mehr als sonst hängen, auch wenn sie den Rücken wie immer gerade hielt und ihr Ranzen exakt auf den Schulterblättern auflag. Rose gefiel das, denn es sagte viel über sie. Melly wollte es perfekt haben, möglichst alles kontrollieren, weil so vieles sich ihrer Kontrolle entzog.

»Melly!« Rose winkte ihr zu. Melly rannte los.

»Hi, Mom. Hi, Johnnie.« Melly umarmte ihre Mutter und ihren Bruder. Rose entdeckte eine rötliche Prellung an ihrem Arm.

»Was ist das?«

»Oh.« Melly legte die Hand darüber. »Ich habe mich gestoßen.«

»Wie ist das passiert?«

»Es ist alles in Ordnung, Mom.« Melly stellte sich auf die Zehenspitzen, um John küssen zu können. Ihre blauen Augen strahlten. »Na, mein kleiner Mann.« John streckte die Finger nach ihr aus. Melly kicherte. »Schau, wie er nach mir grapscht!«

»Was ist mit deinem Arm passiert?«

»Hat Ms Canton angerufen?«

»Noch nicht.« Rose erzählte ihr nichts von dem Anruf bei Kristens Eltern. »Sag, was ist mit deinem Arm passiert?«

»Ich hatte Streit. Das ist alles.«

»*Streit?* Mit wem?«

»Ich habe Josh geschlagen. Dann hat er zurückgeschlagen, und ich bin hingefallen.«

»Du hast Streit angefangen?« Rose konnte es nicht glauben. Das war das erste Mal. »Und warum?«

»Mom, fahren wir nach Hause.«

»Warum hast du Josh geschlagen?« Rose nahm Melly bei der Hand und ging mit ihr zum Wagen. Kinder schrien, Wagentüren gingen auf und zu, Motoren wurden gestartet, Busse bewegten sich quietschend vorwärts und stießen stinkende Auspuffgase aus. Rose fasste Melly fester an der Hand. »Mel?«

»Josh hat gesagt, du hättest Amanda brutzeln lassen wie eine Pommes. Da hab ich ihn geschlagen.«

Ein Stich fuhr durch Rose. »Mel, du musst mich nicht

verteidigen. Mir ist es egal, was die anderen über mich reden. Was hat Mrs Nuru gesagt?«

»Sie hat es nicht gesehen.«

»Hast du's ihr erzählt?«

»Nein.« Melly schüttelte den Kopf. »Reden wir nicht mehr darüber.«

»Okay.« Rose drückte ihr die Hand. »Fahren wir nach Hause, Mittagessen.«

»Veggieburger?«

»Veggieburger.« Rose verfrachtete John in den Kindersitz, da hielt ganz dicht neben ihr ein SUV.

»Entschuldigen Sie, Ms McKenna.« Tanya Robertson drehte das Seitenfenster herunter. Ihre falschen Wimpern waren verklebt. Sie musste direkt in die Sonne schauen.

»Was machen Sie hier? Das hier ist Schulgelände, das Sie nicht betreten dürfen.«

»Es geht um meine Show ALLES ÜBER MOMS. Die ist sehr, sehr beliebt. Eileen Gigot hat mir schon …«

»Verlassen Sie sofort das Gelände, bevor ich jemanden rufe.« Rose hielt nach einem Lehrer Ausschau, sah aber keinen. »Wie oft muss ich Ihnen noch sagen, dass ich keine Interviews gebe?«

»Ich will kein Interview wegen Amanda. Ich möchte Ihnen helfen.«

»Den Teufel werden Sie.« Rose wollte gehen, aber Tanya hielt ihr ihre Visitenkarte unter die Nase.

»Rufen Sie mich an. Wir müssen über Thomas Pelal reden.«

Das traf Rose wie ein Schlag ins Gesicht.

»Ms McKenna. Tun Sie es in Ihrem eigenen Interesse.

Nehmen Sie meine Karte. Wenn ich bis fünf Uhr nichts von Ihnen höre, geht die Story über den Sender.«

Rose musste sich zwingen, zur Fahrerseite zu gehen, einzusteigen, die Tür zu schließen, den Zündschlüssel ins Schloss zu stecken. Sie zitterte. War jetzt die Zeit der großen Sühne gekommen? Musste sie jetzt erklären, was nicht zu erklären war? Die Vergangenheit hatte sie eingeholt.

»Mom?«

»Was?« Rose trat aufs Gaspedal und suchte in der Handtasche nach ihrem Handy. »Was ist, mein Schatz?«

»Essen wir Münsterkäse oder Schweizer Käse zu den Veggieburgern?«

»Keine Ahnung.« Rose befiehl Panik.

»Mrs Canton mag Münsterkäse. Ich auch. Ein Kind in meiner Klasse nennt ihn Monsterkäse. Ist das nicht lustig?«

»Sehr lustig.« Rose bog vom Parkplatz in die Allen Road. Ihr Herz raste. Bald würde ihre Höllenfahrt beginnen. Sie wollte Oliver anrufen.

»Mom, du hast gesagt: ›Im Auto wird nicht telefoniert.‹«

»Dieser Anruf ist sehr wichtig, mein Spatz.« Der Verkehr floss zäh dahin. Die meisten Autofahrer mieden bei Schulschluss die Allen Road. Könnte sie doch nur Leo erreichen. Aber der war im Gericht und würde nicht abheben. Sie könnte ihm simsen. Aber eine solche Nachricht schickte man nicht als SMS.

»Du hast gesagt, das ist ein Gesetz. Du hast gesagt, ich soll mit dir schimpfen.«

»Das ist eine Ausnahme.« Sie gab Gas. Auf dem Display konnte sie nichts sehen. Die Sonne schien direkt darauf.

»Warum ist es eine Ausnahme?«

»Es ist eine. Außerdem sind wir noch in der Nähe der Schule.« Endlich hatte sie Olivers Nummer gefunden.

»Was hat das damit zu tun?«

»In der Nähe der Schule fahren die Autos langsamer.«

»Mom, pass auf!«

Reifen quietschten. Rose trat auf die Bremse. Der plötzliche Stopp warf sie alle nach vorn. Beinahe wäre sie bei dem Minivan vor ihnen aufgefahren.

»Mom, was machst du!«, schrie Melly. John brach in Tränen aus.

Sofort legte Rose das Handy auf die Ablage. Melly sah ihre Mutter voller Entsetzen an. Bald würde ihr Blick vielleicht noch viel finsterer werden. »Mel, es tut mir leid. Ist alles in Ordnung?«

Melly nickte. Noch immer sah sie Rose fassungslos an. »Und bei dir?«

Auch Rose nickte. Sie liebte Melly so sehr, dass es wehtat. Am liebsten hätte sie losgebrüllt, wenn sie an das dachte, was sie und ihre Familie jetzt erwartete. Sie sah in den Rückspiegel. John schrie wie am Spieß. Außerdem war sein Schnuller zu Boden gefallen. »O je. O je. Armer Johnnie. Ich hab dich ja so lieb.«

»Was ist los mit dir, Mom?«

»Nichts.«

Melly würde bald herausfinden, was mit ihr los war.

Dessen war sie sich sicher. Der Minivan vor ihnen bog nach links ab. Offenbar hatte er von dem Beinah-Zusammenstoß nichts mitgekriegt. Sie würde Oliver erst dann anrufen, wenn Melly außer Reichweite war. Aber warum eigentlich? Niemand konnte ihr mehr helfen, denn nur manche Katastrophen ließen sich vermeiden. Rose aber raste in einem Höllentempo auf den Abgrund zu.

Und sie würde auch diejenigen mitreißen, die sie am meisten liebte.

42

Rose machte die Schlafzimmertür zu. Sie hatte John für ein Schläfchen hingelegt, Melly las in ihrem neuen Buch. Während der Fahrt nach Hause hatte sie nachdenken können. Doch statt Antworten zu finden, waren es mehr Fragen geworden. Was interessierte Tanya an Thomas Pelal? Würde sie tatsächlich über ihn berichten? Sollte Rose ihr mit einer Klage drohen, um sie zu stoppen? Sollte Rose sie anrufen, um mit ihr darüber zu sprechen?

Wenn ich bis fünf Uhr nichts von Ihnen höre …

Auf der Uhr auf dem Nachttisch war es 15:13 Uhr. Sie ließ sich aufs Bett fallen und wählte Olivers Nummer.

»Charriere & Lake«, meldete sich die Empfangsdame.

»Ist Oliver oder Tom da?«

»Beide sind im Gericht. Kann ich ihnen etwas bestellen?«

»Können wir sie stören? Zumindest einen. Es ist ein Notfall.«

»Rufen Sie vom Revier aus an? Man hat Sie festgenommen?«

»Nein. Aber es ist genauso schlimm.«

»Jemand will Ihnen körperliche Gewalt antun?«

»Nein, überhaupt nicht.« Rose hasste ihre unklare Ausdrucksweise, aber sie wollte nur mit Oliver oder Tom Klartext reden. »Melden sie sich manchmal bei Ihnen im Büro? Könnten Sie sie bitten, mich sobald wie möglich zurückzurufen?«

»Natürlich. Sie haben zwar gerade erst angerufen, aber wenn sie sich wieder melden, sage ich ihnen Bescheid. Dringlichkeitsstufe eins.«

»Danke, bye.« Als Nächstes rief sie Leo an und hinterließ ihm eine Nachricht: »Es ist etwas passiert. Du musst mich sofort anrufen, bitte.« Die gleiche Nachricht schickte sie ihm auch als SMS. Wie sehr würde ihn das alles verletzen? Was würde aus ihrer Ehe werden? Daran mochte sie gar nicht denken. Das Handy in ihrer Hand klingelte. Sie sprang auf. »Ja, hallo?«

»Ms McKenna?« Es war die Empfangsdame. »Ich hab es über den Anwaltsgehilfen versucht, aber ohne Erfolg. Beide sind bei verschiedenen Prozessen. Ich versuche es weiter.«

»Das ist nett. Wann ist die nächste Pause?«

»Weiß ich nicht. Beide haben heute Nachmittag Zeugenverhöre. Ich probier's weiter.«

»Vielen Dank.« Rose saß auf dem Bettrand. Was die anderen über sie dachten, war ihr gleichgültig. Nur ihre Familie zählte. Sie hatte viele Fehler in ihrem Leben begangen. Aber für den größten mussten die, die sie liebte, jetzt mitbezahlen. Das machte ihr entsetzliche Angst. Sie musste mit Leo reden, bevor er es aus dem Fernsehen erfuhr.

Was du getan hast, war nicht genug.

Rose seufzte. Sie sah sich in dem hellen Schlafzimmer um, das ihr beider Werk war. Während sie die Umzugskartons ausgepackt hatte, hatte Leo die Wände in einem sanften Taubenblau angestrichen. Bei der Farbe, hatten sie gewitzelt, schläft man sofort ein: Liebemachen sei von nun an unmöglich. Auf einen blauen Teppich, der zur Wandfarbe passte, und eine Kommode aus Kiefernholz, die sie in einem Antiquitätengeschäft in Lambertville entdeckt hatten, waren sie besonders stolz. Über der Kommode hingen ein Spiegel und eine Zeichnung, die die kleine Melly zu ihrer Hochzeit gezeichnet hatte: drei Strichmännchen in Rot, Blau und Gelb, die ihre neue Familie darstellen sollten. Leo hatte das Bild eingerahmt.

Wenn ich nichts von Ihnen höre …

Rose stellte sich gerade vor, wie das wunderbare neue Schlafzimmer genau wie die wunderbare neue Cafeteria in die Luft fliegt, als das Telefon klingelte. Es war Leo. Sie hatte keine Ahnung, wie sie ihm die Wahrheit beibringen sollte.

Sie würde einen Weg finden.

43

Um ihre Angst vor den TV-Nachrichten zu vergessen, schob sie wieder Veggieburger in die Mikrowelle, wechselte Johns Windeln, gab auch ihm zu essen, wusch sämtliche Oberflächen in der Küche ab und ermahnte Melly mehrmals, nicht zu lange im *Pinguinclub* zu chatten. Leo hatte versprochen, gegen acht Uhr zu Hause zu sein. Sie hatte ihn, ohne konkret zu werden, am Telefon auf das Gespräch eingestimmt. Der Rest ging nur von Angesicht zu Angesicht.

»Mel!«, rief Rose ins Wohnzimmer. Sie sah auf die Uhr. Es war 16:45 Uhr. Sie wischte Johns Gesicht ab, der jedes Mal, wenn sie mit dem Papiertuch seine Wangen berührte, die Augen fest zudrückte. An jedem anderen Tag hätte sie das zum Lachen gebracht. Auch unterhielt sie den kleinen Mann heute nicht mit ihren Lebensweisheiten. »Mel, ich will, dass du hochgehst und dich badest.«

»Jetzt?«

»Ja.«

Um fünf Uhr sollte Melly nicht in der Nähe des Fernsehers sein. Rose warf das Papiertuch in den Abfalleimer und übte schon einmal ihre Sätze für später. »Ja, und dann möchte ich mit dir noch über etwas ganz anderes reden.«

»Okay, ich logge mich aus«, rief Melly.

Rose ging zu ihr und streichelte über ihren Kopf. Die Sonne, die zum Fenster hereinschien, verlieh ihrem langen Haar einen goldenen Schimmer und verschaffte Prinzessin Google, die ausgestreckt auf dem Teppich lag, einen angenehmen warmen Platz zum Dösen.

»Ich hab da eine Idee. Ich erzähle dir im Bad davon.«

»Okay.« Melly stand vom Computer auf. Prinzessin Google erwachte, streckte die Beine aus und trottete den beiden hinterher. John, auf Roses Arm, fabrizierte mit seiner Spucke Blasen. »Mom, schau, er spielt wieder Motorboot. Das macht er gern.«

»Er ist sehr talentiert.«

»Er ist ein Genie.«

»Mel, weißt du, was ich denke?« Rose ging mit ihr ins Badezimmer. »Wie wär's, wenn wir ein paar Tage an den See fahren?«

»Wann?«

»Vielleicht schon morgen.«

Melly sah hoch, sie war überrascht. »Aber ich hab Schule.«

»Ich weiß. Es wäre nur für ein paar Tage.« Rose setzte sich auf den Wannenrand, drehte den Wasserhahn auf und prüfte mit der linken Hand die Wassertemperatur, auf dem rechten Arm trug sie John. Prinzessin Google machte es sich auf der Badematte gemütlich und rollte sich wie eine Zimtschnecke ein. »Wäre das nicht toll? Wir könnten Fotos machen. Wäre doch cool?«

»Und die Schule?«

»Es ist ja nur für ein paar Tage.«

»Wer kommt mit?«

»Du, ich und das Motorboot.« Rose lächelte ihr zu,

sie hoffte auf Zustimmung. »Leo muss arbeiten. Er hat einen Prozess.«

»Und Googie?«

»Die kommt natürlich auch mit. Ohne sie läuft gar nichts.«

»Warum willst du an den See?«

Rose wollte Melly nicht anlügen, zumindest nicht zu sehr. »Es war einfach zu viel los in den letzten Tagen. Wenn ich zum Beispiel an Amanda denke. Wenn wir ein paar Tage wegfahren, können wir neue Kräfte sammeln.«

Melly stand etwas verloren da, die Hände in die Seiten gestützt. »Ist es wegen mir? Weil ich Josh geschlagen habe?«

»Nein, überhaupt nicht.« Ach, könnte sie ihr doch sagen, dass es ganz allein ihre Schuld war. »Mel, ein bisschen Durchatmen tut uns gut. Ich schreibe dir eine Entschuldigung. Schließlich warst du vor zwei Tagen noch im Krankenhaus.«

Melly blinzelte. »Ist Amanda tot?«

»Aber nein.«

»Wird sie sterben?«

»Das weiß ich nicht.« Rose sah Melly in die Augen. »Ich bete, dass sie weiterlebt. Und ich habe sie nicht im Stich gelassen. Josh lügt.«

»Das weiß ich, Mom.« Melly legte die Arme um Roses Hals. Dabei drückte sie John, der aber nicht protestierte. »Ich hab dich lieb.«

Rose zerriss es fast das Herz. Schließlich stand sie auf. »Fahren wir?«

»Okay.« Melly strahlte wieder. »Werden Gabriella und Mo auch da sein?«

»Bestimmt. Und wir gehen sie besuchen. Noch nie waren wir zu dieser Jahreszeit am See. Die Blätter sind wie ein Farbenmeer. Vielleicht gibt es auch Füchse.«

»Und Eulen!«

»Und Waschbären.«

»Juhu!« Melly schlüpfte aus den Turnschuhen, Rose kontrollierte noch einmal die Wassertemperatur.

»Gut, jetzt ab in die Fluten und ruf, wenn du fertig bist.« Rose gab ihr einen Kuss auf die Wange und sah, während sie mit John nach unten ging, sofort auf die Uhr. Fünf Minuten bis zur Sendung. Sie schaltete im Wohnzimmer den Fernseher ein und stellte den Ton leise. Der Bildschirm war riesig, hundertsieben Zentimeter Bilddiagonale. Alles sah leicht monströs aus. Die Werbung war zu Ende, und ein Mann von wuchtiger Statur trat auf und präsentierte der Kamera sein breitestes Lächeln.

Rose saß im Schneidersitz auf dem Teppich und hielt John, den sie auf ihr linkes Bein setzte, ihren Zeigefinger vor den Mund. John nahm als zahnendes Baby das Angebot gerne an und kaute darauf herum. Auf dem Bildschirm erschien Tanya Robertson in Supergroßaufnahme, ihr knallroter Mund war fast so groß wie ein Swimmingpool. ALLES ÜBER MOMS stand da in pinkfarbener Schrift. Roses Herz pochte.

»Ich bin Tanya Robertson. In der heutigen Folge meiner Reihe ALLES ÜBER MOMS geht es um Mütter, die ehrenamtlich in Schulen helfen. Unsere Frage: Wer passt eigentlich auf diese freiwilligen Aufpasser auf? Viele Schulen sind auf die Mitarbeit dieser kostenlosen Hilfskräfte angewiesen, was aber sehr problematisch werden kann. Jüngstes Beispiel: das Feuer in der Grundschule von Reesburgh. Das Leben von Amanda Gigot hängt noch immer an einem seidenen Faden.«

Roses Mund wurde trocken, als Material von der brennenden Cafeteria eingespielt wurde.

»Wie viel wissen wir *tatsächlich* von den Pausen-Moms, den freiwilligen Helfern in den Bibliotheken oder bei Schulausflügen?« Tanya schickte einen tief besorgten Blick in die Wohnstuben. Danach wurde Roses Facebook-Foto eingeblendet.

»Nach dem ausführlichen Interview mit Eileen Gigot in der letzten Sendung möchten wir uns heute mit Rose McKenna beschäftigen, einer der beiden Pausen-Moms am Unglückstag. Zunächst hielten wir sie alle für eine Heldin, weil sie ihre Tochter Melly aus dem Feuer gerettet hat. Aber jetzt beschuldigt Amandas Familie sie der unterlassenen Hilfeleistung. Auch der Staatsanwalt ermittelt.«

Rose traute ihren Augen nicht. Ihr Polizeifoto wurde eingeblendet. Das Foto zeigte sie als Achtzehnjährige mit zerzaustem Haar und verquollenen Augen. Sie sah aus wie eine Betrunkene, dabei war sie in Wirklichkeit stocknüchtern gewesen. Die Aufnahme war an dem schrecklichsten Tag ihres Lebens gemacht worden.

»Rose McKenna ist im Alter von achtzehn Jahren verhaftet worden. Das haben unsere Recherchen ergeben. Sie soll im betrunkenen Zustand einen sechs Jahre alten Jungen überfahren haben. Der Autounfall passierte in Wilmington, North Carolina. Der Name des Jungen: Thomas Pelal. Die Polizei vermutete damals, dass das Kind vor ihr Auto gelaufen ist. Der Junge war sofort tot. Obwohl man Ms McKenna verhaftet hat, wurden die Anschuldigungen später fallen gelassen. Ms McKenna hat mir gegenüber jede Stellungnahme abgelehnt.«

Rose rang nach Luft. Ihr Schweigen gereichte ihr zum Nachteil. Doch das, was Tanya hier präsentierte, war nur ein Teil der Geschichte.

»Uns brennen folgende Fragen unter den Nägeln: Hätten wir nicht über Rose McKennas Vergangenheit Bescheid wissen müssen, bevor wir ihr unsere Kinder anvertrauten? Sollten wir nicht generell und von vornherein sicherstellen, dass unsere Kinder nicht mit Drogensüchtigen und Alkoholikern in Berührung kommen? Müsste sich nicht jede Mutter, die Pausen-Mom werden will, einem Alkohol- und Drogentest unterziehen?«

Auf Roses Polizeifoto erschien ein riesiges Fragezeichen, dann wurde das Foto von Thomas Pelal überblendet. Rose traten Tränen in den Augen. Die Sendung übertraf ihre schlimmsten Befürchtungen. Dieses Foto, das brauchte sie nicht. Jeden Tag sah sie diesen süßen Jungen vor sich und dachte an ihn.

Tanya räusperte sich. »Ist es nicht unser Recht, mehr zu wissen über die Menschen, denen wir unsere Kinder in der Schule, auf dem Sportplatz oder beim Schulausflug gutgläubig anvertrauen? Was denken Sie, liebe Zuschauer? Gehen Sie auf unsere Website, teilen Sie uns Ihre Meinung mit. Viele Menschen haben uns bereits gemailt oder getwittert. Ich bin Tanya Robertson, und ich bin gespannt auf *Ihre* Reaktion.«

Rose schaltete den Fernseher aus. Endlich Ruhe. Doch die Schreie des kleinen Thomas Pelal, bevor sie auf die Bremsen trat, hallten in ihr wider. Ihr ganzes Leben lang würde sie diesen verzweifelten Hilferuf hören.

Mama!

44

Rose war in Mellys Zimmer beim Packen, als unten die Haustür aufgesperrt wurde. Melly saß auf dem Bett und las, Prinzessin Google lag eingerollt auf dem Kopfkissen neben ihr. Auf der Uhr auf dem Nachttisch war es gerade halb acht. Leo war nach Hause gerast.

»Leo!«, rief Melly und sah von ihrem Buch hoch. »Leo, wir sind hier!«

»Pst.« Rose legte Mellys Hosen zusammen und verstaute sie im Koffer. »Weck John nicht auf.«

»Oh.« Melly steckte ein Lesezeichen in ihr Buch, kletterte aus dem Bett und rannte in Richtung Treppe. Klein und mager sah sie in ihrem übergroßen T-Shirt aus. »Bin gleich wieder da.«

»Okay, aber mach nicht zu lange.« Melly sollte schlafen, wenn Rose sich mit Leo aussprach. Von ihrer Sorge hatte sie sich Melly gegenüber den ganzen Nachmittag nichts anmerken lassen. Eigentlich hatte sie seit dem Tod von Thomas Pelal sich nie etwas anmerken lassen.

»Leo, hier bin ich«, flüsterte Melly Leo vom oberen Treppenabsatz zu. Leo hängte gerade seine Anzugsjacke auf.

»Was treibt mein liebes Mädchen?«

»Wir packen.«

»Packen? Wo fährst du denn hin?« Leo ging schmunzelnd die Treppe hoch.

»Zum See. Mo und Gabriella besuchen, und die Waschbären!«

Rose zuckte zusammen. Sie hatte Leo von der Reise bisher nichts erzählt. Leo wirkte irritiert, aber dann setzte er einen nichtssagenden neutralen Blick auf, den Eltern gern gegenüber ihren Kindern benutzen, wenn dicke Luft im Anzug ist.

»Wie geht's meinem kleinen Pfirsich?«

»Gut. Hast du deinen Fall gewonnen?«

»Noch nicht. Erst wollte ich meine beiden Mädels besuchen.« Leo nahm Melly bei der Hand, da entdeckte er die Prellung an ihrem Arm. »Was ist das?«

»Darüber will ich nicht mehr reden.«

»Okay.« Leos Blick fiel auf den Koffer. »Ihr fahrt zum Seehaus?«, fragte er Rose, ohne ihr in die Augen zu sehen.

»Ich erklär es dir später.« Sie gab ihm einen flüchtigen Kuss auf die Wange, die noch schwach nach Aftershave roch. »Blöd, dass ich es dir noch nicht gesagt habe.«

»Kein Problem.« Leo hob Melly ins Bett, deckte sie mit dem Federbett zu und setzte sich neben sie. »Mel, bist du schon fertig mit dem Buch?«

»Fast.« Melly zeigte ihm das Lesezeichen. »Nur noch zehn Seiten.«

»Was? So viele? Du Faulpelz! Du hattest den ganzen Tag Zeit.«

Melly kicherte. »Mom will, dass ich ein American-Girl-Buch lese.«

»Wieso das denn? Du bist doch schon ein amerikanisches Mädchen.«

»Genau.«

»Dann lass es. Lies das, wozu du Lust hast. Wir leben in einem freien Land. Ich als Anwalt weiß das. Sag deiner Mutter, dass die Grundrechte auch für dich gelten.«

»Das werde ich.« Mellys Augen strahlten. Sie liebte ihren Stiefvater sehr. Trotz Scheidung und Tod war es ihnen gelungen, eine richtige Familie aufzubauen. Das alles zu verlieren war für Rose ein unerträglicher Gedanke. Mit banger Erwartung fieberte sie dem Gespräch mir Leo entgegen.

»Zeit zum Schlafengehen«, sagte sie und versuchte zu lächeln.

»Leo, gib mir einen Kuss.« Melly breitete die Arme aus, Leo drückte sie fest an sich, knurrte kurz und stand auf.

»Jetzt schlaf. Ob ich morgen Abend rechtzeitig nach Hause komme, kann ich nicht versprechen.«

»Wir sind eh nicht da.«

»Oh, das habe ich vergessen. Dann schnell noch einen Extra-Kuss. Und viel Spaß am See.«

»Und Googie?«

»Auf Wiedersehen, Googie.«

»Gib ihr einen Kuss!« Melly kicherte, denn sie wusste, dass Leo niemals einen Hund küssen würde.

»Nein. Ich küsse nur Mädchen.« Leo streichelte den Spaniel, der die Augen ein wenig öffnete. »Googie, man sieht sich.«

Auch Rose gab Melly einen Gutenachtkuss. »Schlaf gut, mein Spatz.«

»Mom, hat Ms Canton angerufen, als ich im Bad war?«

»Nein.«

»Können wir sie anrufen?«

»Das machen wir morgen.«

»Wenn sie heute Abend noch anruft, weckst du mich dann?«

Rose strich das Haar von Mellys Stirn. »Ich glaube nicht, dass sie das macht. Aber falls, wecke ich dich. Vergiss nicht zu beten.«

»Nein. Ich bete auch für Amanda.«

»Ich auch. Träume was Schönes.«

45

Rose ging mit Leo nach unten. Beide schlugen sie automatisch den Weg zur Küche ein. Sie blieb hinter dem Tisch stehen, während er zum Kühlschrank ging. Wie sollte sie das Gespräch beginnen? Plötzlich fühlte sie sich in ihrer eigenen Küche mit ihrem Mann unwohl.

Die untergehende Sonne schien durchs Fenster und warf schmale Schatten auf die Lavendelblüten.

»Hast du Hunger?«, fragte sie.

»Nein.« Leo nahm sich ein Bier aus dem Kühlschrank und ließ sich gemächlich auf einen Stuhl sinken. »Beim Tanken habe ich ein Sandwich gegessen. Setz dich doch.«

»Das mit dem See tut mir leid.« Rose setzte sich. Vor ihr standen die Reste einer Cola light. Ihr Mund war trocken, also trank sie einen Schluck und zwang sich, Leo in die Augen zu sehen. Er sah sofort weg. Ob er beleidigt war? »Ich habe mich spontan dazu entschlossen.«

»Verstehe.« Leo öffnete auffallend ungeschickt die Bierflasche, als wäre es die erste in seinem Leben. »Du verlässt mich doch nicht?«

»Nein.« Rose lachte auf. »Aber nein, natürlich nicht.« Die nervöse Spannung ließ ein wenig nach.

»Das ist gut.« Leo lehnte sich zurück und betrachtete seine Frau aus der Entfernung. »Martin hat mich auf dem Nachhauseweg angerufen. Seine Frau hat ferngesehen. Auch Joan hat mich angerufen.«

Rose errötete. Joan war seine Sekretärin, Martin ein alter Freund aus Worhawk. »Es tut mir leid.«

»Einige Mandanten haben sich nach der Sendung in der Kanzlei gemeldet.«

»O nein. Was wirst du ihnen sagen? Ich mache mir solche Vorwürfe, dass ...«

»Damit komme ich zurecht. Was mir Sorgen macht, ist das Verhältnis zwischen uns beiden. Es wäre schön gewesen, wenn *du* mir davon erzählt hättest, nachdem wir uns kennengelernt haben. Oder bei unserer Verlobung. Oder nach unserer Hochzeit.«

Leo sprach in einem ruhigen Ton. Er war nicht der Mann, der einen anschrie. Was die Sache noch schwieriger machte. Draußen bewegten sich die Wipfel der Bäume im Wind, der Himmel verfärbte sich zu einem grellen Rosa.

»Mir fallen viele Gelegenheiten ein, bei denen du es mir hättest erzählen können. Aber du hast es nicht getan. Selbst nach der Geschichte mit Amanda hättest du die Möglichkeit gehabt.«

»Ich weiß.«

»Jetzt verstehe ich, warum dich der Brand so sehr mitgenommen hat und warum du dich schuldig fühlst. Erzähl mir also bitte die ganze Geschichte.«

Rose druckste herum. »Gut, um es kurz zu machen …«

»Bitte, mach es nicht kurz. Ich habe Zeit.«

Rose nickte. »Es war an Halloween. Ich war achtzehn Jahre alt und hatte Streit mit meiner Mutter.«

»Weswegen?«

»Es war an Halloween. Entschuldige, das habe ich schon gesagt. Ich hatte ein paar Freunde von der Arbeit zu uns nach Hause eingeladen. Um Geld fürs College zu verdienen, hatte ich damals als Model gejobbt. Ich habe bei meiner Mutter gelebt. Sie hat behauptet, sie sei trocken, und ich habe ihr – warum auch immer – geglaubt. Sie ging zu der Zeit zu den Anonymen Alkoholikern, deshalb dachte ich, ich könnte ein paar Freunde zu mir einladen.« Rose hielt inne. Sie versuchte, sich genau zu erinnern. Aber andererseits versuchte sie auch, jede Erinnerung an den Abend auszulöschen. »Wir waren alle verkleidet, ich als Cleopatra. Den Kindern, die an der Tür klingelten, gaben wir Süßigkeiten. Meine Mutter meinte, es sei alles in Ordnung mit ihr, und verschwand nach oben.«

»Okay.«

»Einige Zeit später ist sie die Treppe heruntergefallen. Sie war betrunken. Oben herum war sie nackt.« Rose schämte sich, auch jetzt noch, nach so vielen Jahren. »Sie war ohne BH und hatte nur ihre Unterhose an. An den Füßen trug sie High Heels, meine High Heels. Sie ist auf einen meiner Freunde gefallen, hat sich auf seinen Schoß gesetzt und angefangen, mit ihren Brüsten in seinem Gesicht ... du verstehst. Ich bin weinend hinausgerannt, habe mich in den Wagen gesetzt – es war ihr Auto, ich hatte keines – und bin zu meiner alten Highschool gefahren. Auf dem leeren Parkplatz habe ich mich wieder beruhigt. Ich war noch verstört, aber Autofahren konnte ich. Getrunken hatte ich nichts.«

»Das musst du nicht betonen. Du trinkst nie.«

Das stimmte – außer neulich abends in der Küche. Während ihrer College-Zeit hatte sie keine Party ausgelassen, aber nach diesem Vorfall hatte sie nur noch wie eine Besessene gearbeitet. Und dann wollte sie Mutter werden, aber niemals so eine wie *ihre* Mutter. Deren Alkoholsucht hatte ihren Vater aus dem Haus getrieben, als sie zehn Jahre alt war. Rose konnte sich kaum an ihn erinnern. Er war nie zurückgekommen, hatte ihnen jedoch stets Geld geschickt.

»Was ist dann passiert?«

»Ich bin nach Hause gefahren. Es war kurz vor neun. Die kleineren Kinder waren schon zu Hause. Nur die größeren, denen das Verkleiden zu kindisch war, waren noch unterwegs. Trotzdem bin ich langsam gefahren. Die Straßen waren glatt vom Regen. Überall lagen nasse Blätter herum. Man musste vorsichtig sein. Ich war vorsichtig. Ich hatte nicht mal das Radio eingeschaltet, damit ich mich voll konzentrieren konnte. Ich fuhr also sehr …«

»Vorsichtig. Okay.«

»Dann flog etwas durch die Luft. Etwas Weißes. Kaum zu erkennen. Dann habe ich ein Geräusch gehört. Ich bin sofort auf die Bremsen getreten, aber der Wagen ist auf den nassen Blättern ins Schleudern geraten. Dann ein Schrei. Der Schrei eines Kindes. Es war er.« Rose hielt die Tränen zurück. »Thomas Pelal.«

»Der kleine Junge.«

»Er war erst sechs.«

»Wo waren seine Eltern?«

Rose bemerkte die Veränderung in Leos Stimme. Er klang jetzt wie ein Anwalt. Obwohl er wütend auf sie war, suchte er nach Gründen, die sie entlasteten. Rose konnte ihm nicht in die Augen sehen, so viel Liebe empfand sie in diesem Augenblick für ihn.

»Schatz?«

»Seine Eltern unterhielten sich am Ende der Straße mit einem Nachbarn. Seine Schwester war bei ihm.«

»Wie alt war sie?«

»Vierzehn. Sie war gerade auf die Veranda gegangen.

Es ist direkt vor ihrem Haus passiert. Dem Jungen war ein Jawbreaker aus der Tasche gefallen. Das sind diese kugelförmigen Süßigkeiten, wie man sie an Halloween gern verteilt. Die Kugel rollte auf die Straße, der Junge lief ihr hinterher.«

»Und dann?«

»Dann habe ich einen dumpfen Aufprall gehört. Und ein Kind, das Mama schreit.«

Mama!

»Ich bin aus dem Wagen gesprungen, und da lag er vor dem Kühler. In sich zusammengesunken. Er war verkleidet als Geist. Er trug einen weißen Kissenbezug, der an Hals und Armen ausgeschnitten war. Was für ein schönes, altmodisches Kostüm, habe ich damals gedacht. Und ich mit meinem türkisfarbenen Cleopatra-Kostüm aus Polyester, das ich im Laden gekauft hatte. Doch er trug nur diesen einfachen weißen Kissenbezug, aus dem er sich selbst ein Kostüm gebastelt hatte. Er war ein richtiger Geist.«

Leo reichte ihr eine Serviette, um die Tränen zu trocknen.

»Ich habe versucht, ihn zu retten. Als Rettungsschwimmerin wusste ich über Reanimation Bescheid. Blut floss aus seinem Mund, aber er war wach, er lebte noch. Seine Schwester kam herbeigerannt. Er sagte etwas.« Tränen strömten über ihr Gesicht. Noch nie hatte sie jemandem diese Geschichte erzählt. »Ich beugte mich zu ihm hinunter, griff mit einer Hand unter ihn, doch Blut quoll aus ihm heraus. Und er sagte etwas.«

»Rose, es ist gut.« Leos Stimme war wieder normal.

Seine Augen blickten sie voller Sorge an. Er stand auf, ging zu ihr, um sie zu trösten, aber sie wies ihn zurück. Sie wollte weitererzählen.

»Er öffnete die Augen. Sie waren blau, sie sahen mich an. ›Mama‹, sagte er zu mir.« Rose wischte sich die Tränen ab. »Vielleicht habe ich wegen meines Make-ups älter ausgesehen. Vielleicht hat er mich deshalb für seine Mutter gehalten. Oder gewünscht, ich wäre es. Aber – es mag schrecklich klingen – ich habe ihm geantwortet.«

Leo kniff die Augen zusammen. »Das hast du?«

»Ja. Ich weiß nicht, warum. Vielleicht wollte ich ihn trösten. Es stand mir nicht zu, aber ich habe es getan.«

»Was hast du gesagt?«

»›Ich bin hier, und ich liebe dich‹, habe ich gesagt. ›Deine Mama liebt dich von ganzem Herzen und wird dich immer lieben‹, habe ich gesagt. Und dann ist er gestorben. Genau danach.«

Leo legte den Arm um sie. »Es ist alles in Ordnung, mein Schatz. Alles ist in Ordnung.«

»Nichts ist in Ordnung. Ich habe ein Kind getötet.«

»Es war nicht deine Schuld.« Leo drückte sie fest. »Unfälle passieren. Kinder laufen vor Autos. Kinder tun das.«

»Seine Mutter und sein Vater kamen herbeigerannt. Sie waren außer sich. Die Mutter schrie seinen Namen. ›Thomas!‹ Der Schrei war voller Verzweiflung. Noch immer höre ich sie rufen.« Rose schüttelte den Kopf. »Meine Mutter hat mit einer Klage der Eltern gerechnet. Deshalb hat sie mir einen Anwalt besorgt und mir verboten, mit den Eltern Kontakt aufzunehmen. Wie gerne hätte ich ihnen gesagt, wie leid mir das alles tut.«

»Entspann dich. Trink etwas.« Leo stellte ihr ein Mineralwasser hin, aber sie ließ es stehen. Sie putzte sich die Nase.

»Ich muss schrecklich aussehen.«

»Weinen ist kein Schönheitswettbewerb. Das solltest du als großes Mädchen wissen.«

Rose nickte und putzte sich wieder die Nase. Sie knüllte die Serviette zusammen und trank das Glas Wasser in einem Zug aus.

»Noch ein Glas?«

»Nein, danke.« Rose stieß einen tiefen Seufzer aus. Leo ließ sie los.

»Warum hat man dich festgenommen? Im Fernsehen sollen sie ein Polizeifoto von dir gezeigt haben.«

Rose zuckte zusammen. »Die Polizei hat drei leere Wodkaflaschen im Wagen gefunden. Die waren von meiner Mutter. Beim Bremsen sind sie unter dem Vordersitz herausgerollt. Die Polizei hat deshalb geglaubt, ich hätte getrunken. Dabei wusste ich noch nicht einmal etwas von der Existenz der Flaschen. Der Alkoholtest war zwar negativ, trotzdem verdächtigte mich die Polizei weiter.« Rose hielt inne. Sie erinnerte sich an den Streit mit ihrer Mutter am nächsten Tag. »Die Pelals haben mich nie verklagt. Ich habe nie etwas von ihnen gehört, und ich habe sie nie kontaktiert. Danach sind wir wieder umgezogen. Diesmal ging es nach Norden.«

»Das ist also die ganze Geschichte.« Leo presste die Lippen zusammen.

»Nicht ganz. Manchmal wünsche ich mir, die Pelals hätten mich verklagt. Dann wäre ich vielleicht bestraft worden, und meine Tat wäre gesühnt.« Rose war zu erregt, um ihre Gedanken klar auszudrücken. »Und jetzt diese Geschichte mit Amanda. Es ist wie eine Zeitmaschine. Der ganze Horror fängt wieder von vorn an. Der Kreis schließt sich.«

»Kein Kreis schließt sich. Lass den esoterischen Unsinn.«

Rose schniefte. »Lange Zeit habe ich geglaubt, dass Mellys Feuermal die Strafe ist für das, was ich einer anderen Mutter angetan habe. Melly wurde gebrandmarkt, weil ich gebrandmarkt bin. Sie muss für meine Sünde zahlen.«

»Jetzt hör auf.« Leo hob die Hände. »Das ist Unsinn.«

»Nicht für mich. Mein Herz gibt mir recht.«

»Schatz, ich bitte dich.« Leo verzog die Stirn. »Und diese idiotischen Gedankenspiele trägst du die ganze Zeit mit dir herum. Warum hast du nicht mit mir darüber gesprochen?«

»Anfangs wollte ich es tun. Aber dann waren wir so glücklich. Das wollte ich nicht aufs Spiel setzen.« Rose schüttelte den Kopf. »Ich habe niemandem davon erzählt. Falls dich das beruhigt.«

»Und Bernardo?«

»Nein, nicht einmal Annie weiß Bescheid. Vielleicht war es ein Fehler, aber ich habe es für mich behalten.«

Leo war zutiefst enttäuscht. »Du vertraust mir nicht. Du hast kein Vertrauen in unsere Liebe.«

»Doch, das habe ich.«

»Nein, das hast du nicht. Sonst hättest du mit mir gesprochen. Hast du eine Therapie gemacht?«

»Nur kurz, ohne Erfolg.« Roses Gefühle waren in Aufruhr. »Therapie oder nicht, das ändert nichts an der Tatsache, dass ich dieses Kind getötet habe. Damit muss ich zurechtkommen. Und ich bin die Glückliche, denn ich lebe. Thomas Pedal aber ist tot.« Sie fühlte sich schrecklich, aber die Wahrheit war endlich ausgesprochen. »Deshalb haben sie im Fernsehen darüber berichtet.«

Leo stieß das Glas vom Tisch. »Du redest Unsinn. Sie haben darüber berichtet, um Quote zu machen. Sei nicht so naiv.«

Roses Handy klingelte. Kurt Rehgard stand auf dem Display. »Jetzt nicht.«

»Wer ist das?« Leo las den Namen. »Ein Reporter?«

»Nein. Ein Zimmermann von der Schule.«

»Wie bitte? Was will er?«

»Er will sich für mich umhören.«

»Ich verstehe nicht.«

»Ich war in der Schule, und wir haben uns über die Brandursache unterhalten. Er wollte mich anrufen, wenn er etwas herausgefunden hat.«

Leo schüttelte den Kopf. »Warum hast du das getan?«

»Jetzt blas die Sache nicht auf, Leo. Mellys Unterricht war noch nicht zu Ende. Da bin ich zur Cafeteria geschlendert.« Rose schloss die Augen. »Es ist ohne jegliche Bedeutung.«

»Für mich schon. Was geht hier vor? Es ist auch mein Leben. Hättest du die Güte, mich ab und zu zu informieren?«

Rose griff wieder nach der durchnässten Serviette. »Ich hatte ja noch nicht einmal die Gelegenheit, dir über das Treffen mit Oliver und Tom zu berichten. Ihrer Meinung nach ist die Brandursache enorm wichtig für uns. Die beiden wollen nämlich, dass wir die Schule verklagen.«

»Und warum spielst du den Detektiv? Die beiden haben bereits einen.«

»Ich weiß. Aber ich war neugierig.«

»Neugierig?« Leos dunkle Augen blitzten auf. »Wenn ein Gerichtsverfahren gegen dich oder uns angestrengt wird, dann musst du dich bedeckt halten. Vor allem darfst du mit niemandem über das Feuer reden.«

»Wir haben doch nur geplaudert.«

»Ich verstehe. Alles, was du diesem Mann erzählt hast, kann bei Gericht gegen dich verwendet werden.« Leo stand auf und schüttelte den Kopf. »Rose, du entscheidest alles über meinen Kopf hinweg. Du gehst zur Totenwache. Was ich davon halte, ist dir egal. Du schwatzt mit Zimmerleuten, einfach so. Du und ich, wir sind doch ein Paar. Du bist nicht allein.«

»Das weiß ich«, sagte Rose zu ihrer eigenen Überraschung.

»Was hast du mir sonst noch verschwiegen?« Leo lief in der Küche herum, dann blieb er stehen, die Hände in die Hüften gestützt. »Von meiner Sekretärin muss ich erfahren, dass es von meiner Frau ein Polizeifoto gibt.

Von Melly darf ich erfahren, dass ihr zum Seehaus fahrt. Gerade wurde ich darüber aufgeklärt, dass ein Zimmermann in einem mutmaßlichen Gerichtsverfahren gegen uns als Berater auftritt. Großartig!«

»Aber das stimmt so nicht«, sagte Rose. Doch sie wusste, dass es sinnlos war.

»Kannst du mich vielleicht über das, was du tust, auf dem Laufenden halten? Könnten wir nicht zumindest *ein paar* Entscheidungen gemeinsam treffen? Du handelst nicht wie ein Familienmitglied.«

»Doch, das tue ich.«

»Wann?«

»Zum Beispiel bei der Fahrt zum Seehaus. Du hast Mellys Prellung am Arm gesehen. Die hat sie bekommen, als sie mich verteidigt hat. Deshalb habe ich gedacht, es ist besser für uns alle, wenn wir beide eine Weile verschwinden.«

»Genau das meine ich.«

»Was?« Rose verstand nicht.

»Wenn Melly sich streitet, dann müssen wir uns damit auseinandersetzen. Das hier soll unser Zuhause werden.« Leo zeigte auf die einzelnen Küchenmöbel. »Waren das nicht deine Worte? Es war dein Wunsch hierherzuziehen. Und jetzt geht es mit dem Mobbing wieder los. Wir können nicht erneut fliehen. Weglaufen war noch nie eine Lösung.«

»Leo, du warst mit dem Umzug einverstanden.« Roses Stimme wurde lauter, aber nur kurz. »Ich laufe nicht weg, ich brauche nur eine Verschnaufpause.«

»Von mir?«

»Nein, von allem hier.«

»Also auch von mir. Denn ich bin *hier*.«

»Das bist du nicht. Du bist in deiner Kanzlei.«

»Das schon wieder.« Leo strich sich durchs Haar. »Ich hätte mir gewünscht, dass du mich informierst. Das ist alles. Mehr nicht.« Er hörte auf herumzulaufen und setzte sich. »Weißt du, was? Fahrt ihr ruhig zum See. Für ein paar Tage, für eine Woche vielleicht. Die Trennung wird uns beiden guttun.«

Rose verstand die Welt nicht mehr. »Leo, es geht nicht um uns beide.«

»Ich weiß.« Leo lehnte sich zurück und sah ihr in die Augen. »Es geht nur um dich und die Kinder. Es geht um deine Entscheidungen, um deine Vergangenheit, um deine Schuld. Ich bin nur eine Randfigur. Du hast mich ausgeschlossen – und das hat nichts mit meinem laufenden Prozess zu tun.«

»Doch. Es gab einfach keine Gelegenheit, mit dir darüber zu sprechen.«

»Hättest du mich denn gefragt, wenn es den Prozess nicht gäbe?«

Rose zögerte. Sie wusste es nicht.

»Sei ehrlich. Du kannst mir die Wahrheit sagen. Vertrau mir wenigstens ein Mal.«

»Das ist nicht fair.«

»Rede.« Leo verschränkte die Arme. »Ja oder nein?«

»Nein.«

»Danke«, sagte Leo und schnaubte. »Danke, zumindest für diese eine ehrliche Antwort.«

46

Rose ließ vor dem Schlafengehen den Hund hinaus. Der Himmel war schwarz und sternenlos, die nächtliche Brise fühlte sich frostig an. Vielleicht ein Vorbote des kommenden Winters. Googie wühlte mit der Schnauze in den Blättern herum. Oliver hatte zurückgerufen. Er hielt es für ausgeschlossen, gegen die Fernsehsendung etwas unternehmen zu können. Wieder hatte er mit der Pressemitteilung angefangen, und wieder hatte Rose ihn vertröstet. Erst wollte sie mit Leo sprechen.

Rose fühlte sich alleingelassen. Leo war zurück ins Büro gefahren. Ob der Abend heute der Anfang vom Ende ihrer Beziehung war? Leo hatte ein zu gutes Herz, um sie wegen Thomas Pelal zu verlassen. Er würde ihr Verhalten mit ihrer schwierigen Kindheit und ihrem generellen Misstrauen der Welt gegenüber entschuldigen. Aber dennoch: Ist heute Abend nicht etwas zerbrochen? Würde sie nicht viele Jahre später sagen, dass genau an diesem Abend das Ende ihrer Liebe begonnen hatte?

Rose seufzte. Von einem Fernseher in der Nähe drang Gelächter aus einer Sitcom an ihr Ohr. Irgendwo wurde ein Garagentor heruntergerollt und eine Autotür zugeschlagen. Ein Paar stritt sich, und Prinzessin Google schnüffelte im Laub herum. Ihre Ohrspitzen waren schwarz verfärbt. Roses Handy klingelte. Hoffentlich war es Leo. Es war aber Kurt Rehgard. »Hallo, Kurt.«

»Rosie, warum hast du mich nicht zurückgerufen?«

Kurt lallte. »Ich hab dich doch mit Spitzen-Infos versorgt.«

»Kurt, sind Sie betrunken?«, fragte Rose verärgert. Warum hatte sie ihm bloß ihre Telefonnummer gegeben?

»Sag deinem Göttergatten, du musst noch mal aus dem Haus. Rosie, ich mache dich mit meinen neuen Kumpels bekannt.«

»Ich habe leider keine Zeit.« Sie wollte ihr Handy gerade in ihre Tasche stecken, da fiel ihr ein, dass er etwas von Spitzen-Infos gelallt hatte. Sie hörte die Mailbox ab.

»Rose, ich habe Insider-Infos über das Feuer.« Kurts Stimme klang auf der Mailbox klar und nüchtern. »Ein Kumpel von mir hat das Gespräch zweier Feuerwehrleute belauscht. Sie glauben, dass das Feuer von einem losen Kabel in der Wand ausgegangen ist. Es hat sich an Gasen und Dämpfen entzündet, die aus ein paar Dosen Polyurethan ausgeströmt sind. Die Dosen muss irgendjemand im Lehrerzimmer beim Lackieren der Wandschränke vergessen haben. Wenn Sie mich fragen, liegt die Schuld bei Campanile, dem Generalunternehmer. Er hat dafür zu sorgen, dass die Baustelle von solchem Zeug leer geräumt wird. Rufen Sie mich an, ich erkläre Ihnen alles. Und passen Sie auf sich auf.«

Rose steckte ihr Handy in die Tasche und verbannte das Feuer aus ihrem Kopf. Das Zerwürfnis mit Leo hatte neue Prioritäten in ihrem Leben gesetzt. Sie musste sich in erster Linie um ihre Familie kümmern und für Amanda beten. Um die drohenden Klagen und Gerichtsverfahren sollten sich allein die Anwälte kümmern. Morgen früh würde sie Oliver über Kurts Anruf informieren. Der Rest war allein sein Problem. Die Zeit am See wollte sie nutzen, um wieder ins Gleichgewicht zu kommen. Ob sie Melly von Thomas Pelal erzählen sollte?

»Googie, komm!« Rose rief, und der Spaniel sah zu ihr hoch. Seine Augen waren glänzende Flecken in der Dunkelheit. Rose wollte heute Abend noch die Küche aufräumen, damit sie morgen früh gleich losfahren konnten. Deshalb versuchte sie es bei der Prinzessin mit Bestechung.

»Googie, komm, Leckerli« – und der Hund trottete brav hinter ihr her. In der Küche gab sie ihm ein Hundebiskuit und machte sich sofort an die Arbeit. Zuerst ordnete sie den Wust von Papieren, der sich in der Küche angesammelt hatte, dann machte sie sich an die ungeöffnete Post, sortierte die Rechnungen aus, um sie zu bezahlen, und legte die Info-Post der Schule auf einen Stapel. Ein Flyer für den Kürbiswettbewerb war dabei, eine Einverständniserklärung für einen Ausflug zum Apfelpflücken und ein Memo zur Halloween-Parade. Thomas Pelal tauchte in seinem Geisterkostüm wieder vor ihr auf. Sie las die Notiz.

Liebe Eltern! Bitte parken Sie bei der Halloween-Parade nicht auf dem Lehrerparkplatz! Für den Notfall muss dieser Platz frei bleiben, damit …

Rose dachte an das Feuer, den Rettungswagen und Amanda. Der Newsletter, den die Schule am Eröffnungstag im September verschickt hatte, lag unten im Stapel. Damals war die Schule neu renoviert und sie voll froher Erwartung gewesen. Von Leos Vorbehalten hatte sie erst heute Abend erfahren. Stolz prangte auf dem Titel das Banner der Schule, und auf der ersten Seite lächelten Mr Rodriguez, die Vertrauenslehrerin und die Sekretärinnen in die Kamera. Niemals könnte Rose diese Menschen verklagen. Niemals.

Auf der nächsten Seite waren Fotos der Turn-, Kunst- und Musiklehrer, des Hausmeisters und seiner Gehilfen sowie der Küchenhilfen Serena und Ellen. Ihr Lächeln war wie ein Schlag ins Gesicht. Dass sie wegen einer Fahrlässigkeit sterben mussten, war ein schrecklicher Gedanke. Rose blätterte weiter. Ein Foto zeigte die Bibliothekarin und ihren Assistenten schmunzelnd zwischen den Büchern stehen. Diese nette Dame hatte Rose den Weg zur Ambulanz freigekämpft.

Darunter war ein Foto von drei Lehrern, die den Kindern mit Aufmerksamkeits- und Hyperaktivitätsstörungen zur Seite standen, und ein Bild von Kristen Canton, die arglos in die Kamera blickte. Rose verspürte einen leichten Groll, dass sie noch immer nicht angerufen hatte. Beide Fotos waren im Lehrerzimmer aufgenommen worden. Links sah man eine Küchenzeile mit Toaster, Mikrowelle und Kaffeemaschine. Es gab sechs Tische, aber nirgends standen Lackdosen herum. Der Raum sah aufgeräumt aus, die Wandschränke waren lackiert. Und da der Newsletter am ersten Schultag erschienen war, musste das Foto davor gemacht worden sein.

»Schlafenszeit, Googie.« Rose scheuchte den Hund die Treppe hoch. Dann sah sie auf die Uhr am Herd: 22:55 Uhr. Zeit für die Elf-Uhr-Nachrichten. Ob sie die

Thomas-Pelal-Geschichte noch einmal aufwärmen würden? Sie ging ins Wohnzimmer, schaltete den Fernseher ein, stellte aber den Ton ab. Sie hatte keine Lust, ihre Vergangenheit noch einmal erzählt zu bekommen.

Nach einer Werbung für Kopfschmerztabletten und einer für Lkws erschien der Nachrichtensprecher. LAGERHAUSBRAND lautete die Schlagzeile im Hintergrund. Falls sie über Rose noch einmal berichten würden, käme der Beitrag bestimmt am Ende der Sendung. Also setzte sie sich auf die Couch, während Googie an ihr hochsprang und sie in den Bauch stupste. Im nächsten Bericht ging es um eine Schießerei an einer Tankstelle, danach gab es Bilder vom Zusammensturz einer alten Brücke in der Nähe von Camden. Vielleicht sollte sie die Nachrichten immer ohne Ton sehen? Denn keine dieser Geschichten interessierte sie wirklich. Sie streichelte Googies Kopf, der sich wie ein mit Fell bezogener Baseball anfühlte.

EILMELDUNG verkündete plötzlich ein Laufband. In der Regel hatte es mit diesen Meldungen keine Eile, das hatte die Erfahrung Rose gelehrt. Trotzdem wurde sie nervös. Gezeigt wurde eine Luftaufnahme von einem Highway bei Nacht. Blinkende Polizeiwagen standen an der Seitenlinie. Wahrscheinlich ein Verkehrsunfall. Sofort dachte sie an Leo und schaltete den Ton ein.

»Ein schrecklicher Verkehrsunfall auf der Route 76 Richtung Osten«, verkündete der Nachrichtensprecher.

Route 76 war die Schnellstraße nach Philadelphia.

»Die beiden Insassen des Wagens starben noch an der Unfallstelle. Es handelt sich dabei um Hank Powell, siebenundzwanzig, und Kurt Rehgard, einunddreißig. Beide stammen aus Phoenixville.«

Was? Hatte sie den Namen richtig verstanden? Vielleicht gab es noch einen anderen Kurt Rehgard. Ihrer hatte sie vor Kurzem angerufen. Gerade erst hatte sie seine Nachricht abgehört. Sie drückte auf Pause und spulte die Nachrichten zurück.

»… sich dabei um Hank Powell, siebenundzwanzig, und Kurt Rehgard, einunddreißig. Beide stammen …«

Kurt Rehgard war ein ungewöhnlicher Name, eine Verwechslung war kaum möglich. Außerdem hatte er am Telefon betrunken geklungen. Er hatte mit Freunden gefeiert.

Ich mache dich mit meinen neuen Kumpels bekannt.

Auf ihrem Handy überprüfte sie die Zeit seines Anrufs: 22:06 Uhr. Jetzt war es 23:12 Uhr. Wahrscheinlich hatte er nach dem Gespräch die Kneipe verlassen und wollte mit seinem Freund nach Hause fahren. Jetzt waren beide tot.

Die Sendung ging weiter, dann kam Werbung, aber Rose bekam von all dem nichts mehr mit. Zu viele Tote, zu viel Zerstörung hatte es in den letzten Tagen in ihrem Leben gegeben.

Es brauchte eine Zeit lang, bis sie sich kräftig genug fühlte, um aufstehen zu können.

47

Es war ein sonniger Morgen. Rose setzte sich schon die zweite Tasse Kaffee auf. Letzte Nacht hatte sie kaum geschlafen, sie hatte an Kurt, Thomas Pelal und Amanda denken müssen. Leo hatte nicht angerufen, und sie konnte ihn nicht über Kurts Tod informieren. Sie wusste, dass er beschäftigt war und Kurts Schicksal ihn nach ihrem Streit sicher nicht sonderlich interessierte. Melly schlief noch, und John saß vergnügt in seinem Stuhl und spielte mit seinen Frühstücksflocken herum.

Sie schaltete ihren Laptop ein und ging auf die Zeitungsseite. Wie schnell es gehen konnte: Früher hatte sie das Weltgeschehen in den Nachrichten verfolgt, jetzt konnte sie dort Neuigkeiten aus ihrem Leben erfahren. Zum Glück gab es keine Meldung über Amanda. Das Mädchen lebte also noch.

Gott, ich danke dir.

Im unteren Drittel der Seite fand sie einen kurzen Text zu dem Verkehrsunfall.

Kurt Rehgard, 31, und Hank Powell, 27, beide aus Phoenixville und bei der Baufirma Bethany angestellt, starben gestern Abend bei einem Verkehrsunfall. Beide standen unter Alkoholeinfluss und waren …

Rose las den Artikel zu Ende, aber er enthielt keine neuen Informationen. Er ließ sie mit dem gleichen leeren Gefühl zurück, das sie schon am Abend zuvor gehabt hatte. Auf der Lokalseite prangte ihr Foto neben dem von Thomas Pelal: Täterin und Opfer, Überlebende und Toter – sie schienen für alle Zeiten aneinandergefesselt zu sein.

Mama!

Rose versank in ihrem Stuhl. *Enthüllungen nach dem Schulbrand* hieß der nächste Artikel. Hier stand, dass sie »schuld ist am Tod eines sechsjährigen Jungen, den sie mit ihrem Wagen zusammengefahren hat«. Der letzte Absatz war ein Interview mit Oliver, das er gestern Abend am Telefon gegeben hatte:

»*Es muss gesagt werden, dass meine Mandantin, Rose McKenna, von allen Anschuldigungen, die den Tod von Thomas Pelal betreffen, freigesprochen worden ist. Außerdem ist Ms McKenna eine Heldin. Sie hat bei dem Versuch, ihre Tochter und drei andere Kinder, inklusive Amanda Gigot, aus dem Feuer zu retten, ihr Leben riskiert. Rose und ihr Ehemann denken derzeit über eine Klage gegen den Staat, die Schulbehörde, die Schule und die Bauunternehmer wegen fahrlässigen Brandschutzes und Pfuschs am Bau nach.*«

Wie bitte? Sie hatte doch mit Oliver ausgemacht, dass sie erst mit Leo über eine mögliche Klage sprechen wollte. Was mussten Mr Rodriguez, Mrs Nuru, ja, das ganze Lehrerkollegium von ihr denken, wenn sie Olivers Interview lasen? Sofort rief sie in Olivers Kanzlei an.

»Oliver ist heute bei Gericht, Ms McKenna. Derselbe Prozess wie gestern«, sagte die Dame vom Empfang.

»Und Tom?«

»Ebenfalls. Aber beide rufen wie immer zwischendurch hier an.«

»Einer von beiden soll mich bitte so schnell wie möglich auf meinem Handy anrufen.«

»Geht in Ordnung.«

»Danke.« Rose sah nach John, der noch mit seinem Frühstück beschäftigt war. Es war 8:10 Uhr. Zeit, in der Schule anzurufen, um Melly zu entschuldigen. Hoffentlich hatte man dort die Zeitungen noch nicht gelesen.

»Schulsekretariat«, meldete sich eine Frau, die Rose sofort erkannte.

»Jill, wie geht es dir? Ich bin's, Rose McKenna, Melly Cadiz' Mutter.«

»Worum geht's?«, fragte Jill mit kalter Stimme. Rose erstarrte.

»Ich wollte nur mitteilen, dass Melly heute nicht in die Schule kommt. Ich will mit ihr …«

»Geht in Ordnung, danke.«

»Ich hoffe, dass mein Anruf als Entschuldigung reicht. Mr Rodriguez hat gesagt, dass …«

»Kein Problem.«

»Ich weiß nicht, wie lange wir wegbleiben. Vielleicht bis zum Wochenende.«

»Klar. Wenn das alles ist, ich habe zu tun.« Die Verbindung wurde unterbrochen, Rose legte auf. Im Büro wussten sie also Bescheid. Sie und ihre Familie waren jetzt keine Außenseiter mehr, sie waren Ausgestoßene. Das Festnetztelefon klingelte. Der Name »Kristen Canton« stand auf dem Display.

»Kristen, wie geht es Ihnen?« Rose freute sich über ihren Anruf. »Melly hat nach Ihnen gefragt.«

»Entschuldigen Sie, dass ich so früh anrufe. Aber ich wollte keinen weiteren Tag verstreichen lassen, ohne mit Melly zu sprechen. Und vor Schulbeginn erreiche ich sie am besten.«

»Sie geht heute nicht in die Schule. Wir fahren für ein paar Tage an einen See, bis sich die Lage hier beruhigt hat. Wie geht es Ihnen? Ich hoffe, besser.«

»Ich versuche, wieder Fuß zu fassen.« Kristen stockte. »Ich war bei unserem letzten Treffen etwas unhöflich. Verzeihen Sie mir.«

»Ich doch auch. Und bei Ihren Eltern habe ich auch angerufen. Waren sie sauer?«

»Nein, überhaupt nicht.«

»Wie haben sie auf Ihre Kündigung reagiert?«

»Sie verstehen und unterstützen mich. Ich werde eine Auszeit nehmen und mich von meiner Mom verwöhnen lassen.«

»Das macht sie sicherlich gern.« Rose lächelte. »Ich hole Melly. Ich höre sie oben herumtapsen. Einen Augenblick. Melly, Ms Canton ist am Apparat, für dich.«

»Juhu!« Melly rannte barfuß die Treppe herunter, Prinzessin Google jagte ihr hinterher.

»Kristen, ich stelle das Telefon auf Mithören und lasse euch beide in Ruhe schwatzen.«

»Ms Canton!« Melly kletterte auf den Stuhl, während Rose den Hund in den Hof ließ. Dann füllte sie eine Schale mit Cornflakes und stellte sie vor Melly auf den Tisch. Rose wollte so bald wie möglich losfahren, denn die Fahrt zum See dauerte drei Stunden.

»Wie geht's dir, Melly?«, fragte Kristen. Ihre Stimme

klang trotz des schlechten Telefonlautsprechers warmherzig.

»Gut. Ist Ihre Mutter noch krank?«

Rose zuckte zusammen. Sie hatte vergessen, dass sie Melly angelogen hatte.

»Es geht ihr besser. Dank dir für die Nachfrage«, antwortete Kristen.

»Dann kommen Sie jetzt wieder in die Schule?«

»Nein, ich muss zu Hause bleiben. Melly, ich glaube, ich werde nicht mehr zurückkommen. Ich kann nichts dafür.« In Kristens Stimme hörte man Bedauern. Melly war enttäuscht, ihre Unterlippe zitterte.

»Das ist okay«, sagte sie trotzdem.

»Melly, weißt du, was? Wir können auch in Kontakt bleiben, ohne dass ich deine Lehrerin bin. Wir können uns mailen. Ich kann dich anrufen, du kannst mich anrufen. Ich gebe deiner Mutter, bevor wir auflegen, meine Handynummer und meine E-Mail-Adresse. Einverstanden?«

»Aber ich hab keine E-Mail.«

»Dann benutzt du die deiner Mom.«

Rose verkniff sich die Bemerkung, dass sie keine Mail-Adresse mehr hatte. Sie holte die Milch aus dem Kühlschrank und stellte sie auf den Tisch.

»Melly, erzähl, wie ist es dir ergangen? Wie läuft's in der Schule?«

»Gut.«

»Keine Probleme?«

»Nee.«

Den Streit mit Josh erwähnte sie nicht.

»Du fährst zum See, habe ich gehört. Klingt gut.«

»Meine Großeltern wohnen da. Also nicht meine richtigen. Außerdem gibt es da Waschbären und Füchse. Ich lese *Die Märchen von Beedle, dem Barden*. Gefällt mir gut.«

»Das denke ich mir. Was ist deine Lieblingsgeschichte?«

Rose wusste nicht, dass Kristen Melly das Buch empfohlen hatte.

»*Babbitty Rabbitty und der gackernde Baumstumpf.*«

»Das ist eine gute Geschichte. Ich mag am meisten *Das haarige Herz des Hexenmeisters.*«

»Die finde ich auch toll«, beeilte Melly sich zu sagen. »Ich mag die Stelle, wo …«

Rose klinkte sich aus dem Harry-Potter-Fachgesimpel aus und räumte die Spülmaschine aus, wusch John Gesicht und Hände ab, ließ Googie wieder herein, gab ihr zu fressen, schaltete die Kaffeemaschine aus und drängte Melly, das Frühstücken nicht zu vergessen, während sie sich mit Kristen über Hexenmeister, Wunderheiler, Zauberbrunnen, Riesen, Zwerge, Könige und Scharlatane unterhielt. Wobei das zauberhafteste Wesen – zu dem Schluss kam Rose – für Melly im Moment ihre Lehrerin war.

»Melly, ihr wollt doch zum See. Dann hören wir jetzt besser auf. Rose, sind Sie da? Ich wollte Ihnen meine Handynummer und Mail-Adresse geben.«

»Hier bin ich.« Das Batterie-Symbol am Telefon blinkte. Schnell nahm Rose einen Stift und einen Zettel. »Legen Sie los.«

Kristen ratterte Telefonnummer und Mail-Adresse herunter. »Dann tschüs, ihr beiden. Wir bleiben in Kontakt.«

»Das werden wir«, sagte Rose beschwingt.

»Melly, viel Spaß am See.«

»Ich nehme Hermines Zauberstab mit!«

»Sehr gut. Bis bald!«

Rose legte auf und drückte Melly fest an sich. »Weißt du, was ich denke? In unserem nächsten Urlaub könnten wir doch in den Harry-Potter-Park in Florida fahren. Hättest du Lust?«

Melly riss die Augen auf. »Gibt's den wirklich? Eine Freundin vom *Pinguinclub* hat mir davon erzählt.«

»Ja, den gibt's wirklich.«

»Juhu! Johnnie, hast du das gewusst?« Melly lächelte John zu, der die Hand nach ihr ausstreckte.

»Dann auf zum See!« Rose war bester Laune, doch nur drei Stunden später würde sich die gute Stimmung in nichts aufgelöst haben.

48

Melly saß unglücklich neben Rose auf dem Beifahrersitz, während John in seinem Kindersitz voller Begeisterung über seine riesigen Plastikschlüssel vor sich hin lallte und Prinzessin Google eingerollt neben ihm das Dasein genoss. Noch eine Stunde Fahrt bis zum See lagen vor ihnen, aber im Moment ging wegen der morgendlichen Rushhour nichts voran. Melly wollte unbedingt Kristen anrufen, doch Rose hatte den Zettel mit der Handynummer zu Hause liegen lassen.

»Warum hast du die Nummer nicht mitgenommen?«, fragte Melly verärgert.

»Ich habe sie vergessen. Warum willst du sie überhaupt anrufen?«

»Ich will ihr von den Veggieburgern erzählen und von dem Bild, das ich für sie gemalt habe.«

»Wir können ihr später mailen.«

»Hast du denn ihre Mail-Adresse?«, fragte Melly hoffnungsvoll.

»Nein, die steht auch auf dem Zettel.« Rose konnte sich beim besten Willen nicht an die Adresse erinnern, die aus einer komplizierten Kombination von Zahlen und Buchstaben bestand und mehr an ein Passwort als an eine Mailadresse erinnerte. »Wir können ihr schreiben, wenn wir wieder zu Hause sind.«

»Können wir nicht umdrehen?«

»Nein, das ist viel zu weit, mein Schatz.« Rose deutete auf den Stau vor und hinter ihnen. Die Ampeln auf der Mautstraße zeigten permanent Rot, aus den Kühlern der Wagen stieg flirrende Hitze hoch. Die Wolken hatten sich alle verzogen, es war ungewöhnlich warm.

»Ich will unbedingt mit ihr reden. Sie mag Veggieburger. Und wir haben doch auch welche gemacht.«

»Das können wir ihr später erzählen.«

»Und was ist mit dem Bild von Albert Dumbledore, das ich für sie gemalt habe? Nie werde ich's ihr geben können.«

»Wir können es ihr später schicken.«

Melly sah aus dem Fenster.

Klar, Melly ging es nicht so sehr um das Bild und die Veggieburger. Sie litt unter der Trennung von Kristen.

»Alles in Ordnung, mein Spatz?«

»Alles in Ordnung.«

»Mel, ich habe ein Idee.« Rose griff in ihre Handtasche und zog ihr Handy heraus. »Hier drauf habe ich die Nummer ihrer Eltern. Wir rufen sie zu Hause an.«

»Prima!« Melly lächelte wieder. »Aber nicht während der Fahrt.«

»Aber wir fahren doch gar nicht.« Rose sah sich zur Sicherheit noch einmal um. Die Befürchtung, dass in den Stau bald Leben kommen könnte, erwies sich als unbegründet. Deshalb rief sie bei den Cantons an. Eine Dame ging sofort an den Apparat.

»Hallo, Mrs Canton?«

»Mit wem spreche ich?«

»Rose McKenna, die Mutter einer von Kristens Schülerinnen. Ich habe heute früh mit Kristen telefoniert und etwas vergessen. Ist sie da?«

»Sind Sie die Frau, die auf den Anrufbeantworter gesprochen hat?«

»Ja. Danke, dass Sie die Nachricht an sie weitergeleitet haben.«

»Das war ich nicht. Geht es um die Tochter?«

Rose hatte das Gefühl, verulkt zu werden. »Wissen Sie, wer Kristen ist?«

»Ich habe sie nie kennengelernt. Mich hat eine Agentur geschickt. Ich kümmere mich um das Haus.«

»Bin ich mit dem Haus der Cantons verbunden?«, fragte Rose verwirrt. »In Roberts Lane, Boonsboro, Maryland?«

»Ja. Aber der Professor und seine Frau sind für ein Sabbatical in Japan. Ich kenne die Familie nicht.«

»Und Kristen wohnt nicht in dem Haus?«

»Nein. Dieses Jahr wohnt niemand hier. Außer mir und zwei Katzen.«

Die Sache wurde immer mysteriöser. Kristen hatte ihr gesagt, dass sie bei ihren Eltern wohnte. »Haben Sie eine Nummer oder eine Adresse von Kristen?«

»Nein. Sie sind schon der Zweite, der heute für sie anruft. Wenn Sie mich entschuldigen, ich habe zu tun.«

»Natürlich, danke.« Rose legte auf, und Melly sah sie besorgt an.

»Ist sie weggegangen?«

»Die Frau behauptet, sie sei nie da gewesen.«

»Vielleicht ist sie in ihrem anderen Haus.«

»Welches andere Haus?«

»Ihr Haus in Lavaland.«

»Lavaland?« Rose sah zu Melly. »Gibt es Lavaland wirklich? Oder nur bei Harry Potter?«

»Nein, Mom.« Melly kicherte. »Das gibt es wirklich. In der Nähe vom Strand.«

»Ms Canton hat ein Haus am Strand? Wo?«

»Das weiß ich nicht.«

»Hat sie dir davon erzählt?«

»Ich hab ihr gesagt, dass ich den See mag. Und sie hat gesagt, dass sie das Meer mag.«

Der Stau löste sich langsam auf. Rose sah in den Rückspiegel. John hatte den Schnuller verloren, aber er schien glücklich zu sein und kaute auf seinen Schlüsseln herum. Sie gab ein wenig Gas, dann bremste sie wieder.

»Ms Kristen hat gesagt, dass wir sie im Sommer in Lavaland besuchen können.«

»Tatsächlich.« Rose behielt den Fuß auf der Bremse. Die Autos standen wieder. Irgendwo musste ein Unfall passiert sein. Irgendwo passierte immer ein Unfall. Irgendetwas stimmte mit der Welt nicht mehr. Jetzt benahm sich auch Kristen seltsam.

»Wie können wir sie erreichen?«, fragte Melly.

»Lass mich überlegen.« Erst jetzt realisierte Rose, wie sehr Melly an Kristen hing. »Du vermisst Ms Canton?«

Melly drehte sich weg, sah zum Fenster. »Mir geht's gut.«

»Das ist normal, wenn man Menschen vermisst.«

»Wie Daddy.«

Rose zuckte zusammen. Melly konnte einen mit ihrer Direktheit manchmal überraschen. »Man kann auch jemanden vermissen, wenn er noch lebt. Wenn man den Menschen, den man liebt, nicht mehr treffen kann, wenn man seine Stimme nicht mehr hört, ist das genauso schlimm.« Sie dachte an ihren Vater, an den sie sich kaum erinnerte. Nur seine Stimme war ihr im Gedächtnis geblieben, sanft und tief. »Wenn man jemanden verliert, ist das traurig. Manchmal hilft es, wenn man darüber spricht.«

Melly schwieg. Rose konnte ein Stückchen weiterfahren.

»Was gefällt dir an Ms Canton?«

»Alles. Wir reden gern miteinander. Im Unterricht und in der Pause.«

»In der Pause auch?«

»Ja. Als sie mich im Klo gefunden hat. Und ich mit ihr essen durfte.«

»Die Veggieburger.«

Melly nickte, sah Rose aber nicht an. »Sie hat niemanden, der mit ihr isst. Alle machen einen Bogen um sie.«

»Siehst du, nicht nur Kinder haben Probleme.«

»Das stimmt.« Melly sah zu Rose und wagte ein verzagtes Lächeln.

»Jedem kann das passieren. Dazu muss man nicht Unsinn reden oder seltsame Klamotten tragen. Ohne irgendeinen Grund wird man ignoriert.«

»Oder aus einem *doofen* Grund. Josh, zum Beispiel, spielt nicht mit Ryan. Er ruft ihn immer Reiher. Das ist doof.«

»Richtig doof. Ryan kann doch nichts für seinen Namen. Außerdem ist es ein schöner Name.«

Melly verdrehte die Augen. »Oder er hänselt Sarah, weil sie Zucker hat. Sie braucht eine Pumpe. Die hat sie uns gezeigt. Und Max hänselt er, weil er keine Erdnussbutter verträgt. Er hat halt 'ne Allergie.«

»Genau. Jemanden zu hänseln ist doof.« Rose konnte den Fuß von der Bremse nehmen, der Stau löste sich endlich auf.

»Ms Canton sagt das Gleiche. Ich hab ein Bild für sie gemalt. Willst du es sehen? Es ist im Rucksack.«

»Sehr gern.«

»Schau. Das bin ich, Albus Dumbledore und Ms Canton.«

»Wow.«

Melly hatte zwei Mädchen gemalt, ein kleines und ein großes, die beide einem Wesen mit Schirmmütze die Hand hielten. »Ein sehr schönes Bild.«

»Ich hab's ihr nicht geben können. Wegen dem Feuer. Außerdem war sie krank. Mrs Nuru hat gesagt, dass wir eine Vertretung bekommen.«

Rose rechnete zwei und zwei zusammen. Marylou Battle, die Vertretungslehrerin, die im Feuer gestorben war, musste an diesem Freitag für Kristen eingesprungen sein.

»Findest du nicht, dass Albus' Bart zu lang ist? In den Büchern ist er kürzer.«

Rose war mit ihren Gedanken woanders. »Melly, habt ihr die Veggieburger im Lehrerzimmer gegessen?«

»Ja.«

»Und da seid nur ihr beide gewesen? Ms Canton hat am Freitag einen besonderen Stundenplan. Alle anderen Lehrer sind freitags zu der Zeit in den Klassenzimmern?«

»Ja.«

Marylou Battle war Kristens Vertretung. Sie starb im Lehrerzimmer. Wäre Kristen an dem Tag nicht krank gewesen, wäre sie vielleicht im Lehrerzimmer gestorben. Und wenn Melly bei ihr gewesen wäre … Rose umklammerte mit beiden Händen das Lenkrad.

»Mom, ist der Bart in Ordnung?«

»Er ist perfekt.« Rose war beunruhigt, Beklommenheit stieg in ihr auf. Ob Kristen aus einem ganz anderen Grund Reesburgh Hals über Kopf verlassen hatte?

»Ihr wird das Bild gefallen.« Melly steckte das Bild in ihren Rucksack zurück. »Wir schicken ihr das Bild mit der Post.«

»Das machen wir«, sagte Rose geistesabwesend. Ein absurdes Szenario ging ihr durch den Kopf. Was, wenn Kristen von der Explosion schon vorher gewusst hatte? Was, wenn sie sich deshalb letzten Freitag krankschreiben ließ? Was, wenn sie irgendwie mit dem Feuer zu tun hatte?

»Sind wir bald da?«

»Ja, bald.« Aber das machte keinen Sinn. Warum sollte eine leidenschaftliche Lehrerin eine Schule voll mit Kindern in die Luft jagen? Aber andererseits wusste Kristen, dass zur Zeit der Explosion alle Kinder außerhalb des Gebäudes auf dem Pausenhof waren.

»Wie lange noch?«

»Ungefähr eine Stunde.« Rose hätte ihr Gedankenspiel sofort in den Bereich des Irrsinns verwiesen, wenn Kristen nicht gelogen hätte. Sie war nicht bei ihren Eltern zu Hause. Warum hatte Kristen sie angelogen? Und wenn sie ihr in dem Punkt nicht die Wahrheit gesagt hatte, dann … Wer weiß?

Etwas stimmte da nicht.

Fragen drängten sich auf, die nur eine Person beantworten konnte.

Kristen.

49

Umgeben von Zedern, lag die Hütte mitten im herbstlichen Wald, nicht weit weg vom Häuschen der Vaughns. Leo hatte sie sich vor vielen Jahren als einen Ort zum Rückzug gekauft. Bei ihrer Hochzeit hatte er das bezaubernde Kleinod mit seinen drei Schlafzimmern zu seiner Mitgift erklärt. Rose musste bei der Erinnerung daran lächeln. Doch eigentlich waren Gedanken an Leo tabu.

Sie parkte in der Einfahrt und winkte Gabriella zu, die in dem Garten vor ihrem Haus arbeitete, der von rosafarbenen Astern, knallroten Anemonen und purpurfarbenen Sonnenhüten überquoll. Doch Rose hatte keinen Spaß an dem wunderschönen Anblick, zu sehr waren ihre Gedanken noch bei Kristen.

»Hey, Mrs V!«, rief Melly durch das offene Seitenfenster.

»Melly!« Gabriella lächelte und erhob sich. Ihr silbernes Haar hatte sie jugendlich frisiert. Die ausgeleierte Arbeitsbluse und die ausgebeulte Gärtnerhose verbargen einen Körper, der eher zu einer Vierzigjährigen als zu einer Dame von fünfundsechzig Jahren passte. Gabriella hielt sich fit.

»Hallo, Mädchen, du siehst verboten gut aus!«, rief Rose ihr beim Aussteigen zu. Sie streckte sich und atmete die frische Bergluft ein. Die Sonne wärmte angenehm, es ging ein laues Lüftchen. Doch Rose wollte so schnell wie möglich an ihren Laptop.

»Ihr beide werdet mir guttun!« Gabriella zog ihre gemusterten Handschuhe aus, ihre Fingernägel waren schwarz von der Erde. »Was für ein Vergnügen, euch wiederzusehen. Wie ich mich über euren Anruf gefreut habe.«

»Und hier sind wir!« Melly flog in Gabriellas Arme, und Prinzessin Google ließ sich von dem Übermut der Kleinen anstecken.

»Melly!« Gabriella umarmte sie und vergaß dabei auch nicht, den Hund zu tätscheln. »Wie geht's dir, meine Liebe?«

»Wir machen Ferien!« Mellys Blick fiel auf einen Zwiebelpflanzer. »Was ist das, Mrs V?«

»Damit kann man Blumenzwiebeln ganz leicht einpflanzen.« Gabriella zeigte auf ein Beet, das sie schon vom Herbstlaub befreit hatte. »Fass das Gerät am Griff an, drück es nach unten und leg eine Tulpenzwiebel in das Loch.«

»So?« Melly drückte auf den Griff wie auf einen Pogo-Stick.

»Genau so.« Gabriella strahlte.

Rose wiegte den schlafenden John an ihrer Schulter. »Du hast anscheinend eine begeisterte Assistentin gefunden.«

»Das hoffe ich doch. Ich hasse das Ding nämlich.« Gabriella schmunzelte. »Mo hat mir das Gerät gekauft, und ich bringe es nicht übers Herz, ihm zu sagen, dass ich lieber mit den Händen arbeite.«

Rose umarmte sie. Ihre Bluse roch nach Parfum und Zigarettenrauch.

»John ist seit Juni gewachsen.« Gabriella streichelte seinen Rücken.

»Ich füttere ihn gut und gebe ihm genügend zu trinken. Und es funktioniert.«

»Komm zu Grandma. Ich brauche etwas zum Festhalten. Keine Angst, ich wecke ihn nicht auf.«

»Das würde noch nicht mal ein Erdbeben schaffen. Bitte, nimm ihn, dann kann ich ausladen. Ich habe etwas zu essen mitgebracht.«

»Ich bin nicht gerade überrascht über euren Besuch. Nach dem, was ich über dich und das Feuer gelesen habe.« Gabriellas Blick war voller Mitgefühl. »Mein Herz war die ganze Zeit bei euch. Zum Glück ist Melly nichts passiert.«

»Egal, was die Zeitungen schreiben, glaub mir. Ich habe das andere Kind …«

Gabriella hob die Hand. »Rose, wir kennen dich gut genug. Du musst dich uns gegenüber nicht erklären. Wir haben dir auch geschrieben, aber unsere Mail kam zurück.«

»Ich verstehe. Das ist eine lange Geschichte.« Rose holte die Einkaufstaschen und ihren Laptop aus dem Wagen. »Essen wir zu Mittag. Ich habe kalten Braten mitgebracht.«

»Gut. Mo kann sich um Melly kümmern. Übrigens rauche ich nur noch drei Zigaretten am Tag. Zum Ausgleich grabe ich wie eine Wahnsinnige Blumenzwiebeln in die Erde.« Gabriella zeigte auf einen großen Sack. »Wenn die da alle austreiben, muss niemand mehr nach Holland fahren.«

Rose lächelte. »Ich bringe die Sachen ins Haus.«

»Ich warte hier mit Melly. Kommt Leo auch?«

»Nein, er hat einen Prozess.«

Die Eingangstür bei den Vaughns ging auf, und Morris, Gabriellas Ehemann, ein ehemaliger Banker aus Princeton, trat blinzelnd ins Sonnenlicht. Er war groß und schlank, braun gebrannt wie ein Seemann, besaß aber die feinen Manieren eines Yale-Absolventen. Ein breites Lächeln erhellte sein zerfurchtes Gesicht, als er Melly entdeckte.

»Ist das etwa meine Melly?« Er hielt sich schützend die Hand über die Augen.

»Mr V!«

»Hallo, Mo«, begrüßte Rose ihn. Sie sperrte die Hütte auf. Zederndurft empfing sie. Das Erdgeschoss war ein einziger Raum mit einem karierten Sofa, einem kleinen Fernseher und Bücherregalen, die sich vor Puzzles, Brettspielen und alten Büchern bogen. Rechts gab es eine kleine Küchenzeile. Rose stellte die Taschen auf dem großen Bauerntisch ab und schaltete ihren Laptop ein. Sie waren hier zwar mitten in der Wildnis, doch Leo hatte dafür gesorgt, dass man drahtlos ins Internet kam. Sie gab *Lavaland, Pennsylvania* bei Google Maps ein.

Kein Ergebnis.

Sie versuchte es mit *Lavaland, Maryland*, weil dort Kristens Eltern ihren Hauptwohnsitz hatten. Die Suchmaschine bot ihr *LaVale* in Maryland an, aber der Ort lag nicht am Meer. Jetzt versuchte sie es mit *Lavaland* in New Jersey. Der Computer bot ihr *Lavalette* an.

»Lavalette«, sagte Rose laut. Melly hatte sich vielleicht verhört. Lavalette klang so ähnlich wie Lavaland. Und tatsächlich, Lavalette lag auf einer schmalen Landzunge an der Küste von New Jersey. Sie ging ins Web-Adressbuch, gab Canton und Lavalette NJ ein, und drei Sekunden später hatte sie eine genaue Adresse in der Virginia Avenue, allerdings ohne Telefonnummer. Die brauchte sie nicht.

Denn Rose hatte einen anderen Plan.

50

Die Vaughns waren froh, Babysitter spielen zu dürfen, und Rose war froh, unter einem klaren, sonnigen Himmel in Richtung Osten aufzubrechen. Der Highway war leer, sie gab Gas. Große Malls und kleine Städte huschten an ihr vorbei. Es fühlte sich gut an, endlich einmal die Initiative zu ergreifen und nicht immer nur zu reagieren. Bisher hatte sie sich nur verteidigt und war in Deckung gegangen. Auch bei Thomas Pelal war es nicht anders gewesen.

Mama!

Rose hörte wieder seine Stimme. Zum ersten Mal war sie dankbar dafür. Wie lange hatte sie sich schuldig gefühlt, wie lange hatte sie gefürchtet, ihr sorgsam gehütetes Geheimnis könnte ans Tageslicht kommen. Und jetzt, da es passiert war, konnte sie endlich wieder durchatmen. Die Wahrheit hatte sie befreit. Sie hatte keine Angst mehr vor dem, was kommen würde. Leo wusste jetzt alles über sie. Wie er oder alle anderen reagieren würden, lag nicht mehr in ihrer Hand.

Das Handy klingelte. Olivers Nummer erschien auf dem Display. Sie fuhr auf den Seitenstreifen, denn sie wollte das Gespräch in Ruhe führen. »Hallo, Oliver?«

»Rose, ich rufe Sie zurück. Hoffentlich geht es Ihnen besser.«

»Schon. Aber nicht aus dem Grund, den Sie vermuten. Oliver, warum haben Sie behauptet, ich wolle die Schule verklagen?«

»Ich habe nur gesagt, dass Sie darüber nachdenken.«

»Ich hatte Sie gebeten, das nicht zu tun. Erinnern Sie sich?«

»Sie wollten mit Leo darüber sprechen. Und ich bin ihm bei Gericht in die Arme gelaufen. Ich habe mit ihm darüber gesprochen, und er hat mir grünes Licht gegeben.«

»Leo?« Rose war überrascht. »Er hat das getan?«

»Ja. Und wenn er einverstanden ist, dann sind Sie es doch auch.«

»Das ist ein Missverständnis.« Rose atmete tief durch. »Wenn er Ihnen sein Okay gibt, dann bedeutet das noch nichts. Leo ist nicht Ihr Mandant, ich bin es.«

»Leo ist ein Anwalt, der eine gute Verteidigungsstrategie sofort erkennt. Sie doch auch?«

»Nein, das tue ich nicht.« Rose blieb ruhig. Zum ersten Mal seit langer Zeit fühlte sie sich der Situation gewachsen. »Eine Klage gegen die Schule schadet meiner Familie. Die Schulsekretärin war heute sehr unfreundlich zu mir. Wie soll Melly weiterhin in eine Schule gehen, die von ihren Eltern verklagt wird?«

»Das Verhalten der Schule ist inakzeptabel. Ich schicke denen sofort eine Abmahnung.«

»Oliver, das sind Menschen mit Gefühlen. Man kann Gefühle nicht abmahnen oder verbieten.« In einer anderen Stimmung hätte Rose über Olivers Vorschlag gelacht.

»Rose, Sie stecken in enormen Schwierigkeiten. Haben Sie das vergessen? Noch heute kann eine zivil- und strafrechtliche Klage in Ihr Haus flattern. Das Klügste, was Sie tun können, ist, dem zuvorzukommen.«

»Ich bin nicht bereit, meine Familie aus reinem Eigennutz zu opfern. Die Schule hat nichts falsch gemacht.«

»Natürlich hat sie das. Die blonde Lehrerin an der Tür hat Amanda …«

»Es reicht.« Rose wollte endlich zum Punkt kommen. »Es war eine Notsituation. Die Lehrerin hat ihr Bestes getan, wie ich auch. Oder denken Sie, sie wollte Amanda in den Flammen sterben sehen? Trauen Sie *so etwas* überhaupt jemandem zu?«

»Die Türen standen sperrangelweit offen.«

»Es war *heiß* an dem Tag. Menschen machen Fehler. Dafür darf man sie nicht verklagen.« Rose dachte an Thomas Pelal. »Die Lehrerin ist genug gestraft. Bis zum Ende ihres Lebens wird sie sich Vorwürfe machen.«

»Ich verstehe.« Oliver war gekränkt. »Wenn wir nicht klagen, dann sollten wir wenigstens für gute Presse sorgen. Wir müssen der Öffentlichkeit unsere Version der Geschichte unterjubeln.«

»Hier wird nichts untergejubelt, es geht hier um die Wahrheit. Ich verklage und bedrohe niemanden. Das ist wie Mobbing. Und ich hasse Mobbing.« Rose hielt kurz inne. »Oliver, es tut mir leid, aber Sie sind nicht mehr mein Anwalt.«

»Das meinen Sie nicht ernst.«

»Doch. Schicken Sie mir Ihre Rechnung. Ich schicke Ihnen einen Scheck.«

»Rose, ich bin der beste Strafverteidiger, den Sie in Pennsylvania bekommen können. Was wollen Sie tun?«

»Das findet sich. Goodbye, Oliver.« Rose beendete das Gespräch. Gerade wollte sie den Motor starten, als ihr Blick auf die Uhr am Armaturenbrett fiel.

Sie hatte eine bessere Idee.

51

Rose wartete auf die Verbindung. Es war 17:15 Uhr. Bei Gericht gab es jetzt eine Pause. Sie kannte den Zeitplan, weil sie Leo einmal bei einer Verhandlung geholfen hatte. Man ging dort jetzt zu Tisch, bevor die Abendsitzungen begannen.

»Hey«, sagte Leo ruhig, als er das Gespräch annahm.

»Hi. Ruf ich zu einer guten oder schlechten Zeit an?«

»Ich habe nur wenig Zeit. Wir wollen essen gehen.«

»Das denke ich mir. Ich mach's kurz.« Rose spürte

die Reserviertheit in seiner Stimme. Etwas anderes hatte sie auch nicht erwartet. »Ich habe gerade mit Oliver gesprochen. Er hat in einem Interview behauptet, dass ich gegen die Schule klagen will. Du hast ihm das erlaubt?«

»Ja.«

»Wieso machst du das? Im Schulsekretariat sind sie wütend auf mich. Ich will die Schule nicht verklagen.«

»Ich habe dich zu Oliver geschickt, weil er einer der gerissensten Anwälte ist, die ich kenne. Er hat eine großartige Strategie zu deiner Verteidigung entwickelt. Lass ihn seine Arbeit machen.«

»Vor Gericht ziehen ist nicht immer eine Lösung, Leo. Du denkst zu sehr als Anwalt.«

»Und das willst du mir vorwerfen?«

»Hör zu. Es war ein Fehler, dir nicht von Thomas Pelal zu erzählen. Mein Verhalten war in letzter Zeit zu eigensinnig. Ich habe nicht an die Familie gedacht. Genau wie du jetzt.«

»Ich denke an die Familie. Die Schule zu verklagen ist die beste Art, unsere Familie zu beschützen.«

»Bestimmt nicht. Für Melly wird die Schule die Hölle werden. Wenn wir wirkliche Partner wären, würde keiner von uns über den Kopf des anderen hinweg Entscheidungen treffen. Deshalb werde ich dich von nun an über alles informieren. Also: Ich bin auf dem Weg zu Kristen. Ich will sie fragen, warum sie in der Schule gekündigt hat. Vielleicht wusste sie über das Feuer Bescheid, vielleicht ist sie in die Sache verwickelt.«

»*Wirklich?*«

»Ja. Die Kinder sind bei Gabriella und Mo.«

»Was hast du vor?«, fragte Leo in einem sachlicheren Tonfall.

»Mit Kristen sprechen und die Wahrheit herausfinden.«

»Hältst du das für klug?«

»Ja. Ich muss es tun.«

»Das ist ein Job für einen professionellen Ermittler. Jede seriöse Kanzlei beschäftigt einen.«

»Du verstehst es vielleicht nicht, aber dieser Besuch bei Kristen ist wichtig für mich. Ich frage dich übrigens nicht um Erlaubnis, ich informiere dich nur. Und jetzt muss ich weiter.«

Leo zögerte. »Schatz, was ist in dich gefahren?«

»Vielleicht bin ich endlich erwachsen geworden.« Rose lächelte.

52

Als Rose in die Virginia Avenue einbog, ging gerade die Sonne unter. Lavalette war eine kleine verschlafene Küstenstadt auf einer Insel vor der Küste New Jerseys. Sie parkte den Wagen gegenüber von Kristens Haus. Telefonmasten mit herabhängenden Kabeln säumten die breite Straße, in der neben ein paar Bungalows vor allem ein- und zweistöckige Häuser standen. Das der Cantons war zweistöckig und neueren Datums, es schien in mehrere Wohnungen unterteilt zu sein. Kristen war offenbar zu Hause, denn in der Wohnung 2F brannte Licht.

Rose studierte die Namensschilder am Hauseingang. Es gab sechs Wohnungen, bei William und Mary Friedl – das war die Wohnung neben den Cantons – klingelte sie. Eine ältere Dame meldete sich. »Ja?«

»Mrs Friedl, können Sie mich hineinlassen? Mein Mann hat meinen Schlüssel eingesteckt.«

Sofort ging die Tür auf, Rose stieg die Treppen hoch und klopfte an der Wohnung 2F. Sie stellte sich direkt vor den Türspion. »Kristen, machen Sie auf. Ich muss mit Ihnen sprechen.«

»Ms McKenna?« Kristen öffnete die Tür und sah Rose mit großen Augen an. »Was wollen *Sie* hier?«

»Das Gleiche könnte ich Sie fragen.« Rose betrat die Wohnung und stieß die Tür hinter sich zu. »Sie haben behauptet, Sie seien in Maryland.«

»Sie können nicht hierbleiben.« Kristen stellte sich Rose in den Weg. Sie hatte ihr rostbraunes Haar zu einem Pferdeschwanz zusammengebunden, trug ein graues Sweatshirt und schwarze Trainingshosen. In der Hand hielt sie ein Buch. »Bitte, gehen Sie.«

»Rufen Sie die Polizei.«

»Warum sind Sie hier? Wie haben Sie mich gefunden?«

»Sind Sie allein?« Rose sah sich in dem kleinen Wohnzimmer um. In der Mitte stand ein braunes Sofa, es gab einen großen Fernseher, hinter dem Bilder von Muscheln hingen. »Kristen, was führen Sie im Schilde? Sie haben mich heute Morgen angelogen. Ich möchte wissen, warum.«

»Bitte, gehen Sie.« Kristen wollte zur Wohnungstür, aber diesmal stellte sich Rose ihr in den Weg. Sie holte ihr Handy aus der Tasche.

»Rufen wir die Polizei an. Erklären Sie ihr, wieso Sie am Tag der Explosion nicht in der Schule waren. Wollten Sie Ihr Leben retten? Drei andere Menschen sind gestorben, darunter Marylou Battle, Ihre Vertretung.«

Kristens Augen flammten auf. »Was reden Sie da?«

»Jemand hat dafür gesorgt, dass die Cafeteria in die Luft fliegt. Entweder Sie oder jemand vom Bauunternehmer Campanile, der mit Ihnen zusammenarbeitet.«

Kristen rang nach Luft. »Was für ein Unsinn! Warum sollte ich so etwas tun?«

»Das weiß ich nicht. Ich weiß aber, dass Sie vor etwas davonlaufen. Darin bin ich Spezialist.«

Kristen ließ sich in einen Korbsessel fallen. Das Buch legte sie neben sich auf das Stuhlkissen. »Es war ein Unfall. Mit dem Feuer habe ich nichts zu tun.«

»Und warum waren Sie an dem Tag nicht in der Schule?«

»Ich war krank.«

»Als ich Sie getroffen habe, schienen Sie nicht mehr krank zu sein. Und auch jetzt nicht. Kristen, warum haben Sie mich heute früh am Telefon angelogen?«

»Das geht Sie nichts an.«

»Das geht mich schon etwas an. Ich hatte Ihnen *mein Kind* anvertraut.«

Kristen errötete. »Ich bin hier, weil ich meine Ruhe haben will. Meine Ruhe vor durchgedrehten Eltern und aufdringlichen Reportern.«

»Der Schule oder mir hätten Sie sagen können, wo Sie sind.«

»Die Schule weiß Bescheid.«

»Das ist wieder gelogen.« In Rose stieg Groll auf. »Die Schule leitet Ihre Post nach Maryland weiter.«

»Ich muss nicht alle über alles informieren.« Kristen wand sich in ihrem Sessel. Erst jetzt bemerkte Rose das Buch, das neben Kristen auf dem Kissen lag. Bevor Kristen sie daran hindern konnte, hielt Rose es in der Hand.

»*Ein Baby kommt.* Interessant. Ich habe das Buch zweimal gelesen.«

»Auch das geht Sie nichts an.« Kristen fühlte sich ertappt. Rose setzte sich aufs Sofa, ihr Ton wurde freundlicher.

»Da haben Sie recht. Aber ist es nicht trotzdem an der Zeit, die Wahrheit zu sagen?«

»Nein.«

»Versuchen Sie's. Es tut gut. Vielleicht kann ich Ihnen helfen.«

»Ich brauche keine Hilfe.«

»Kristen.« Roses Stimme wurde leiser. »Sie sind schwanger und verbergen es. Wenn Sie keine Hilfe brauchen …«

»Gut, ich bin schwanger.« Kristens Augen wurden feucht. »Mein Freund ist aus Reesburgh, er arbeitet bei einer Versicherung. Er hat sich von mir getrennt. Und ich weiß nicht, was ich tun soll. Meinen Eltern will ich es nicht sagen. Die sind sowieso nicht da. Also bin ich hierhergekommen, um meine Gedanken zu ordnen. Am Tag des Feuers wurde mir morgens wieder übel. Ich musste mich übergeben. Deshalb war ich nicht in der Schule.«

»Sie wussten nichts von dem Feuer?«

»Nein.«

»Sie haben nichts damit zu tun?«

»Natürlich nicht.« Kristen lächelte traurig. Rose war erleichtert und verwirrt zugleich.

»Ihr Freund will das Baby nicht haben?«

»Er weiß nichts davon. Er hat sich von mir getrennt, bevor ich es erfahren habe. Ich habe nicht vor, es ihm zu sagen.«

»Aber es ist sein Recht. Bestimmt sucht er Sie. Jemand hat nämlich im Haus Ihrer Eltern nach Ihnen gefragt. Das hat mir die Dame, die sich um das Haus kümmert, erzählt.«

»Das war bestimmt er. Andauernd ruft er mich auf dem Handy an.« Kristen fuhr sich mit der Hand über die Augen. »Aber es geht ihm nicht um mich. Er will seine bescheuerten Autoschlüssel zurück, die ich ins Meer geworfen habe.«

»Ich verstehe. Aber warum sagen Sie es Ihren Eltern nicht? Die würden Ihnen bestimmt helfen.«

»Sie kennen meinen Vater nicht.« Kristen schüttelte den Kopf.

»Was haben Sie mit dem Baby vor, wenn ich fragen darf?«

»Ich glaube, ich werde es bekommen«, antwortete Kristen selbstsicher. »Ich werde es allein großziehen.«

»Und wovon wollen Sie leben?«

»Vom Ersparten. Außerdem habe ich geerbt. Von meiner Tante. Niemand muss sich Sorgen machen.« Kristen schürzte die Lippen. »Es tut mir leid, dass ich Melly im Stich gelassen habe. Deshalb habe ich Sie heute Morgen angerufen.«

Rose stand auf, ging zu ihr und umarmte sie. »Jeden Morgen Kekse essen. Da wird Ihnen nicht so schnell übel.«

»Danke für den Tipp.«

»Ich gehe jetzt besser. Eine lange Fahrt liegt vor mir.« Rose ging zur Tür, blieb dann aber stehen. »Eine Frage hätte ich noch. Haben Sie im Lehrerzimmer Dosen mit Lack herumstehen sehen?«

»Ja. Die Wandschränke wurden lackiert. Überall hingen Schilder: VORSICHT! FRISCH GESTRICHEN. Es hat fürchterlich gestunken.«

»Wann war das?

»Am Donnerstag. Am Tag vor dem Feuer. Warum?«

»Jemand hat behauptet, dass diese Dosen die Explosion mitverursacht haben. Man hätte vergessen, sie wegzuräumen. Und dann seien sie in die Luft geflogen.«

»Wirklich?«

»Ich versteh's nicht.« Rose zuckte mit den Schultern. »Warum lackiert man die Schränke erst einen Monat nach Schulbeginn? Der Gestank verdirbt den Lehrern doch jede Freude am Essen.«

»Vielleicht war ein zweiter Anstrich nötig.« Kristen

stand auf und hielt Rose die Tür auf. »Sie verraten niemandem, dass ich hier bin?«

»Nein.« Rose griff in ihre Tasche. »Hier, nehmen Sie das.« Sie zog aus ihrem Geldbeutel einen Hundertdollarschein.

»Nein, das kann ich nicht annehmen.«

»Doch, das können Sie. Bitte.« Rose legte den Schein in Kristens Hand. »Ich wünsche Ihnen viel Glück.«

»Danke, das ist lieb von Ihnen.«

»Oh, warten Sie. Ich habe noch etwas.« Rose holte Mellys Zeichnung aus der Tasche und zeigte sie Kristen. »Das sind Sie und Melly mit Albus Dumbledore.«

»Alle drei sind sehr gut getroffen.« Kristen begann zu weinen. Rose umarmte sie.

»Wenn Sie etwas brauchen, rufen Sie mich an. Melly lässt Ihnen noch mitteilen, dass wir Veggieburger gegessen haben.«

»Sind lecker, oder?«

»In kleineren Mengen genossen, schon.«

Kristen lachte. »Darf ich das Bild behalten?«

»Natürlich.« Rose ging zur Tür. »Ich habe Melly gesagt, dass ich Ihnen das Bild per Post schicke. Das war das letzte Mal, das ich meine Tochter angelogen habe. Obwohl – sie glaubt noch an den Weihnachtsmann.«

Es war schon dunkel, als Rose auf die Straße trat. Bevor sie nach Hause fuhr, ging sie zum Strand. Sie zog die Schuhe aus, denn sie wollte bei ihrem kleinen Spaziergang den kühlen Sand spüren. Die Wunde am Knöchel war noch nicht ganz verheilt, doch die kleinen Wellen, die über ihre Füße schwappten, taten ihr gut. Das Meer verlor sich in der Dunkelheit. Doch die Sterne am Himmel glänzten, der Mond war voll und schön. Sie stand am äußersten Rand des Kontinents, atmete die kühle, salzige Luft ein. Ihr Leben war an einem Wendepunkt angelangt.

Sie dachte an Leo. Hoffentlich würde sie ihn auf ihrem neuen Lebensweg nicht verlieren. Sie sah zum Horizont, der schwarz war, suchte die Horizontlinie, konnte sie aber nicht erkennen, so sehr sie sich auch bemühte. Da fiel ihr Kurt Rehgard ein, der gestorben war. Wohin war er verschwunden? Und ihre Mutter und ihr Vater. Wo waren sie?

Sie dachte an den Tod und an das neue junge Leben, das gerade in Kristen entstand. Amanda fiel ihr ein und ihr Kampf um Leben und Tod. Noch schlief sie. Und wenn sie nie wieder aufwachte? Auch Thomas Pelal spukte ihr wieder durch den Kopf. Sie musste ihn endlich ziehen lassen, ihm seine Freiheit schenken. Wie viele Jahre hatte sie ihn in ihrem Kopf gefangen gehalten. Sie schickte seinen Geist hinauf zum Himmel und sprach für Amanda ein Gebet.

Der Wind blies ihr die Haare ins Gesicht. Sie atmete tief durch. Das gab ihr neue Kraft. Dabei blickte sie zum Horizont oder zu der Stelle, wo sie ihn vermutete. Nicht alles, was existierte, konnte man auch sehen. Nicht jede Grenze war klar zu erkennen. Das wusste sie jetzt. Kurt und das Feuer kamen ihr wieder in den Sinn. Da stimmte etwas nicht. Sie wusste noch keine Antwort, sie kannte noch nicht einmal die Fragen, die sie stellen musste. Aber sie würde sie finden.

Das war so sicher wie die Existenz von Himmel und Erde.

53

Rose saß in der Hütte über ihrem Laptop und sah sich Videos von dem Brand an. Sie hatte das schon öfter getan – besonders in schlechter Stimmung war sie anfällig dafür. Diesmal hatte sie aber eine konkrete Absicht. Sie suchte nach einem Anhaltspunkt für das, was letzten Freitag in der Schule passiert war. Mitternacht war vorbei, Melly und John schliefen bei den Vaughns. Das taten sie sonst nur, wenn Leo und sie Ausgang hatten.

Sie trank einen Schluck Kaffee und klickte auf das vierunddreißigste Video auf der Seite. Und das war beileibe nicht das letzte. Nichts auf der Welt konnte wohl mehr den Handy-, Flip- und Videofilmern entgehen. Alles wurde beobachtet, festgehalten, dokumentiert und aufgezeichnet.

Das Video zeigte, wie Kinder aus der Schule flüchteten. Nur der Aufnahmewinkel war ein anderer. Sie klickte zurück zum ersten Video, bei dem sie im Titel noch als Heldin angekündigt wurde. Dabei entdeckte sie einen Link zu einem weiteren Interview, das Tanya Robertson mit Eileen Gigot geführt hatte. Rose hatte es noch nicht gesehen. Nach einem Werbespot erschien Tanya Robertson auf dem Bildschirm.

»In unserer heutigen Folge meiner Reihe ALLES

ÜBER MOMS geht es um das Leben einer alleinerziehenden Mutter. Uns brennt vor allem eine Frage auf den Nägeln: Wie schaffen diese alleinstehenden Mütter eigentlich ihren schwierigen Job?«

Rose sah interessiert zu.

»Eileen Gigots Leben nahm am elften August vor sieben Jahren in der weltberühmten Homestead-Fabrik eine tragische Wende. Homestead begann 1948 auf einem zweitausend Quadratmeter großen Gelände mit der Produktion von Kartoffelchips. Heute beschäftigt Homestead fast viertausend Menschen auf einer Fläche von fünftausendzweihundert Quadratmetern. Es werden nicht nur Kartoffelchips hergestellt, sondern auch Popcorn und viele andere Snacks. Von Reesburgh in Pennsylvania gehen die Waren in alle Welt.«

Ob Tanya einen neuen Sponsor für ihre Sendung suchte? Zu einem Foto von der Fabrik erzählte Tanya aus dem Off: »Eileens Mann, William Gigot, liebte seinen Job bei Homestead. Dennoch starb er bei einem Gabelstaplerunfall in der Fabrik.«

Auf einem weiteren Foto war William Gigot mit drei Arbeitskollegen zu sehen. Die drei trugen gelbe Homestead-Hemden. Wijewski, Modjeska und Figgs stand auf ihren Namensschildern. Bill war ein großer attraktiver Mann mit hellblauen Augen, wie sie auch Amanda hatte. Dann trat Tanya wieder ins Bild. Sie saß mit einer traurigen Eileen in deren Wohnzimmer.

»Nach dem Tod Ihres Mannes müssen Sie drei Kinder allein großziehen. Wie kriegen Sie das hin?« Nach Tanyas Frage schwenkte die Kamera auf Eileen, die älter aussah, als sie war. »Der Herr legt uns nur solche Lasten auf, die wir auch tragen können. Das ist meine feste Überzeugung. Natürlich wünsche ich mir, Bill wäre noch am Leben. Ich vermisse ihn jeden Tag aufs Neue.«

Rose dachte an Kurt. Sie sah sich das Video über seinen Unfall noch einmal an. Seine Worte fielen ihr wieder ein.

Wenn Sie mich fragen, liegt die Schuld bei Campanile, dem Generalunternehmer.

Sie stoppte das Video und suchte über Google die Website von Campanile. Unter dem Foto eines gewaltigen Hotels stand geschrieben:

Die Campanile Group ist eine innovative Baufirma, die mit neuen Ideen frischen Wind in ein uraltes Gewerbe bringt. Vor gut hundert Jahren wurde unsere Firma gegründet. Und obwohl wir stolz auf unsere Wurzeln in Pennsylvania sind, haben wir inzwischen ganz Amerika erobert und werden …

Kurt hatte bei der Baufirma Bethany gearbeitet. Rose ging auf deren Website, die viel einfacher gestaltet war. Es gab ein Foto von drei Männern in einem braunen Overall: *Vince Palumbo, Frank Reed und Hank Powell, die stolzen Gründer unserer Firma,* lautete die Bildunterschrift. Auf der Seitenleiste gab es nur drei Rubriken: aktuelle Baustellen, Referenzen und Kontakt.

Rose klickte auf die Baustellen-Seite: *Es tut uns leid, aber diese Seite wird gerade umgebaut.* Die Grundschule in Reesburgh wurde nicht erwähnt. Auf der Referenzseite waren drei Einfamilienhäuser abgebildet. Rose überlegte. Kurt verunglückte zusammen mit einem Freund.

Sie ging auf die Zeitungsseite und fand in dem Unfallbericht seinen Namen: Hank Powell, einer der »stolzen Gründer der Firma«.

Sie fand auch einen kurzen Nachruf auf Kurt, der wiederum einen Link zu einem Gästebuch enthielt. Diese Website war wie ein aufgeschlagenes Buch gestaltet. Sie enthielt Einträge für Kurt und Hank Powell.

Lieber Onkel Hank! Wir vermissen dich. Wie gerne würden wir mit dir noch einmal zum Strand gehen. Deine Nichte Sandy und dein Neffe Mike. Wir werden dich immer lieben.

Lieber Kurt! Ein Licht ist für immer ausgegangen. Grüß Papa von uns, wenn du ihm begegnest. In Liebe, Carine und Joani.

Rose wurde das Herz schwer.

Kurt, du warst ein guter Freund und ein guter Zimmermann. Dein Vince.

Vince war auch einer der Firmengründer, Vince Palumbo.

Rose stand auf, streckte sich und lief im Zimmer umher. Dann ging sie zum Fenster und sah in die schwarze Nacht. Sie dachte über Kurt, Campanile und den Autounfall nach. Was, wenn der Unfall gar kein Unfall gewesen war? Was, wenn Kurt und Hank getötet wurden, weil sie zu viel über Campanile gewusst hatten? Was, wenn Kurt getötet wurde, weil er sich zu sehr für die Ursache des Feuers interessiert hatte?

Kurt hatte getrunken. Aber vielleicht war das nicht der Grund für den Unfall gewesen. Er wollte ihr seine neuen Kumpels vorstellen. Das hatte er am Telefon gesagt. Draußen im Garten konnte sie nichts erkennen. Nur ihre Silhouette spiegelte sich undeutlich im Fenster.

Wenn Kurt getötet worden war, weil er sich für die Ursache des Feuers interessiert hatte, dann war sie für seinen Tod verantwortlich.

Darüber brauchte sie Klarheit. Unbedingt.

Aber eigentlich war sie am Ende ihrer Kräfte.

54

»Und es macht dir wirklich nichts aus, noch mal Babysitter zu spielen?« Rose hielt John auf dem Arm, der mit seinen Fingern nach ihrer Nase griff. Sie gab ihm einen Kuss auf die Wange. »Sich einen Tag um die Kids zu kümmern, ist eine Sache. Aber dann noch mal zwei oder gar drei Tage.«

»Das ist überhaupt kein Problem.« Gabriella ließ Roses Bedenken nicht gelten. Die Sonne war noch nicht über die Bäume gestiegen, aber die Küche der Vaughns war schon von Licht durchflutet. »Wir lieben eure Kinder. Mo ist gerne mit Melly zusammen.«

»Okay. Wie gerne würde ich Melly noch auf Wiedersehen sagen.«

»Lass sie ausschlafen. Wir sind spät ins Bett gegangen. Eine Harry-Potter-DVD war schuld. Ruf sie an. Sie wird es verstehen.«

»Und der Hund?«

»Googie ist wundervoll. Ich wollte schon immer einen Spaniel haben. Er schläft bei Melly im Bett. Das sieht entzückend aus.«

»Und wenn ich bis zum Wochenende wegbleibe?«

»Lass dir Zeit.«

»Danke.« Rose übergab John an Gabriella und küsste ihn zum Abschied. Schmerz durchfuhr ihre Brust. »Ihr habt meine Handynummer?«

»Ja, und du hast unsere.« Gabriella machte die Fliegengittertür auf. Es war warm, die Vögel sangen, der Tau glitzerte. Der große Fliederbusch neben der Tür wurde von Monarchfaltern und Tigerschwalbenschwänzen umschwirrt. »So ein schöner Morgen. Und du musst wieder weg.«

»Ich habe ein paar Verabredungen. Unter anderem mit einem Anwalt.« Rose log Gabriella nicht gern an. Aber wenn sie ihr die Wahrheit sagte, würde sie sich Sorgen machen. Ein Leben ohne Lügen war schwieriger, als sie dachte.

»Dann viel Glück. Und pass auf dich auf.«

»Das werde ich.« Rose gab John einen allerletzten Kuss, aber als sie die Treppen hinunterstieg, begann er zu weinen. »Ich komme doch bald wieder, Johnnieboy.«

»Geh nur. Es wird ihm gut gehen. Das verspreche ich dir.« Gabriella winkte ihr zum Abschied zu.

Rose lief zum Wagen, zog das Handy aus der Tasche, wählte mit der Kurzwahl Leos Nummer und ließ es klingeln. Als sich die Mailbox einschaltete, hinterließ sie ihm eine Nachricht. Dann stieg sie in den Wagen und startete den Motor. Sie wagte einen letzten Blick zurück.

Gabriella stand auf der obersten Stufe und tröstete den kleinen John.

Rose unterdrückte einen Seufzer und fuhr los. Dass sie ihre Kinder allein ließ, tat ihr weh. Aber sie konnte ihnen nur dann eine gute Mutter sein, wenn sie mit sich selbst im Reinen war. Viele Jahre war sie das nicht gewesen.

Aber damit war jetzt Schluss. Für alle Zeiten.

55

Rose parkte ihren Wagen in einer Straße südlich der Schule. So blieb er von der Presse unentdeckt. Sie trug ein weißes Herrenhemd, Jeans, Sneakers, eine weiße Sonnenbrille und eine Baseballmütze. Niemand würde sie in diesem Aufzug erkennen. Die Sperrholzwand vor der Cafeteria war von Kindern bemalt worden. Eine lachende Sonne schien auf eine Wiese mit riesigen Sonnenblumen und winzigen Bäumen. Gepunktete Schmetterlinge flogen herum. Es war die kindliche Version des Paradieses, hinter der sich eine erwachsene Version der Hölle verbarg.

In der Mitte der Wand gab es einen provisorischen Eingang, der von einer Plastikfolie abgedeckt wurde. Für eine Baustelle war es extrem still, kein Arbeiter war zu sehen. Nur ein einzelner Pick-up parkte auf der Straße.

Rose schlich um den Eingang herum. Hinter der Folie war es dunkel. Die Cafeteria schien eine von Menschen erbaute Höhle zu sein, die blaue Plane, die das Dach abdeckte, verlieh dem Ganzen etwas Gruseliges. Rose spürte Kies unter ihren Füßen. Noch immer roch es nach Verbranntem, obwohl der meiste Schutt abtransportiert worden war. Im Schein zweier Halogenleuchten erkannte sie am anderen Ende des Raumes den Rücken eines Arbeiters. Der Mann trug einen weißen Schutzhelm, ein schmutziges weißes T-Shirt und Malerhosen.

»Entschuldigung«, rief sie. Der Arbeiter drehte sich um. Er trug eine Schutzbrille und hörte Musik mit einem iPod.

»Ich habe Sie nicht kommen sehen«, sagte er mit leicht näselnder Stimme. »Kenne ich Sie?« Er zog einen Ohrstöpsel heraus und starrte durch seine Schutzbrille. Dann ließ er seinen Schubkarren stehen und ging auf sie zu. »Natürlich kenne ich Sie. Sie sind die Braut, an der Kurt einen Narren gefressen hat. Die Mom aus dem Fernsehen.«

»Stimmt genau«, antwortete Rose. Ihre Verkleidung war wohl nicht optimal. »Ich wollte mit jemandem über Kurt sprechen.«

»Gern.« Der Arbeiter zog seinen abgetragenen Baumwollhandschuh aus und streckte ihr die Hand hin. »Ich bin Warren Minuti. Ich arbeite auch bei Bethany.«

»Rose McKenna.« Ihre Hand war wie die eines Kindes in Warrens riesiger Pranke.

»Meine Frau und ihre Freundinnen reden über Sie. Sie hängen den ganzen Tag vor dem Fernseher.« Warren schob seine Schutzbrille hoch. »Sie müssen ein guter

Mensch sein, wenn Kurt Sie gemocht hat. Das habe ich auch zu meiner Frau gesagt.«

»Na ja. Ist der Tod von Kurt nicht furchtbar? Er war so ein netter Kerl.«

»Ja, das war er. Wir sind nur zu neunt bei Bethany. Mehr als einen oder zwei Aufträge erledigen wir nicht gleichzeitig. Und jetzt sind Kurt und Hank weg. Das ist sehr schlimm. Und Hank hat Frau und Baby. *Hatte* Frau und Baby.« Warren schüttelte den Kopf. »Nun gut. Was wollen Sie wissen?«

»Kurt hat mich am Montagabend vor dem Unfall angerufen. Er erwähnte einen Kumpel. Der hätte ihm erzählt, dass Arbeiter von Campanile Dosen mit Polyurethan im Lehrerzimmer vergessen haben. Wer dieser Kumpel wohl war?«

»Kurts bester Kumpel war Hank.«

»Hank Powell, der mit ihm gestorben ist?«

»Ja. Heute Abend ist die Totenwache für beide. Morgen werden sie beerdigt.«

»Gehen alle dorthin?«

»Ja. Deshalb ist niemand mehr hier außer mir. Ich schicke meine Frau. Ich besuche nämlich Abendkurse an der Uni. In Jura.«

»Das ist bestimmt nicht einfach. Mein Mann ist Anwalt.« Rose dachte nach. »Kurt hatte auch etwas von neuen Kumpels erzählt. Kennen Sie die?«

»Nein.«

»Hat Hank etwas über die Dosen im Lehrerzimmer gewusst?«

»Keine Ahnung.«

»Hat jemand von Bethany früher bei Campanile gearbeitet?«

»Niemand wechselt von Campanile freiwillig zu uns.« Warren schnaubte. »Campanile, das ist 'ne ganz andere Liga.«

»Wissen Sie etwas über die Polyurethan-Dosen?«

»Nein, nichts.«

Rose überlegte. »Kennt vielleicht einer Ihrer Kollegen jemanden bei Campanile?«

»Könnte sein. Aber das weiß ich nicht. Ich jedenfalls kenne niemanden. Wir sind erst nach dem Feuer gekommen.«

»Ob einer Ihrer Kollegen weiß, wer von Campanile hier gearbeitet hat?«

»Kann ich mir nicht vorstellen.«

»Dann muss ich wohl bei Campanile selbst nachfragen?«

»Da wünsche ich Ihnen schon jetzt viel Glück.« Warren schmunzelte. »Campanile gibt keine Namen raus. Erst recht nicht, wenn ein Prozess droht.«

»Da haben Sie recht.« Rose wechselte das Thema. »Wissen Sie genau, wie Kurts Unfall passiert ist?«

»Kurt saß am Steuer, es war sein Pick-up. Er schoss von der Straße herab und fuhr gegen einen Baum. Der Expressway hat in dem Bereich keine Seitenstreifen.«

Rose musste Warren reinen Wein einschenken, wenn sie etwas Genaueres erfahren wollte. »Ist es nicht seltsam, dass Alkohol im Spiel war?«

»Ich war ein bisschen überrascht.«

»Wieso?«, fragte Rose voller Neugier.

»Meiner Meinung nach haben die Zeitungen den Faktor Alkohol hochgespielt. Kurt hat nie mehr als ein oder zwei Bier getrunken. Er muss müde gewesen sein, wahrscheinlich ist er kurz eingenickt.«

»Und Hank? Trinkt der?«

»Niemals. Nicht mehr. Er war seit drei Jahren trocken. Marie hätte ihm den Hintern versohlt.«

Roses Herz schlug schneller. »Als Kurt mich angerufen hat, klang er ein wenig betrunken, er lallte ein bisschen.«

Warren verzog die Stirn. »Das passt nicht zu ihm. Er war ein verantwortungsvoller Kerl und hat sich um seine Schwester und seine Nichte gekümmert.«

»Ich weiß. Wenn Sie wollen, spiele ich Ihnen die Nachricht vor. Ich habe sie nicht gelöscht.« Rose zögerte. »Vielleicht geht es Ihnen aber zu sehr an die Nerven.«

»Nein, ich will sie hören.«

Rose holte ihr Handy aus der Tasche und spielte Warren die Nachricht vor. Kurts Worte, die über den Lautsprecher kamen, bekamen in der ausgebrannten Cafeteria etwas Unheimliches. Rose wartete auf Warrens Reaktion.

»Das ist mir unerklärlich.« Warren rieb sich das Kinn.

»Er klingt ziemlich betrunken, oder?«

»Ziemlich.«

»Wieso hat Hank ihn fahren lassen? Ist es nicht seltsam, dass ein Mann mit Frau und Kind seinem angetrunkenen Freund erlaubt, sich hinters Steuer zu setzen?«

»Worauf wollen Sie hinaus?«

»Vielleicht hat jemand Kurt umgebracht, weil er zu viele Fragen über das Feuer gestellt hat. Oder weil er über das Polyurethan Bescheid wusste.«

»*Was reden Sie da?«* Warren riss die Augen auf. »Das wäre ja *Mord.*«

»Ich weiß. Ich kann mir einfach nicht erklären, warum Hank Kurt betrunken hat fahren lassen.« Rose überlegte. »Vielleicht hat Hank nur gesehen, dass Kurt wie gewöhnlich seine ein, zwei Bier getrunken hat. Doch jemand hat ihm etwas ins Glas getan. Vielleicht einer von seinen neuen Kumpels. Das wäre doch möglich?«

»Vielleicht. Aber Mord?«

»Dieser Mensch auf der Mailbox klingt doch nicht wie jemand, der nur ein, zwei Bier getrunken hat?«

»Nein. Was ich nicht verstehe: Wieso steigt Hank zu Kurt in den Wagen?«

»Vielleicht hat Kurt kaum geredet. Vielleicht hat Hank geglaubt, sein Kumpel könne fahren. Denn er hat nur gesehen, wie der seine zwei Bier trinkt.« Rose steckte ihr Handy ein. »An der Sache ist etwas faul. Zwei Männer sind tot. Ich wette, es hat etwas mit dem Feuer zu tun.«

Warren blickte sie nachdenklich an. »Gehen wir zur Polizei.«

»Und was erzählen wir denen? Ein Betrunkener ist tödlich verunglückt. Was sollte daran nicht stimmen?«

»Sie haben recht.«

»Außerdem, sie halten auch das Feuer für einen Unfall. Und ich bin bestimmt die letzte Person, der die Polizei Glauben schenken wird.«

»Auch das stimmt. Aber falls jemand Kurt und Hank auf dem Gewissen hat, dann …«

»Dann können Sie mir vielleicht helfen?«, fragte Rose erwartungsvoll.

56

Warren hatte das frische Polohemd und die frischen Hosen, die für die Abendschule gedacht waren, angezogen. Außerdem hatte er sich auf der Toilette der Schule rasiert. Jetzt saß er neben Rose auf dem Beifahrersitz. Im Tageslicht sah er älter aus, Rose schätzte ihn auf fünfunddreißig. Vielleicht lag es aber auch an seinem verbissenen Gesichtsausdruck. Schließlich hatten sie sich einiges vorgenommen. Die Fahrt ging über ländliche Straßen zum Firmensitz von Campanile, in der Nähe von West Chester.

»Wie sieht Ihr Plan aus?« Warren sah zu Rose.

»Sprechen wir erst einmal durch, was wir wissen.« Sie hatte nämlich noch keinen Plan. »Erst danach kann ich sagen, wohin die Reise geht.«

»Klingt überzeugend.«

Rose lächelte. »Das Polyurethan im Lehrerzimmer hat nach Kurts Meinung die Explosion mitverursacht. Außerdem sollen ein Loch in der Gasleitung, defekte Kabel und eine nicht abgearbeitete Mängelliste zur Explosion geführt haben. Was haben Sie gehört?«

»Das Gleiche. Nur die Mängelliste ist mir neu. Mängellisten werden nämlich nie abgearbeitet – und trotzdem fliegt nichts in die Luft.«

»Was war die Ursache?«

Warren zuckte mit den Schultern. »Den Bericht der Feuerwehr wird es erst in einigen Wochen geben. Und dann geht's mit den Prozessen los.«

»Gut, dann müssen wir ran. Sie sind der Experte, denn ich bin nur … eine Mutter.«

Warren lächelte ihr ironisch zu. »Lady, ich halte Sie für ganz schön clever.«

Rose lächelte zurück und verlangsamte die Fahrt. Sie überholte eine Kutsche, auf deren Bock ein Amisch saß. Er hatte den Kopf gesenkt, sodass man unter seinem Strohhut nur seinen weißen Bart erkennen konnte. »Einen Vorteil haben wir. Sie denken, es war ein Unfall. Wir nicht.«

»Okay.«

Rose dachte an ihr Gespräch mit Kristen. »Die Wandschränke wurden am Donnerstag, dem Tag vor der Explosion, lackiert. Das finde ich seltsam.«

»Wieso?«

»In meinem neuen Haus wurde alles lackiert, bevor ich eingezogen bin. Die Wandschränke im Lehrerzimmer waren auch bereits lackiert. Ich habe es auf einem Foto gesehen. Wieso brauchen sie plötzlich einen zweiten Anstrich? Einen Monat nach Schulbeginn?«

»Und die Lehrer essen in diesem Raum?«

»Einige schon.«

Warren rümpfte die Nase. »Das Zeug stinkt doch.«

Rose dachte wieder an Kristen. Pferdeweiden mit

Schuppen zum Unterstellen und handgemalte Schilder, die für Fahrten auf dem Heuwagen an Halloween und den Besuch von Maislabyrinthen warben, flogen an ihnen vorbei. »Das Lehrerzimmer stank auch danach.«

»Da fällt mir was ein.«

»Was?«

»Polyurethan absorbiert Gasgeruch.«

Rose horchte auf. »Wenn also jemand ein Leck in die Gasleitung machen will, lackiert er vorher ein paar Schränke – und niemand riecht dann das ausströmende Gas.«

»Genau.«

»Wie macht man ein Leck? Ist das schwierig?«

»Nein, das ist einfach. Das Leck war in einem Dreiviertel-Zoll-Rohr in der Wand zwischen Küche und Lehrerzimmer. Ich habe es beim Aufräumen gesehen. Jemand könnte Donnerstagnacht in das Gebäude eingestiegen sein und das Ventil in der Wand aufgedreht haben.«

»Und das Loch in der Wand?«

»Wenn es zum Beispiel hinter einem Schrank ist, sieht es niemand. Das Gas kann ausströmen, und niemand riecht es wegen des Polyurethans. Außerdem gewöhnt sich der Mensch nach einer gewissen Zeit an Gasgeruch.«

Das hatte ihr auch Kurt erzählt. »Nehmen wir mal an, jemand hat die Wandschränke lackiert, damit niemand das ausströmende Gas riecht. Wie kommt es aber zur Explosion?«

»Dazu braucht es nur einen Funken.« Warren verzog gedankenverloren die Stirn.

»Können lose Elektrodrähte für Funkenschlag sorgen?«

»Schon. Aber nur vielleicht.« Warren schüttelte den Kopf. »Das ist keine sichere Methode.«

»Was ist eine sichere Methode?«

»Der Funkenschlag muss nicht in der Wand passieren. Ein Elektrogerät oder der Herd im Lehrerzimmer könnten ihn genauso verursacht haben.«

Rose dachte an Kristens Veggieburger. »Auch eine Mikrowelle?«

»Klar. Vielleicht hat man die Mikrowelle manipuliert.«

»Wie?«

Warren sah Rose in die Augen. »Haben Sie je Alufolie in eine Mikrowelle gelegt? Wie schön es dann blitzt und wie die Funken sprühen!«

»Aber die Lehrer hätten die Alufolie bemerkt.«

»Nicht, wenn sie gut versteckt war. Zum Beispiel im Plastikteil oben.« In Warren kam Leben. »Ich hab's. So wird es gewesen sein: Am Donnerstag lackiert der Täter die Wandschränke und lässt die Dosen stehen. Am Abend, wenn die Schule leer ist, versteckt er Alufolie in der Mikrowelle. Danach dreht er ein Ventil in der Gasleitung auf und löst die Kabel in der Wand. Ein Elektriker braucht dazu eine Viertelstunde. Dann lässt er die Deckel auf den Lackdosen ein bisschen offen, damit die Dämpfe in die Mikrowelle ziehen können. Niemand wird etwas bemerken, weil es im Lehrerzimmer eh stinkt. Außerdem hängen überall Schilder herum: VORSICHT! FRISCH GESTRICHEN!«

Rose war etwas verwirrt. »Aber wie gelangen die Dämpfe in die Mikrowelle? Ich dachte immer, diese Geräte seien hundertprozentig dicht.«

»Das sind sie nicht. Ein Funkenschlag in der Mikrowelle, dazu die eindringenden Dämpfe des Lacks und eine lecke Dreiviertel-Zoll-Gasleitung – da kracht und knallt es gewaltig.« Warren simulierte mit seinen Riesenhänden eine gewaltige Explosion.

»Wozu dann aber noch die defekten Kabel? Ist das nicht des Guten zu viel?« Rose überlegte und fand selbst die Antwort. »Nein, überhaupt nicht.«

»Wieso nicht?«

»Weil die Kabel eine plausible Ursache für das Feuer abgeben. Es sieht nach einem Unfall aus. Niemand kommt auf die Idee, es handle sich um Brandstiftung.«

»Richtig.« Warren nickte. »Für einen Elektriker ist das alles ein Kinderspiel. Und wenn er in der Schule gearbeitet hat, ist es kein Problem für ihn, an die Schlüssel ranzukommen. Campanile ist der Generalunternehmer.«

»Wir müssen also die Elektrofirma herausfinden, die Campanile engagiert hat.«

»Und wie wollen Sie die herausfinden?«

»Ich überhaupt nicht«, entgegnete Rose. »Sie machen das.«

»Ich?« Warren sah Rose an, als sei sie übergeschnappt. »Und wie?«

»Sie sind doch Zimmermann?«

»Schon mein ganzes Leben. Wie mein Vater.«

»Dann bewerben Sie sich bei Campanile um einen Job.« Rose beeilte sich, denn es war schon Viertel nach vier, und sie wollten vor Büroschluss bei Campanile ankommen. »Sie werden bei einem Bewerbungsgespräch alle wichtigen Informationen auf eine zwanglose Weise aus Campanile herauslocken.«

»Wie das?«

»Sie sind doch vom Baugewerbe, also sind Sie die ideale Besetzung für die Rolle. Außerdem sind Sie nicht von hier. Sie können also eine Menge Fragen stellen, ohne Verdacht zu erregen. Wo kommen Sie eigentlich her?«

»Aus Arlington, Texas.«

»Dann setzen Sie Ihren seltsamen Akzent ein.«

»Klar, Ma'am. Und wie lautet mein Text?«

»Behaupten Sie, dass Texaner nicht kleckern, sondern klotzen. Deshalb wollen Sie bei Ihrem neuen Job ganz oben anfangen. Und Campanile ist doch die absolute Top-Firma in der Gegend.«

»Ich soll mich also einschleimen.«

Rose nickte. »Als was würden Sie gerne bei Campanile arbeiten?«

»Als Projektmanager.«

»Sehr gut. Haben die überhaupt Projektmanager?«

»In Massen.«

»Da Sie neu in der Gegend sind, kennen Sie natürlich keine Subunternehmer.«

»Soll ich Reesburgh erwähnen?«

»Besser nicht. Niemand darf Sie mit dem Feuer in Verbindung bringen.«

»Und wie bekomme ich die Namen der Firmen, die in der Schule gearbeitet haben?«

»Subunternehmer sind doch wichtig?«

»Und wie.« Warren neigte den Kopf zur Seite. »Ein fertiger Bau ist nur so gut wie die Summe seiner Subunternehmer.«

»Genau. Erzählen Sie Ihnen, dass Ihre Spezialität das Management von Subunternehmen ist. Dabei laufen Sie zur Höchstform auf. Geben Sie eine Geschichte aus Texas zum Besten.«

»Ich habe keine.«

»Dann denken Sie sich eine aus.« Rose war sich nicht sicher, ob sie mit diesem Plan nicht schon wieder ihre selbstauferlegte Lügenabstinenz brach. Aber sie war ja nicht diejenige, die Campanile einen Bären nach dem anderen aufbinden musste. »Lassen Sie Namen von Firmen in Arlington fallen. Bringen Sie das Gespräch auf Elektrofirmen hier in der Gegend. Schaffen Sie das?«

»Klar.« Warren straffte sich.

»Campanile ist eine große Firma. Wahrscheinlich haben die eine eigene Personalabteilung – und von der kennt sich wahrscheinlich keiner mit Subunternehmern aus.«

»Daran habe ich auch schon gedacht. Ich sage, dass ich extra hierhergeflogen bin. Deshalb möchte ich auch mit jemandem reden, der nicht in der Verwaltung arbeitet, sondern vor Ort.«

»Okay, sehr gut.« Rose begann, sich um Warren Sorgen zu machen. »Tun Sie nichts, was Verdacht gegen Sie schüren könnte. Wenn die Kurt auf die Schliche gekommen sind, dann schaffen sie es auch bei Ihnen.«

»Das sollen die mal versuchen.« Warren zog die Augenbrauen hoch. »Ich bin aus Texas.«

57

Rose saß in dem Fahrersitz und tat so, als würde sie sich mit ihrem Blackberry beschäftigen. Dabei konnte sie durch die Sonnenbrille kaum das Display erkennen. Warren hatte um 16:50 Uhr den Firmensitz von Campanile betreten. Jetzt war es 17:45 Uhr. Ob er es sogar bis zu einem zweiten Interview geschafft hatte? Doch Rose begann, sich Sorgen zu machen. Hoffentlich hatte sie ihn nicht in Gefahr gebracht.

Ihr Wagen stand in der letzten Reihe des Parkplatzes, so konnte ihn niemand vom Eingang her sehen. Immer wieder blickte sie in den Rückspiegel, in der Hoffnung, Warren würde auftauchen. Die Verwaltung von Campanile befand sich in einem typischen Gewerbegebiet: unauffällige Gebäude mit Steinfassaden und getönten Fenstern. Jede Firma hatte ihren eigenen Parkplatz.

Angestellte von Campanile verließen das Firmengebäude. Alle trugen weiße ID-Karten um den Hals, redeten, lachten, zündeten sich eine Zigarette an und gingen zu ihren Wagen. Anfangs tauchten nur Frauen auf, dann auch Männer. Viele von ihnen trugen marineblaue Polohemden mit dem Campanile-Signet. Auf ihren marineblauen Kuriertaschen stand CAMPANILE GROUP.

Rose hatte das Seitenfenster heruntergedreht. Es war heiß. Der Wind wehte ein paar Gesprächsfetzen zu ihr herüber. »Hab ich dir nicht gesagt, du sollst ihn anrufen? Keine Mails. Er hat eine Erklärung verdient.« Oder: »Das Treppenhaus müssen wir versetzen. Am besten auf die Südseite. Dann ist das Problem gelöst.« Oder: »Mach die Kalkulation, Don. Du musst das richtig durchrechnen.«

Zwei Männer in Anzügen kamen aus dem Gebäude. Der eine war klein und glatzköpfig, der andere hatte dunkles Haar, war ungefähr einsneunzig groß und wog gut einen Zentner. Rose kam der Große bekannt vor, sie wusste aber nicht, woher. Er redete auf den Kleinen ein, sprach aber zu leise. Sie konnte nichts verstehen.

Während der Große zu seinem Wagen ging, versuchte sie ihn einzuordnen. Der Wind wehte seine Anzugsjacke auf, und zum Vorschein kamen ein riesiger Bauch und eine Pistole, die in einem Schulterhalfter steckte. Rose erschrak. Wo, verdammt, hatte sie diesen Mann schon einmal gesehen? Er öffnete mit der Fernbedienung einen marineblauen SUV, auf dessen Seitentür das Campanile-Signet angebracht war.

Von der Schule kannte sie ihn nicht. Hatte sie ihn vielleicht auf einer Party gesehen? Sie wurde schon lange nicht mehr zu Partys eingeladen. Oder hatte sie ihn vielleicht auf der Straße gesehen?

Plötzlich drehte sich der Glatzkopf, der vor seinem Wagen stand, noch einmal um. »Hey, Mojo!«, rief er dem Großen zu.

»Was ist?«

»Ich hab mir's anders überlegt. Dienstag ist besser.«

Der Große winkte dem Kleinen zu und stieg in seinen SUV.

Mojo?

Rose kannte keinen Mojo. Wahrscheinlich war es

sein Spitzname. Sie holte ihr Handy aus der Tasche und machte, als er an ihr vorbeifuhr, ein Foto. Sie vergrößerte das Bild und starrte es an. Diese lange Nase, dieses dunkle Haar, dieses volle Gesicht kamen ihr bekannt vor.

Jetzt! Sie hatte den Mann gestern Abend in einem der Videos von Tanyas TV-Station gesehen. Auf ihrem Blackberry suchte sie die Website des Senders und sah sich Tanyas Interview mit Eileen Gigot noch einmal an. Bei dem Foto von Eileens Mann in der Fabrik stoppte sie das Video. Einer seiner Arbeitskollegen auf dem Bild sah wie Mojo aus. Um seinen Namen lesen zu können, war das Bild zu klein. Ob das alles wichtig war? Sie hatte keine Zeit, darüber nachzudenken.

Denn Warren marschierte geradewegs auf ihren Wagen zu.

58

»Endlich!« Rose sperrte die Tür auf, und Warren zwängte sich in den Wagen.

»Wir haben uns getäuscht.«

»Wie meinen Sie das?« Rose glaubte, eine Veränderung an Warren zu bemerken. Er wirkte reservierter. Sie fuhr los. »Erzählen Sie.«

»Ich habe mit der Dame von der Personalabteilung gesprochen. Campanile hat im Moment keine Jobs. Und Projektmanager werden nur intern ausgeschrieben. Ob ich mit einem vom Fach reden könnte, habe ich dann gefragt. Die standen gerade auf dem Gang herum, alles nette Kerle. Da hat sie einen für mich ausgesucht, Chip McGlynn. Wir haben uns hingesetzt und miteinander geplaudert. Jetzt nach links.« Warren zeigte auf eine Abbiegung. »Wenn Sie mich zum Zug fahren, schaffe ich es noch zum Unterricht. Der Bahnhof ist in der Lancaster Avenue. Chip wollte mich sogar hinbringen.«

»Hat er Ihnen den Namen der Elektrofirma genannt?«

»Er wusste ihn nicht. Ich wollte ihn auch nicht drängen.«

»Er wusste ihn nicht? Er ist doch Projektmanager!«

»Wahrscheinlich wusste er ihn, ist aber nicht damit rausgerückt. So was ist üblich. Viele Generalunternehmer hüten die Namen ihre Subunternehmer wie ein Geheimnis.«

Rose verzog die Stirn. »Das hätten Sie mir auch früher sagen können.«

»Stimmt. Aber ich habe mich mit Chip gut unterhalten, seine Kollegen sind nett, und die Büros sind schön eingerichtet. Die bringen doch niemanden um. Das ist lächerlich.«

»Wie wollen Sie das beurteilen, wenn …«

»Sie haben mir sogar die erste freie Stelle versprochen. Wenn ich meine Prüfung bestehe, stellen sie mich sofort als Projektmanager ein. Und ich werde nicht nein sagen.«

»Sie wollen für die arbeiten?« Rose war überrascht. »Vielleicht sind sie schuld am …«

»Sie haben da so ein Ding, *Wall of Fame* nennen sie es.

Mit allen Preisen und Auszeichnungen, die man sich nur wünschen kann. Einige sind sogar vom Staat. Die bauen die richtig großen Dinger.«

»Und was ist mit Kurt und Hank?«

»Ich kann's nicht erklären, aber ich bin mir hundertprozentig sicher. Chip und seine Kollegen haben niemanden umgebracht. Die haben auch keine Schule in die Luft gejagt.« Warren zuckte mit den Schultern. »Überall hängen Fotos von Kindern. Sie sind Sponsor eines Softballvereins und unterstützen das Kinderhilfswerk. Ein kleiner Junge durfte auf einer hydraulischen Hebebühne mitfahren.«

»Kurt hat gesagt, dass die Lackdosen …«

»… jemand hat stehen lassen. Betonung auf *jemand*! Und das auch bestimmt nicht mit Absicht. Ich sage Ihnen was. So etwas passiert jeden Tag. Der Durchschnittsarbeiter ist ein Schlamper.«

Rose wechselte das Thema. »Einer von Ihren netten Kerlen trägt übrigens eine Pistole. Ich hab's gesehen.«

»Dann arbeitet er beim Sicherheitsdienst oder fährt Löhne aus. Leute, die eine Waffe tragen, sind doch nicht automatisch schlecht. Mein Dad hat zwei Gewehre in seinem Lieferwagen. Und er ist der beste Mensch, den ich kenne.«

»Der hier sah nicht so aus, als würde er Löhne ausfahren. Das war ein hohes Tier mit Krawatte. Er heißt Mojo.«

»Mojo?« Warrens Augen strahlten. »Den habe ich gerade kennengelernt. Ein *großartiger* Typ. Joe Modjeska. Er kümmert sich um die Sicherheit.«

Rose merkte sich den Namen. »Und das bedeutet?«

»Mojo ist der Chef der Security. Deshalb trägt er eine Waffe. Er benutzt einen Dreiundsechziger.«

»Er benutzt was?«

»Ich meine beim Golf. Er spielt mit einem 36-Schläger. Er hat das Promi-Golfturnier gewonnen, hat gegen Cole Hamel und Werth gespielt. Mojo will mir nächstes Jahr ein Ticket besorgen.« Warren freute sich wie ein kleiner Junge.

Rose bog in die Lancaster Avenue ein. »Sie haben sich ganz schön beschwatzen lassen.«

»Falsch. Jetzt weiß ich wieder, was Sache ist.« Warrens Ton wurde nüchterner. »Vergessen Sie das Ganze.«

»Die haben Ihnen doch mit Absicht Honig um den Bart geschmiert.«

»Warum sollten sie das tun? Die kennen mich doch überhaupt nicht. Und Reesburgh habe ich mit keiner Silbe erwähnt.«

Rose sagte erst einmal kein Wort mehr. Vor einem Donuts-Laden, einer Bank und einem Coffee Shop stauten sich die Wagen. Rose fuhr an ihnen vorbei. »Wieso braucht eine Baufirma einen Sicherheitschef? Ist das nicht seltsam?«

»Überhaupt nicht. Wenn Sie wüssten, was alles auf Baustellen geklaut wird. Die nehmen alles mit, was nicht niet- und nagelfest ist. Kupferrohre, Generatoren, Bohrmaschinen, alle Arten von Werkzeug. Bethany ist zu klein. Meine Firma kann sich keine Security leisten.«

»Mojo besucht die Baustellen, um die Sicherheit zu checken?«

»Genau.«

»Er hat also Zugang zu allen Baustellen? Und das zu jeder Zeit?«

Warren hob die Hände. »Stopp! Jetzt verrennen Sie sich wieder.«

»Er könnte die Mikrowelle manipuliert haben.«

»Das ist Unsinn«, sagte Warren voller Hohn. »Er würde so etwas nie tun. Er ist auch kein Elektriker. Hören Sie, ich habe Kurt und Hank wie meine Brüder geliebt. Aber ich glaube nicht, dass sie ermordet wurden.«

»Ich schon.« Ein Schauder lief ihr über den Rücken, nachdem sie diese Vermutung ausgesprochen hatte.

»Kurt hatte zu viel getrunken, und Hank hatte seinen Verstand ausgeschaltet. Jetzt sind beide tot, und nichts und niemand bringt sie wieder zurück.« Warren zeigte auf die linke Straßenseite. »Da ist der Bahnhof.«

»Vielen Dank für Ihre Unterstützung.« Rose fuhr auf den Parkplatz.

»Gern geschehen.« Warren stieg aus dem Wagen. »Sie werden weitermachen. Hab ich recht?«

»Sie haben recht.« Rose dachte an Leo, der sich oft über ihre Verbohrtheit ärgerte.

»Tun Sie, was Sie nicht lassen können. Alles Gute.«

»Ihnen auch.« Rose sah ihm nach und überlegte, was sie als Nächstes tun sollte. Sie brauchte Informationen über Mojo. Bei Google gab sie Joseph Modjeska ein und klickte auf den ersten Link:

Einbrüche im Gewerbegebiet.

… Der Sicherheitschef Joe Modjeska war froh, dass

in die Büros von Campanile nicht eingebrochen worden war. Alle Laptops waren noch an ihrem …

Die meisten Links führten zu Pressemitteilungen, es gab auch Fotos vom Golfturnier mit Justin Timberlake und Charles Barkley. Die Mitteilung über Mojos Anstellung las sie genauer:

Der Generaldirektor von Campanile, Ralph Wenziger, freut sich, in Joe Modjeska einen neuen Sicherheitschef gefunden zu haben. Wenziger sagte: »Joe bringt sehr viel Erfahrung mit. Er hat die letzten vier Jahre erfolgreich beim staatlichen Sicherheitsdienst von Maryland in Baltimore gearbeitet …«

Die Presseerklärung war keine sechs Monate alt. Mojo war also neu bei Campanile. Rose gab im Web-Adressbuch seinen Namen ein:

837 Hummingbird Lane, Malvern, PA, war seine Adresse.

Jetzt musste sie nur noch ihr Navi mit dieser Information füttern.

59

Rose parkte vor Mojos Haus und staunte. Es war eine Villa aus Feldstein mit einem gewaltigen Eingangsbereich und zwei gigantischen, gleich großen Seitenflügeln links und rechts. Die Villa war an einen steilen Hang gebaut und so weit von der Straße entfernt, dass keine Gefahr für Rose bestand, entdeckt zu werden. Hinter dem

Gebäude ragte eine Vielzahl von alten, hohen Bäumen in den herbstlichen Himmel. Rose schätzte den Wert des Hauses auf ungefähr anderthalb Millionen Dollar. Und Rose war Expertin. Wochenlang hatte sie den Immobilienmarkt in und um Reesburgh studiert. Das Studium von Pornoseiten war ihrer Meinung nach nichts dagegen.

Sie konnte es nicht fassen. Mojo hatte vier Jahre für den Staat Maryland gearbeitet und das letzte halbe Jahr für Campanile. Selbst wenn er bei der Baufirma göttlich bezahlt würde, könnte er sich nie ein solches Haus leisten. Eine Textmitteilung riss sie aus ihren Gedanken. Die SMS war von Leo:

Zu viel Arbeit, um zurückzurufen. Alles okay?

Rose seufzte. Das war eine sehr formelle Nachricht, ohne ein bisschen Wärme. Zumindest waren sie noch verheiratet. Rose antwortete:

Ja. Pass auf dich auf. Ich liebe dich.

Es war 19:15 Uhr. Allmählich wurde es dunkel. Draußen kühlte es ab. Ihre Gedanken wanderten zu Melly und John. Sie rief Gabriella an, die nach dem ersten Klingelzeichen den Hörer abhob.

»Rose, wie geht es dir? Kommst du voran?«

»Ja. Und wie läuft's bei euch?«

»Alles bestens. Melly ist mit Mo weggegangen, und John vergnügt sich mit meinem Armband. Er hat einen exquisiten Geschmack.«

Rose behielt Mojos Haus im Auge. »Ich brauche noch ein bisschen. Könnt ihr noch ein, zwei Tage durchhalten?«

»Hoffentlich lässt du uns die beiden bis zum Wochenende. Melly macht mit Mo den Garten. Du wirst staunen.«

»Ich bin euch sehr dankbar«, sagte Rose.

»Das wissen wir. Aber jetzt muss ich unserem Baby Sprechunterricht geben. Auf dem Lehrplan steht heute das Wort Oma. Bye.«

»Bye.« Rose starrte das Haus an. Wie sollte es weitergehen? Es fiel ihr schwer, ganz allein Entscheidungen zu fällen. Meistens folgte sie Leos Ratschlägen. Ihr Blick fiel auf die vorletzte Textnachricht. Sie hatte nicht bemerkt, dass sie angekommen war. Die SMS war von ihrer Freundin Annie.

Was hat es mit diesem Thomas Pelal auf sich? Ruf mich an. Du brauchst mich.

Sofort rief sie Annie an.

60

Ein Duft von Rosmarin erfüllte das kleine Hotelzimmer. Vom Fenster aus konnte man die Lichter von Philadelphia und den Delaware River sehen, der sich wie eine Python schwerfällig an der Stadt vorbeischlängelte. Auf dem Wägelchen des Room Service lagen die Reste eines gebratenen Huhns. Rose hatte Annie alles über Thomas Pelal erzählt, was beide zu Tränen rührte. Danach hatte sie ihre beste Freundin auf den allerneuesten Stand gebracht.

»So, so, so.« Annie kratzte sich am Kopf. Ihre Fingernägel bohrten sich in ihr Haar wie ein Korkenzieher. »Dieser Mojo ist ein seltsamer Vogel. Wozu braucht er eine Knarre? Um Kupferrohre zu beschützen?«

Rose, die im Sessel saß, zog die Knie zur Brust. Endlich war jemand da, der sie ernst nahm. »Dann spinne ich also nicht?«

»Nein. Der Typ ist nicht ganz astrein. Deshalb mache ich mir Sorgen um deine Sicherheit.« Annie zog den Saum ihres weißen Sommerkleides über ihre glatten Beine. Sie war barfuß, ihre Zehennägel waren knallrot lackiert. »Um zur Polizei zu gehen, hast du zu wenig Beweise. Aber warum engagierst du nicht einen Privatdetektiv?«

»Ich möchte der Sache allein auf den Grund gehen. Und irgendwie glaube ich, dass ich die Einzige bin, die das kann.«

»Und wenn dich etwas ganz anderes antreibt?« Annie schürzte die Lippen. »Wenn du dich so schuldig wegen Amanda fühlst, dass du einen verbrecherischen Hintergrund für das Feuer suchst, um dich reinzuwaschen?«

»Nein, das stimmt nicht. Ich wäre froh, wenn sie mich in der Stadt nicht mehr hassen würden. Doch darum geht es nicht. Es geht nicht um mich, auch nicht um Amanda oder Melly.«

»Willst du das, was du Thomas Pelal angetan hast, wiedergutmachen?«

»Ich glaube nicht.«

»Warum hast du mir nicht davon erzählt, Rose?« Annie neigte den Kopf zur Seite, ihre Stimme klang sanft.

»Ich hätte dich nicht verurteilt. So etwas kann jedem passieren.«

»Ich habe mich geschämt, entsetzlich geschämt.« Rose fuhr sich mit den Fingern durchs Haar. »Aber ich habe Thomas Pelal jetzt endlich ziehen lassen. Ich werde zwar immer um ihn trauern und ihn nie vergessen, doch das ist etwas anderes.«

»Ich verstehe.« Annie fixierte Rose mit ihren ruhigen dunklen Augen. »Du hast dich verändert. Du willst das Übel an der Wurzel packen. Du willst verstehen, was wirklich passiert.«

»Anstatt wegzulaufen?«

»Genau. Ich bin stolz auf dich.« Sie lächelte. »Aber da gibt es ein Problem. Ich habe Angst um dich. Diese Typen verstehen keinen Spaß. Mir gefällt es nicht, wenn du ihnen nachspionierst. Und den Typen wird es noch weniger gefallen.«

»Ich weiß.« Rose machte sich auch Sorgen. Sie war Mutter von zwei Kindern. Der Anblick von Mojos Pistole hatte sich in ihr Gehirn gebrannt.

»Ich habe eine Idee.« Annie entspannte sich. »Du schläfst heute Nacht bei mir. Es gibt ein Extrabett.«

»Wenn es dir nichts ausmacht, sehr gern. Ich will nicht nach Hause nach Reesburgh. Ich sitze irgendwo zwischen den Stühlen.« Rose kannte das wahre Problem. »Ich hasse es, wenn Leo und ich streiten.«

Annie schüttelte den Kopf und lächelte. »Sieh uns an. Aus wilden Mädchen sind ordentliche Ehefrauen geworden.«

Rose fragte sich, ob sich die Beziehung mit Leo noch

einmal einrenken würde. Ob sie Melly noch einmal in die Schule von Reesburgh schicken konnte? Sie wusste es nicht. »Mein Leben ist mir plötzlich zu eng geworden.«

»Das war es immer, du Dummchen. Jetzt hast du die Gelegenheit auszubrechen. Mach es. Leo wird dir folgen. Ihr habt einen stinknormalen Ehestreit.«

»Das wird sich zeigen.« Rose ahnte, dass es komplizierter war. »Jeder von uns muss einiges ändern.«

»Meine Worte.« Annie stand auf. Sie war voller Tatendrang. »Ich helfe dir dabei.«

»Und wie?«

»Steh auf. Du bleibst ja über Nacht. Es wird Zeit, dass wir loslegen.« Annie ging zu ihren schwarzen Taschen, die sich neben ihrem Koffer stapelten.

»Was hast du vor?«

»Das wirst du sehen.«

61

Rose hielt die Augen geschlossen, während Annie zauberte. Auf dem mobilen Toilettentisch der Maskenbildnerin sammelten sich Schwämmchen, Puderquasten und gebrauchte Wattestäbchen. Die Hauptarbeit hatte sie gestern Abend erledigt, heute früh ging es nur noch um die Feinheiten. Die Sonne schien ins Hotelzimmer, im Frühstücksfernsehen wurde gerade ein französischer Koch interviewt.

»Bis du bald fertig?« Rose nippte an ihrem kalt gewordenen Kaffee.

»Zieh die Augenbrauen hoch, aber halte die Augen geschlossen. In zwei Minuten ist es so weit.«

Rose spürte den Stift an ihren Brauen. »Es muss nicht perfekt sein.«

»Sei ruhig. Sonst verpass ich dir eine neue Nase.«

»Brauch ich nicht.«

»Dabei sind Nasen meine Spezialität. Es ist eine Schande, dass du keine neue brauchst.«

»Beeil dich.«

»Okay, es ist vollbracht. Öffnen Sie die Augen.«

»Wahnsinn.« Rose betrachtete sich im Spiegel und erkannte sich kaum wieder. Ihr Haar war nicht mehr dunkel, sondern rötlich; es war nicht mehr lang, der neue Stufenschnitt reichte nur noch bis zu den Ohren. Die Augenbrauen waren jetzt rotbraun, die Hautfarbe hatte Annie abgedunkelt. Niemand, der sie im Fernsehen oder in der Zeitung gesehen hatte, würde sie wiedererkennen. Und das war auch wichtig – für das, was sie heute vorhatte. Sie stellte die Kaffeetasse ab. »Vielen, vielen Dank!«

»Ich habe noch was.« Annie gab ihre eine pinkfarbene Brille aus Plastik. »Ist die nicht abscheulich?«

»Zum Kotzen.« Rose setzte sie auf. »Wo findet man so was?«

»In einem Laden mit allerhand Gerümpel im Village. Die Brille stammt aus den frühen Achtzigern. Jetzt kannst du dich problemlos unter die Leute mischen. Dein neues Aussehen wirkt auf jedermann abschreckend.«

»Wie wunderbar.«

»Sitzen die Pflaster richtig?«

»Ja, danke.« Roses Brandwunden heilten gut, an Hand und Knöchel brauchte sie keinen Verband mehr.

»Sei vorsichtig und melde dich. Und bitte setze die Sonnenbrille nicht mehr auf. Die Leute sehen sich jemanden mit Sonnenbrille genauer an. Mein Gott, dein neues Haar ist zum Verlieben.«

»Das finde ich auch.« Rose schüttelte den Kopf. »Ich fühle mich wie neugeboren!«

»Jede Frau fühlt sich wie neugeboren, wenn sie vom Friseur kommt.« Annie sammelte ihre Utensilien ein. »Auf geht's zu neuen Schandtaten!«

Rose drückte Annie fest an sich. »Kann ich dich mit dem Durcheinander allein lassen?«

»Kannst du.«

»Dann bin ich weg.« Aber sie blieb doch noch, denn Tanya Robertson erschien auf dem Bildschirm, hinter ihr wurde ein Foto von Amanda Gigot eingeblendet.

O nein. Bitte, sei am Leben.

»Die junge Amanda Gigot liegt noch immer im Koma«, begann Tanya, »noch immer kämpft das Mädchen um sein Leben. Währenddessen liegt der offizielle Brandbericht der Feuerwehr jetzt vor. Es handelte sich nicht um Brandstiftung, so das Urteil der Experten. Inzwischen gehen die Schüler der Grundschule wieder ganz normal zum Unterricht, und auch die Cafeteria wird bald wieder aufgebaut sein. Der Friede kehrt allmählich in diese liebliche Gemeinde zurück, der vom Schicksal so arg mitgespielt worden ist.«

Rose schüttelte den Kopf. »Die macht sich's ja einfach.«

»Die Staatsanwaltschaft«, fuhr Tanya fort, »wird, sobald die Ermittlungen abgeschlossen sind, wahrscheinlich Anklage wegen des Feuers und der Verletzungen von Amanda Gigot erheben.«

»Damit bin ich gemeint.«

Annie gab Rose einen Klaps auf den Rücken. »Lass dich nicht verunsichern. Du wirst es allen zeigen.«

»Wie recht du hast.«

Keine fünfzehn Minuten später war Rose mit ihrem Wagen Richtung Süden unterwegs. Die Sonne schien, der Himmel war klar. Ihr kurzes Haar flatterte im Wind. Sie war entschlossener denn je.

Noch zwei Stunden bis zu ihrem Ziel.

62

Rose schob ihre falsche Brille hoch und ging zum Schalter. In der Hand hielt sie einen Stenoblock, den sie in einem Laden ein paar Häuser weiter gekauft hatte. Das Büro der Gesellschaft für Sicherheit und Gesundheit am Arbeitsplatz war klein. Eine altmodische Garderobe, ein Schirmständer und ein künstlicher Feigenbaum schmückten den Empfang. Derangierte Stühle, die nicht zueinanderpassten, waren um einen Tisch gruppiert, auf dem Broschüren der Gesellschaft und eine uralte Ausgabe des *People*-Magazins bereitlagen.

»Kann ich Ihnen helfen?«, fragte eine ältere schwarze Frau. Sie lächelte freundlich.

»Hi, ich bin Annie Adler.« Rose war sich sicher, dass dies ihre letzte Lüge war. Manche Laster konnten aber auch zu einer Sucht werden. »Joe Modjeska schickt mich. Mojo, Sie kennen ihn? Er hat bis vor einem halben Jahr hier gearbeitet.«

»Mojo, natürlich! Wie geht's ihm? Ich mag ihn sehr.«

»Er arbeitet bei Campanile in Pennsylvania, direkt hinter der Grenze.«

»Er hat immer verkündet, er sei zu Höherem berufen. Ein großer Mann mit Persönlichkeit.«

»Und sportlich.«

»Ja. Golf, Golf und Golf. Mojo lebt für diesen Sport.«

»Ich hingegen lebe für Schuhe.«

»Ha!« Die Frau hinterm Schalter gab Rose die Hand. »Ich bin Julie Port. Wie kann ich Ihnen helfen?«

»Ich schreibe für *Jagd & Landleben.* Das ist ein Magazin, das in Süd-Pennsylvania erscheint, wo Mojo jetzt lebt.« Rose fuchtelte mit ihrem Stenoblock herum. »Wir machen ein kleines Portrait von ihm. Vielleicht können Sie mir ein, zwei Fragen beantworten. Gute Presse schadet niemandem.«

»Natürlich.« Julie sah sich um. Der Warteraum war leer. »Heute ist nicht viel los. Ein paar Minuten hätte ich Zeit. Und für Mojo immer.« Sie stand auf und öffnete eine Schwingtür. »Gehen wir in den Pausenraum.«

Rose folgte ihr. Einige der Mitarbeiter saßen am Computer, andere telefonierten. Der Pausenraum lag am Ende eines Ganges. Er war bestückt mit ein paar Getränkeautomaten, einem Plastiktisch und Plastikstühlen.

»Nehmen Sie doch Platz.«

Rose setzte sich und legte den Block bereit. »Er hat hier vor ungefähr fünf Jahren angefangen zu arbeiten. Vorher war er bei Homestead in Reesburgh, wenn ich richtig informiert bin.«

»Stimmt. Auch dort war er Chef der Security.« Julies Gesicht verfinsterte sich. »Das hat ihn schwer getroffen.«

»Was hat ihn schwer getroffen?« Rose hatte keine Ahnung, wovon sie sprach.

»Er hat sich große Vorwürfe gemacht. Dabei war es nicht seine Schuld. Unfälle mit Gabelstaplern sind nichts Außergewöhnliches. Er war nicht schuld am Tod dieses Arbeiters.«

Hoppla! Da ging es offenbar um Bill Gigot. »Mojo hat so ein großes Herz.«

»Das hat er«, pflichtete Julie bei. »Er ist ein ausgezeichneter Sicherheitsmann, äußerst gewissenhaft. Dafür lege ich meine Hand ins Feuer.«

»Das sehe ich auch so.«

»In dem Lager, in dem der Mann gearbeitet hat, muss die Beleuchtung schlecht gewesen sein. Außerdem war er kein erfahrener Gabelstaplerfahrer. Mojo hatte ihm übrigens den Job in der Erdnusshalle besorgt.«

Rose machte sich Notizen. »Erdnusshalle?«

»Dort, wo sie die Cracker mit Erdnussbutter herstellen. Jedenfalls hatte der Kerl keine große Erfahrung. Gabelstapler dürfen nur bestimmte Wege fahren. Das ist nicht wie beim Dreirad.«

»Bestimmt nicht.« Rose schrieb mit.

»Mojo hat nicht gern darüber gesprochen. Aber ich weiß, wie sehr er darunter gelitten hat. Er selbst hat ihn bei einer seiner Runden gefunden. Der Kerl war vom Ladedock heruntergefallen und war sofort tot.« Julie schnaubte. »Mojo selbst hat dafür gesorgt, dass die Witwe ein ordentliches Schmerzensgeld bekommen hat. Sie musste weder einen Antrag stellen noch klagen.«

»Da sieht man, was für ein toller Mann er ist.« Rose machte eine Notiz. Julie schüttelte den Kopf.

»Aber eine gute Tat bleibt nicht ungestraft. Bevor er es sich versah, stand er auf der Straße.«

»O nein.« Rose sprach leiser. »Man hat ihn rausgeworfen?«

»Meiner Meinung nach haben sie ihn unter Druck gesetzt, damit er von sich aus kündigt. Sie wissen ja, wie das läuft. Aber er war zu stolz, das mir gegenüber zuzugeben.« Julie dachte kurz nach. »Aber das kommt nicht in den Artikel.«

»Aber nein, wo denken Sie hin?« Bei Rose regte sich kurz ihr schlechtes Gewissen.

»Da bin ich beruhigt.« Julie nickte. »Noch etwas muss ich Ihnen erzählen. Er hat hier nie jemanden herumkommandiert.«

»War er denn in Maryland gemeldet?«

»Nein. Er musste hierherziehen. Als Nächstes werden Sie mich fragen, wie er diese Stelle bekommen hat. Doch da fragen Sie mich zu viel. Er ist nach Harford County gezogen, das liegt direkt hinter der Staatsgrenze. Aber er wollte zurück nach Pennsylvania. Schließlich haben sie dort ein Haus gebaut. Kennen Sie es?«

»Ja. Dort habe ich ihn interviewt.«

»Die Familie seiner Frau hat ’ne Menge Kohle. Das hat er mir verraten.« Julie beugte sich zu Rose vor. »Wie sonst könnte er sich einen solchen Schuppen leisten?«

Rose tat so, als würde sie sich Notizen machen. Eine Leuchtstofflampe über ihnen fing zu flackern an.

»O nein.« Julie seufzte. »Schon wieder. Jetzt muss der Hausmeister kommen. Ich kenne mich mit diesen Leuchtstofflampen nicht aus.«

»Ich auch nicht.«

»Wenn Mojo jetzt hier wäre, würde er sich eine Leiter schnappen, hinaufsteigen, mit einem Schraubenzieher die Abdeckung abdrehen und die Birne wechseln. In Nullkommanichts.« Julie nickte. »Mojo repariert alles.«

»Auch Lampen?«

»Natürlich. Das ist etwas, das vielleicht in Ihren Artikel rein müsste.«

»Was?«

»Dass er Elektromeister ist.«

63

Rose raste die Interstate 95 hoch Richtung Norden. Der Verkehr war stärker geworden, den Fuß nahm sie dennoch nicht vom Gaspedal. Sie war voll nervöser Energie. Mojo wurde in ihren Augen immer verdächtiger. Er hatte jederzeit Zugang zur Schule – und er war gelernter Elektriker. Kein Problem für ihn, die Mikrowelle zu manipulieren und an Kabeln und Gasleitungen herumzuspielen.

Rose hielt Mojo zwar für den Täter. Aber warum er es getan haben sollte, das wusste sie nicht. Warum sollte er eine Schule in die Luft jagen, die seine Firma gerade gebaut hatte? Warum sollte er den Tod von Kindern in Kauf nehmen? Drei Erwachsene waren getötet worden, aber Mojo hatte überhaupt kein Motiv.

Vorsichtig überholte Rose ein Motorrad. Sie dachte nach: Da war der Brand in der Schule, der vielleicht kein Unfall war. Da war der Tod von Kurt und Hank, was vielleicht auch kein Unfall gewesen war. Vielleicht war auch Bill Gigots Tod kein Unfall? Wo Mojo auch hinging, der Tod war sein Begleiter. Oder wurde sie allmählich paranoid?

Rose fuhr nach Hause nach Reesburgh. Was sie als Nächstes tun würde, wusste sie nicht. Sie hatte keine Beweise gegen Mojo. Zur Polizei konnte sie nicht gehen. Annie und Leo hatte sie telefonisch nicht erreicht. Diesmal hatte sie keine Nachricht hinterlassen. Sie war ganz allein auf sich gestellt.

Nach der Highway-Ausfahrt wurde die Gegend vertrauter. Höfe mit Schindeldächern, große Getreidespeicher und von der Sonne verbrannte Mais- und Sojabohnenfelder zogen an ihr vorbei. Herbstlaub wurde aufgewirbelt. Rose bekam von alldem nicht viel mit. Sie dachte an Bill Gigot und Homestead. Die Firma veranstaltete die Halloween- und die Weihnachtsparade. Eine Softball- und eine Basketballmannschaft wurden von Homestead gesponsert. Viel mehr wusste sie nicht.

Vielleicht war es an der Zeit, mehr zu erfahren.

Schließlich war sie Reporterin.

64

Der unangenehme Geruch von frittierten Kartoffeln stieg Rose in die Nase, als sie auf dem Besucherparkpatz aus ihrem Wagen stieg. Homestead lag auf der anderen Seite der Zufahrtsstraße. Die Fabrik bestand aus fünf Gebäuden, riesigen Metallkästen, die in einem grellen Weiß angestrichen waren. Dampfwolken stiegen aus den Schornsteinen und lösten sich am blauen Himmel auf. Dass Homestead so groß war, hatte Rose nicht gewusst.

Sie setzte ihre falsche Brille auf, schulterte ihre Tasche und kämpfte sich durch Massen von Kindern, die einen Schulausflug zu Homestead machten. Ein von außen schlichtes dreistöckiges Backsteingebäude mit getönten Fenstern war ihr erstes Ziel.

HOMESTEAD SNACK FOODS stand in gelben Buchstaben auf einem unauffälligen Schild am Eingang zur Verwaltung. Der Wartebereich war zweistöckig und wurde von einem Kronleuchter aus mattem Glas dominiert. Die Rezeption befand sich am Ende der Lobby, die Empfangsdame telefonierte gerade.

Rose sah sich um. Zwei Männer im Anzug saßen an einem Glastischchen und unterhielten sich, hinter ihnen wurde auf einem Bildschirm die gesamte Produktpalette von Homestead präsentiert. Daneben standen die Trophäen, die die Firma gewonnen hatte, unter anderem einige Pokale aus Kristall für den höchsten Sicherheitsstandard. Rose ahnte, in welchem Jahr der Preis nicht an Homestead gegangen war.

»Kann ich Ihnen helfen?«, rief die Empfangsdame. Rose drehte sich um und erschrak. Die Dame war die Mutter eines Kindes, das in Mellys Schule ging, zum Glück nicht in ihre Klasse. Rose blieb nichts übrig, als ihrer exquisiten Verkleidung zu vertrauen.

»Hi.« Rose wagte sich nach vorn. »Ich bin Annie Adler.«

»Hallo.« Die Empfangsdame schien sie nicht zu erkennen.

»Ich komme von *Backen und Genießen*. Das ist eine neue Zeitschrift. Ich schreibe einen Artikel über das Selbermachen von Kartoffelchips. Von daher interessiert mich auch die professionelle Herstellung. Überhaupt interessiert mich Homestead sehr, bis hin zu Ihren oft prämierten Sicherheitsstandards.«

Die Dame lächelte höflich. »Wie wäre es mit einem

Termin nächste Woche? Unsere Pressechefin, Tricia Hightower, hat diese Woche keine Zeit. Alle Chefs und leitenden Angestellten unserer Zweigbetriebe treffen sich diese Woche zu unserer jährlichen Herbstkonferenz.«

»Ich habe eine lange Fahrt hinter mir. Hat Mrs Hightower vielleicht eine Assistentin, oder gibt es sonst jemanden, mit dem ich sprechen könnte?«

»Tricia kümmert sich um alle Pressekontakte persönlich.«

»Könnte ich vielleicht mit jemanden aus der Produktion sprechen? Der Insider-Blick reizt mich besonders.«

»Es tut mir leid, aber das entspricht nicht der Politik unseres Hauses. Außerdem sind heute nur Gruppenführungen. Machen wir einen Termin für nächste Woche? Sie geben mir Ihre Telefonnummer, und Tricia ruft Sie zurück.«

»Danke, aber bis dahin muss mein Artikel fertig sein.« Rose wollte verschwinden, solange die Gelegenheit günstig war. »Ich melde mich wieder. Vielen Dank für Ihre Bemühungen.«

Draußen schlugen Rose erneut die aufdringlichen Kartoffeldüfte entgegen. Sie ging zurück zu ihrem Wagen. Sicherlich hatte die Firma eine Akte über Bill Gigots Unfall, aber wie sollte sie an die herankommen?

»Stellt euch in einer Reihe auf!«, rief einer der Lehrer seiner Klasse zu. »Und benehmt euch. Abmarsch!«

Lehrer und Mütter versuchten, mit der freundlichen Unterstützung von ein paar Homestead-Mitarbeitern die aufgeregten Schüler zu bändigen und sie Richtung Fabrik zu schleusen.

»Entschuldigung«, fragte einer der Homestead-Angestellten Rose, »sind Sie nicht vom christlichen Kinderzirkel? Ihre Gruppe ist jetzt mit der Besichtigung dran.«

»Ich?«, fragte Rose zurück, aber dann begriff sie: Das war *die* Möglichkeit, um aufs Fabrikgelände zu gelangen. »Warten Sie, ich komme!«

65

Rose wurde mit ihrer Gruppe durch einen Geschenke-Shop getrieben, in dem man Homestead-T-Shirts, Homestead-Mützen, Homestead-Schlüsselanhänger, Homestead-Kochbücher, Homestead-Plüschtiere, aber auch gewöhnliche Homestead-Kartoffelchips erstehen konnte. Der Laden verengte sich an seinem Ausgang zu eine Art Tunnel, aus dem lautes Kindergeschrei drang.

»Da vorn spielt die Musik!«, rief eine Homestead-Angestellte. »Als Erstes zeigen wir Ihnen einen Film!«

Rose blieb nichts anderes übrig, als der Gruppe zu folgen. Dabei war ein Firmen-Video mit sprechenden Kartoffelchips das Letzte, was sie jetzt sehen wollte. Zum Glück dauerte das Werk nur zwölf Minuten. Jede Minute mehr hätte die Geduld jedes Sechsjährigen und jeder Mutter, die einen Mordfall aufklären will, auf eine sehr harte Probe gestellt.

»Ich bin Linda. Folgen Sie mir!«, rief die junge Frau.

Die Kinder kicherten, johlten und stießen einander an. Sicher war im Himmel ein Platz für Lehrer und Mütter reserviert, die Kinder auf Schulausflügen begleiten mussten.

»Jetzt besuchen wir die Brezelfabrik, dann die Kartoffelchip-Fabrik!« Linda führte sie zu einer verglasten Empore, von der man die Fabrikhalle zwei Stockwerke darunter übersehen konnte. Der christliche Kinderzirkel hatte sich inzwischen mit zwei anderen Schulgruppen vermischt, so dass niemand wusste, zu welcher Gruppe Rose genau gehörte. Sie atmete auf.

Linda begann mit ihrem Vortrag. »Homestead wurde vor vielen Jahren von der Allen-Familie gegründet. Heute verkaufen wir unsere Produkte in alle Welt. Wir besitzen um Reesburgh dreißigtausend Hektar Land. Uns gehört das Besucherzentrum, das Motel, das Kartoffelmuseum und viele andere Dinge.«

Dreißigtausend Hektar Land? Rose sah Linda erstaunt an. Das war fast das halbe County.

»Homestead gibt in Reesburgh rund viertausend Menschen Arbeit. In seinen fünfunddreißig Niederlassungen in den mittleren Atlantikstaaten sind es noch einmal doppelt so viele.« Linda zeigte zum Fenster. »Hier sehen Sie den Anfang der Brezelproduktion. Der Teig kommt in die Knetmaschine, dort wird er ordentlich durchgemischt, um danach …«

Rose blendete Linda aus und sah sich die Fabrikhalle genauer an. Die Wände bestanden aus Betonziegeln, der Boden war mit hässlichen roten Kacheln gefliest. Die Gerätschaften waren aus Edelstahl. Komischerweise arbeiteten nur sechs Menschen in der riesigen, lichtdurchfluteten Halle. Sie trugen gelbe Overalls, Ohrstöpsel und Haarnetze.

»Hat noch jemand Fragen, bevor wir weitergehen?«

Rose meldete sich zu Wort. »Sie haben rund viertausend Mitarbeiter. Aber in der gesamten Brezelproduktion sehe ich nur sechs Leute arbeiten. Wie das?«

»Eine gute Frage!«, antwortete Linda im Ton einer Lehrerin. »Die meisten unserer Mitarbeiter sind Fahrer. Wir haben eine Flotte von tausend Lkws und Lieferwagen, die unsere Waren ausliefern. Heutzutage besorgen die Maschinen das Backen, unsere Mitarbeiter müssen sich nicht mehr in der Hitze abplagen. Zudem sehen Sie hier nur ein Drittel der Belegschaft, denn wir arbeiten rund um die Uhr in drei Schichten. Von sechs bis zwei, von zwei bis zehn und von zehn bis sechs Uhr.«

Rose fragte sich, wie viele Kollegen wohl Bill Gigots tödlichen Unfall mitangesehen hatten. »Sind alle drei Schichten personell gleich stark besetzt?«

»Nein, nachts sind es weniger Leute. Jetzt gehen wir aber weiter!« Linda führte die Gruppe zu einem anderen Fenster. Ungebackene Brezeln auf Transportbändern verschwanden unter ihnen in einem großen Ofen.

»Was sind das für Dinger?«, fragte ein kleiner Junge mit Brille. Er zeigte auf rote Schläuche, die aus den Maschinen herausragten.

»Das sind ummantelte Drähte. Was sonst? Jetzt aber weiter. Bevor wir zu den Kartoffelchips kommen, hier einige Büros, bei denen wir uns aber nicht aufhalten wollen. Hier das Büro unserer obersten Qualitätsprüferin.«

Eine ältere Frau mit Haarnetz saß vor einem Schreibtisch. »Diese Dame macht den lieben langen Tag nichts anderes, als Kartoffelchips zu essen. Möchte jemand den Job?« Die Kinder grölten. »Und das ist das Büro unseres Sicherheitschefs. Wie Sie gesehen haben, tragen alle unsere Mitarbeiter Ohrstöpsel und Haarnetze. Es gibt sogar Haarnetze für Bärte!«

Die Kinder brachen in Gelächter aus. Rose sah sich Mojos ehemaliges Büro genau an. Der Schreibtisch war mit Papieren übersät, aber niemand war da. »Dreht der Sicherheitschef auch nachts seine Runde durch die Fabrik?«

»Davon können Sie ausgehen.« Linda grinste Rose mit einem aufgesetzten Lächeln an, das nicht gerade auf Sympathie schließen ließ. »Besuchen wir jetzt unsere Packabteilung!« Vorbei ging es an Büros wieder auf eine Empore, von der man auf Berge von Kisten und Kartons blicken konnte, die bis zur Decke reichten.

»Sind das nicht viele Kisten und Kartons!« Linda drängte sich zum Fenster vor. »So weit das Auge reicht! All diese Kisten werden morgen verschickt. Aber nicht nur in die Vereinigten Staaten, sondern auch nach Lateinamerika, Mexiko, Jamaika, ja sogar in die Karibik. Sehen Sie die Nummern an der Seite? Mit denen lässt sich bis ins Kleinste nachverfolgen, wer uns die Hefe, das Mehl und das Salz für die Brezeln geliefert hat. Wir befolgen genauestens die Bestimmungen des Lebensmittelgesetzes.«

»Ich habe eine Frage.« Rose hob die Hand. »Haben Sie so etwas wie eine Erdnusshalle? Mein ältester Sohn hat eine schwache Erdnuss-Allergie. Und Sie stellen doch Cracker mit Erdnussbutter her.«

»Mein Sohn hat auch eine Erdnuss-Allergie«, meldete sich eine zweite Mutter. »Aber eine schlimme. Wenn wir nicht aufpassen, bekommt er einen anaphylaktischen Schock. Er muss in der Schule ganz allein essen. Selbst der Geruch von Erdnussbutter kann für ihn gefährlich werden.«

Eine dritte Mutter schaltete sich ein. »Meine Tochter hat eine Gluten-Allergie. Das bringt eine Menge Probleme mit sich. Zum Glück ist die aber nicht lebensgefährlich.« Und schon war eine heftige Diskussion über alle möglichen Allergien im Gange. Linda hob beschwichtigend die Hand.

»Um Ihre Frage zu beantworten: Wir verwenden keine Erdnüsse. In keinem Produkt. In einer Liste, die Sie kostenlos bei uns erhalten können, sind alle Produkte aufgeführt, die allergenfrei, ohne Soja und ohne Gluten sind. Außerdem stellen wir auch koschere Brezeln und Chips her.«

Eine Frau schüttelte den Kopf. »Aber Sie verkaufen Cracker *mit* Erdnussbutter. Ich habe sie im Supermarkt gesehen.«

»Aber wir stellen sie nicht her. Wir verkaufen sie nur unter unserem Namen. Sie werden von einer anderen Firma außerhalb des Landes produziert.«

»Aber früher haben Sie diese Cracker doch *hier* hergestellt?« Rose dachte an Bill Gigot.

»Das stimmt. Wir haben auch Brezel-Nuggets mit Erdnussbutter hergestellt. Aber nicht in diesem Gebäude.« Linda wies nach hinten. »Die Erdnusshalle, wie sie genannt wurde, befand sich auf der anderen Seite der Zufahrtsstraße neben den Bahngleisen. Heute werden dort Brezel-Nuggets mit Schokolade produziert. Aber jetzt wird es Zeit für die Kartoffelchips!«

»Was ist *das* denn?«, fragte der kleine Junge mit Brille. Er zeigte auf einen großen Haken, der an einer langen Metallstange befestigt war.

»Wenn etwas in einer Maschine hängen bleibt, holen wir es damit heraus. Es funktioniert wie ein riesiger Zahnstocher.«

Rose war in Gedanken versunken. Mojo konnte Bill Gigot durchaus umgebracht haben. Vielleicht während einer Nachtschicht, wenn wenig Personal in der Halle war. Vielleicht hatte er ihn mit einem Schlag auf den Kopf getötet und danach auf einen Gabelstapler gesetzt, den er zum Versandlager gefahren hat. Überwachungskameras konnte er als Elektriker bestimmt problemlos ausschalten.

Nach der Besichtigungstour ging Rose zu ihrem Wagen zurück. Noch immer trieb sie die Frage um, ob Bill Gigot ermordet worden war. Aber wie konnte sie das herausfinden? Und hatte sein Tod mit dem Feuer in der Schule überhaupt etwas zu tun?

Der Besucherparkplatz hatte sich geleert. Die letzten Kinder stiegen in die Busse, die sie zur Schule zurückbrachten. Es war kurz vor zwei Uhr. Rose wollte gerade in ihren Wagen steigen, da fiel ihr Blick auf einige Arbeiter, die in der Fabrikhalle jenseits der Zufahrtsstraße verschwanden. Die Mittagsschicht begann um 14:00 Uhr.

Rose verstaute ihre Tasche im Wagen, sperrte ihn wieder ab und marschierte los. Wie sie in die Erdnusshalle hineinkommen wollte, war ihr noch unklar. Ihr würde schon etwas einfallen.

Schließlich handelte es sich um eine Kartoffelchip-Fabrik und nicht um das CIA-Gebäude.

66

Auch die Erdnusshalle war ein weiß angestrichener Metallkasten. Neben ihr verlief ein einzelnes Bahngleis, auf dem ein paar schwarze Kesselwagen standen. Vor dem Gebäude lag ein kleiner Parkplatz. Die letzten Arbeiter der Mittagsschicht stiegen aus ihren Wagen. Es waren nicht viele, vielleicht zwanzig. Zu wenig, um sich unauffällig unter sie zu mischen.

Neben der Halle entdeckte Rose ein großes Gebäude, dem ein paar kleinere zugeordnet waren. HOMESTEAD KONFERENZZENTRUM stand auf einem Schild, das mit einem Kürbis und einer schauerlichen Vogelscheuche dekoriert war. Der Parkplatz daneben füllte sich, wahrscheinlich mit Teilnehmern der Herbstkonferenz.

Sie ging die Treppe zur Erdnusshalle hinunter, überquerte den Mitarbeiterparkplatz und blieb vor zwei gelben Türen stehen, dem Eingang. Mit ID-Karten, die alle an gelben Bändern befestigt waren, erhielt man Einlass. Rose stellte sich hinter eine ältere weiße und eine jüngere schwarze Frau, die miteinander schwatzten. Die Junge öffnete mit ihrer Karte die Tür, die beiden Freundinnen betraten das Gebäude – und Rose schlüpfte auch noch hinein.

Die beiden Frauen meldeten sich mit ihrer Stechkarte an. ACHTUNG! DAS TRAGEN VON GEHÖRSCHUTZ IST PFLICHT, stand auf einem Schild neben der Stempeluhr. Ein anderes erinnerte etwas verschwommen daran: SICHERHEIT GEHT JEDEN AN!

Die ältere Frau lächelte höflich. Sie hatte lockiges graues Haar und trug eine Zweistärkenbrille. »Kann ich Ihnen helfen?«

Rose schob ihre Brille hoch. »Werden hier die Brezel-Nuggets mit Schokolade hergestellt?«

»Schon. Aber die Öffentlichkeit hat keinen Zutritt.«

»Ich bin nicht von der Öffentlichkeit. Ich bin Annie Hightower, die Neue.«

»Eine neue Kraft?«

»Ja.« Rose lächelte und hoffte, dass sie überzeugend wirkte. »Nächste Woche soll ich hier anfangen, hinten beim Versandlager. Ich bin die Cousine von Tricia Hightower, der PR-Tante. Kennt ihr sie?«

»Natürlich kenne ich Trish. Aber hier gibt's keine freie Stelle, soviel ich weiß. Hab ich recht, Sue?«

Sue war verwundert. »Ich hab auch nix gehört. Besser, wir rufen Trish an.« Sue hatte klare grüne Augen und ein hübsches Lächeln.

»Das geht nicht.« Rose verbarg ihre Nervosität. »Die ist voll beschäftigt mit der Herbstkonferenz. Sie wollte sich mit mir hier treffen und mich herumführen. Hat es wohl vergessen. Vielleicht habe ich zu viel ausgeplaudert. Es geht nämlich um eine Stelle, die erst demnächst frei wird. Ich sollte mich nur umsehen.«

»Aha, aha! Jetzt verstehe ich.« Sue verzog das Gesicht. »Jemand von uns wird gefeuert. Kannst du vielleicht Gabelstapler fahren?«

»Halt, nein. Ihr versteht mich falsch. Es geht um einen Job bei der Nachtschicht. Am Tag bleibt alles beim Alten. Keine Angst!«

»Das ist gut.« Sue grinste erleichtert. »Wenn du nicht auf dem Gabelstapler sitzt, dann kontrollierst du vielleicht Ware?«

»Ich wusste es!«, rief ihre ältere Kollegin aus. »Sie werden Francine abservieren. Verdient hat sie's.«

»Es wurde aber auch Zeit.« Sue streckte Rose die Hand entgegen.

»Annie, ich bin June Hooster. Willkommen bei Homestead. Eine großartige Firma. Juanita macht deinen Job in dieser Schicht. Ich stelle sie dir vor.«

»Wunderbar.«

»Was Trish sich wohl dabei gedacht hat?« Sue musterte Rose von Kopf bis Fuß. »Mit diesen Schuhen, das geht gar nicht. Hier brauchst du richtige Arbeitslatschen.«

June sah Rose lächelnd an. »Komm mit uns. Wir geben dir eine Arbeitsuniform. Handys und Taschen sind übrigens in der Halle nicht erlaubt. Du kannst sie im Spind einschließen.«

»Danke, aber ich habe meine Tasche im Auto gelassen.« Rose folgte Sue und June in den Umkleideraum. Die beiden anzulügen tat weh. Aber wenn man sich wie

Rose ans Betrügen gewöhnt hatte, fiel einem eine plötzliche Enthaltsamkeit schwer.

Vor allem in einer Kartoffelchips-Fabrik.

67

Rose fühlte sich wie Juanitas Zwilling. Sie trug den gleichen gelben Overall, die gleichen Ohrstöpsel und das gleiche Haarnetz. Nur zehn Menschen arbeiteten in der riesigen Halle. Fast ohne Menschenhand wurden die Schokoladen-Cracker und Brezel-Nuggets hergestellt. Sie fielen abgezählt in Tüten, die versiegelt und in Pappschachteln verpackt wurden. Danach wanderten die Kartons über Rollen aus Edelstahl zu Juanita und Rose, die sie durchleuchteten.

»Der Job ist easy. Keine Panik.« Juanitas Blick blieb die ganze Zeit auf ein grün leuchtendes Display gerichtet, auf dem sich zwölf imaginäre Kreise drehten. Sie trug Plastikhandschuhe, durch die ihre rot lackierten Fingernägel durchschimmerten. »Du musst nur darauf achten, dass in jeder Schachtel zwölf Tüten sind. Wie hier. Das ist alles.«

Rose nickte. »Zählst du die Kreise?«

»Als Anfängerin musst du das wohl. Aber mit der Erfahrung genügt ein Blick.«

»Okay.«

»Schau.« Juanita klappte den Karton zu und schickte ihn weiter auf Wanderschaft. »Wenn alles in Ordnung ist, machst du die Schachtel zu. Falls nicht, holst du sie vom Band und stellst sie da hin.« Sie zeigte auf einen Rolltisch hinter ihnen. Da kam schon die nächste Schachtel, die durch das Durchleuchtungsgerät geschoben werden musste.

»Schau, die ist auch in Ordnung.«

»Da muss man aber ganz schön schnell sein«, sagte Rose. Und meinte es auch.

»Richtig. Stillstand mag hier niemand. Das Band muss laufen. Pausenlos.«

»Das ist ja wie in Wonkas Schokoladenfabrik.«

»Manchmal schon.« Juanita lächelte.

Rose hatte nicht geahnt, wie anstrengend ein Fabrikjob sein konnte. Die Schachteln rollten erbarmungslos ohne Pause auf einen zu. Es war unangenehm warm, obwohl sich an der Decke riesige Ventilatoren drehten. Ein tiefes Brummen erfüllte den Raum. Die vielen Maschinen ließen den Boden vibrieren.

»Neulich ist ein Band stehen geblieben, aber die Ingenieure hatten es in Nullkommanichts repariert. Zeit ist Geld. Wenn ein Band einen Tag ausfällt, kostet das hunderttausend Dollar.« Der nächste Karton passierte Juanitas Kontrolle. »Wenn statt zwölf nur elf Tüten drin sind, ist es schlecht.«

»Das stimmt.«

»Vor allem ist es schlecht für dich.« Juanita zeigte auf einen Strichcode an der Seite der Schachtel. »Mit den Zahlen können sie zurückverfolgen, bei welcher Schicht der Fehler passiert ist. Dann kommt Scotty angedackelt und sagt freundlich: ›Juanita, du hast Scheiße gebaut.‹ Nach ein paar Standpauken fliegst du dann, so wie Francine.«

»Wer ist Scotty?«

»Das ist unser Boss, Frank Scotty.«

»Ist er da?« Rose hatte nicht mit einem Aufpasser gerechnet.

»Er schaut ab und zu vorbei. Aber jetzt bei der Herbstkonferenz hat er nur die Party mit den hohen Tieren im Kopf.« Juanita verdrehte die Augen. »Ich denke, dass er sich zeigen wird. Wir arbeiten seit zehn Jahren zusammen.«

»Das ist eine lange Zeit.«

Juanita war also schon hier, als Bill Gigot getötet wurde. Vielleicht wusste sie etwas. »Trish hat mir erzählt, dass das Gebäude hier früher Erdnusshalle genannt wurde. Stimmt das?«

»Stimmt. Wir haben hier Cracker und Brezel-Nuggets mit Erdnussbutter hergestellt. Wegen der Allergien fand das getrennt vom Rest der Fabrik hier statt. Jetzt verwenden wir überhaupt keine Erdnüsse mehr, wie viele andere Firmen auch.« Juanita schickte einen Karton auf den Weg, der nächste war schon im Anrollen. »Das hat damals arg genervt. Alles musste getrennt werden. Schau.« Juanita zeigte auf das Display. »Hier fehlt eine. Was machen wir jetzt?«

Rose schnappte sich die Schachtel und stellte sie auf den Tisch hinter ihnen.

»Schlaues Mädchen.« Juanita lächelte. »Die Erdnuss-Allergie hat sich mit der Zeit immer mehr ausgebreitet. Schulen haben dann überhaupt keine Erdnüsse mehr verkauft. Keine Mutter wollte es mehr riskieren, mit einem Snack ein anderes Kind anzustecken. Kids können nämlich an einer Erdnuss-Allergie sterben.« Juanita erschauderte. »Ich möchte nicht schuld am Tod eines Kindes sein. Damit könnte ich nicht leben.«

Rose dachte an Thomas Pelal, schob aber den Gedanken sofort weg. Sie musste das Gespräch auf Bill Gigot bringen.

»Das Geschäft mit Erdnüssen war vorbei. Inzwischen verkaufen sich die Schokoladen-Nuggets aber wie verrückt. Vor allem in Lateinamerika und in der Karibik. Wahrscheinlich, weil es so heiß dort ist. Wenn die Schokolade in der Brezel bleibt, bekommt man keine klebrigen Finger. Anfangs war es schwierig. Denn mit den Maschinen hier in der Erdnusshalle konnte man keine Schokolade verarbeiten.«

Wie konnte Rose Juanita von dieser Geschichte wegbringen? Sie war in ihrem Redefluss kaum zu stoppen. »Als du vor zehn Jahren hier angefangen hast, war da …«

»Das waren wirklich schwere Zeiten. Die Bosse wollten so schnell wie möglich auf Schokolade umstellen, aber das ging nicht.« Juanita klappte eine Schachtel zu. »Die Erdnussmaschinen mussten erst mal vollkommen gereinigt werden, dann wurden sie inspiziert. Und die Behörden sagten nein. Dann ging das Theater wieder von vorn los. Wir hatten nichts zu tun, unser Lohn wurde immer niedriger, und unsere Bosse wurden immer nervöser. Sechs Monate hat die Umstellung gedauert. Das war vor sieben Jahren. Das weiß ich genau, weil mein Jüngster damals drei Jahre alt geworden ist. Und jetzt ist er zehn.«

Rose sah ihre Gelegenheit gekommen. »Trish hat mir erzählt, dass damals ein Arbeiter umgekommen ist.«

»Ja, Bill.« Juanitas Blick wurde finster. »Es ist bei der Nachtschicht passiert. Das weiß ich deshalb genau, weil mir Weihnachten damals schwer im Magen lag. Was können wir den Kindern dieses Jahr überhaupt schenken? Wann werde ich endlich wieder normal bezahlt? Diese Fragen spukten mir damals im Kopf herum.« Juanita sah auf das Display. »Doch schließlich sind die Cracker und Brezeln mit Schokolade in Produktion gegangen.«

»Hatte der Typ nicht einen Unfall mit einem Gabelstapler?«

»Hatte er.« Juanita zeigte nach links. »Gleich da drüben ist es passiert, in unserem Versandlager.«

»Wie unheimlich. Passieren solche Unfälle oft?«

»Tödliche Unfalle bei Homestead? Nie. Gabelstapler können aber schon gefährlich sein. Bill hat hier angefangen, lass mich überlegen. Ich weiß es nicht mehr genau.« Der nächste Karton stand zum Durchleuchten bereit. »Es muss im Juli gewesen sein. Wir hatten dieses Firmenpicknick, und Bill war der Neue, der von der großen Fabrik herübergekommen war. Wir, die Erdnussmädchen von der kleinen, haben immer zusammengehalten.« Juanita kicherte. »Bill war ein netter Kerl. Er hat lange für die Firma gearbeitet. Und dann komm ich zur Arbeit, und man sagt mir, er ist tot.«

»Hatte er keine Erfahrung mit Gabelstaplern?«

»Doch. Sehr viel sogar. Er hatte die Dinger auch drüben kutschiert.«

Rose war überrascht, hatte ihr Julie doch das Gegenteil erzählt. »Aber wie konnte ihm dann der Unfall passieren?«

»Unfälle bauen auch Leute mit Erfahrung. Die sogar öfter, weil sie nicht mehr so genau aufpassen. Mein Nachbar ist Dachdecker, seit dreißig Jahren. Und vorige Woche ist er von der Leiter gefallen und hat sich ein Bein gebrochen.« Juanita schüttelte den Kopf und klappte eine Schachtel zu. »Mein Gott, war ich damals traurig.«

»Das denke ich mir. Hat jemand den Unfall gesehen?«

»Nein, niemand war in der Nähe. Das war noch zur schlechten Zeit, da gab es nachts nur eine Notbesetzung.« Der nächste Karton hatte Juanitas Prüfung bestanden. »Als sie ihn gefunden haben, war es zu spät. Er war verblutet.«

»Wie furchtbar. Wer hat ihn gefunden?« Rose überprüfte Julies Angaben.

»Der Sicherheitschef, Joe Modjeska. Mojo.«

Das stimmte überein. »Hattet ihr mit dem viel zu tun?«

»Mojo war immer hier. Ein toller Kerl. Er war so oft hier, dass wir ihn Mr Peanut getauft haben.« Juanita lächelte und brachte die nächste Schachtel auf den Weg. »Er hat gekündigt, aber angeblich hatte man es ihm nahegelegt. Der Kapitän geht mit seinem Schiff unter.«

»Warum war Mojo so oft hier? Gab es hier mehr Sicherheitsprobleme als drüben?« Rose wollte nicht allzu neugierig erscheinen. »Ich will nämlich nicht irgendwo arbeiten, wo es gefährlich ist.«

»Mach dir keine Sorgen. Der neue Typ schaut kaum vorbei.« Juanita sah wieder auf das Display. »Mojo mochte uns. Das hat er gesagt. Hier wäre es viel lustiger. Das stimmt ja auch.« Juanita lächelte, und Rose lächelte. Doch sie wollte jetzt unbedingt einen Blick in das Versandlager werfen.

»Darf ich mal für kleine Mädchen, Boss?«, fragte sie Juanita.

68

Zwei Männer in phosphoreszierenden lindgrünen Arbeitsanzügen lenkten zwei arg verschrammte Gabelstapler. Kartons wurden auf Paletten geladen und zugeschweißt. Linkerhand standen einige Tore offen. Dahinter parkten Sattelschlepper.

Mojo hatte Julie erzählt, dass es im Versandlager recht finster gewesen war. Doch hier war es hell wie in der Fabrikhalle, überall brannten Neonleuchten. Ob sie nach Bill Gigots Tod die Beleuchtung verbessert hatten? Das wollte Rose Juanita fragen.

Ein Gabelstapler fuhr gerade mit einer Palette in den Container eines Sattelschleppers. Rose bemerkte am Vorderteil des Gabelstaplers zwei große Lampen, die wie Augen einer Krabbe aussahen. Selbst wenn es in der

Halle dunkel gewesen war, die Lampen hätten Bill Gigot den Weg weisen müssen. Fuhr der Fahrer aber zu nah an den Rand der Laderampe, konnte er nach vorn stürzen. Aber ob Bill Gigot so gestorben war?

Rose machte sich auf den Rückweg zur Kontrollstation, doch da war ein Mann, der direkt neben Juanita stand. Vielleicht war es Scotty, Juanitas Vorgesetzter. Damit er nicht auf die Idee kam, Trish ein paar dumme Fragen zu stellen, ging sie direkt in den Umkleideraum.

Fünf Minuten später saß sie in ihrem Wagen und fuhr von der Fabrik weg, hinein in die Nachmittagssonne. Mojo hatte Julie also angelogen. Bill Gigot war ein erfahrener Gabelstaplerfahrer gewesen.

Sie trat aufs Gaspedal, ihr Ziel war Reesburgh. Aber warum sollte Mojo Bill Gigot umgebracht haben? Gern würde sie mit Leo darüber sprechen. Sie sah auf die Uhr am Armaturenbrett. Es war 17:15 Uhr. Er müsste gerade das Gericht verlassen haben. Sie fischte ihr Handy aus der Tasche und rief ihn beim nächsten Halt an einer Ampel an. Wieder sprang nur die Mailbox an. Sie hinterließ eine kurze Nachricht. »Ruf mich an, wenn du kannst. Ich liebe dich.«

Dann versuchte Rose es bei Annie, denn die Ampel zeigte noch Rot. Auch bei ihr meldete sich nur die Mailbox. Was sollte sie als Nächstes tun? Die Ampel schaltete auf Grün, sie fuhr weiter. Gab es eine Verbindung zwischen dem Tod von Bill Gigot und dem Feuer in der Schule? Klar, die Verbindung war Mojo. Das Ganze war ein Puzzle, zu dem noch einige Stücke fehlten. Komischerweise glaubte sie, dass es nicht mehr so viele waren.

Da klingelte ihr Handy. Sie konnte die Nummer auf dem Display nicht lesen, aber da sie weder einen Rückruf von Leo noch von Annie verpassen wollte, hob sie ab. »Hallo?«

»Rose«, sagte eine Frau. Sie schluchzte. »Ich bin's … Kristen.«

»Kristen, was ist los?«, fragte Rose besorgt.

»Ich brauche … Hilfe. Bitte … helfen Sie mir.«

»Ist es wegen des Babys? Kristen, rufen Sie den Notruf an. Bis Lavalette schaffe ich es nicht.«

»Nein, es ist nicht … das Baby. Ich hab solche Angst. Ich muss mit Ihnen reden. Ich hab sonst niemanden.«

»Um was geht es? Ich höre Ihnen zu.« Rose hielt nach einem Seitenstreifen Ausschau, um anzuhalten. »Wovor haben Sie Angst? Was ist passiert?«

»Ich kann am Telefon nicht darüber sprechen. Wo sind Sie?«

»In Reesburgh. Und Sie? In New Jersey?«

»Das kann ich nicht sagen … Aber ich muss Sie sehen. Ich schicke Ihnen eine SMS, wann und wo wir uns treffen können.«

»Aber warum? Was ist passiert?«

»Rose, alles, was ich Ihnen erzählt habe, war gelogen.«

69

Es war kurz nach Einbruch der Dunkelheit. Die beiden saßen in Roses Wagen am Rand eines Maisfeldes im Farmland außerhalb von Reesburgh. Die Luft war kühl und frisch, der Mond schien. Rose hatte das Fernlicht eingeschaltet. Im fahlen Schein des Armaturenbretts konnte sie Kristens verweintes Gesicht nur erahnen. Kristen hatte sich ein graues T-Shirt und eine Jogginghose übergezogen.

»Rose, alles war gelogen. Schwanger bin ich allerdings.«

»Ich verstehe.« Roses Herz pochte.

»Mein Freund ist aber nicht der Vater.«

»Wer ist es dann?«

»Nun …« Kristen zögerte. »Schön wäre es, wenn er der Vater wäre. Er ist ein so guter Mensch. Doch *ich* habe mich von ihm getrennt – nicht umgekehrt.«

»Wer ist der Vater?«

»Paul Martin. Senator Paul Martin.«

»Machen Sie Witze?«

»Nein. Es ist die Wahrheit.«

»Aber der ist verheiratet. Er ist älter, und er ist Senator der Vereinigten Staaten.«

»Ich habe geglaubt, dass ich ihn liebe. Ich muss wohl verrückt gewesen sein.« Kristen schüttelte den Kopf, sie war traurig. »Wir haben uns regelmäßig getroffen. Beamte der Schulbehörde hatten ihn in der neuen Schule herumgeführt. Einer von ihnen hat uns bekanntgemacht.

Ich habe ihn eingeladen, in meiner Klasse zu sprechen. Danach hat er mich angerufen. So hat es angefangen.«

Senator Martin hatte Mellys Klasse besucht. Rose erinnerte sich daran. »Aber das ist nicht alles, was Sie bedrückt.«

»Nein. Die Explosion in der Schule sollte mich treffen. Martin wollte mich töten.«

»*Senator Martin?*« Rose konnte es nicht fassen. Sie hatte kurz vermutet, dass Kristen etwas mit der Explosion zu tun hatte, aber als Mittäterin, nicht als Opfer. »Senator Martin wollte Sie *töten*?«

»Nicht er selbst. Er hat wahrscheinlich jemanden angeheuert. Hätte ich mich nicht krankgemeldet, wäre ich jetzt tot.«

»Aber wieso sind Sie sich dessen sicher?«

»Paul kennt meinen Dienstplan. Er weiß, dass ich am Freitagmittag allein im Lehrerzimmer bin und mir Veggieburger in der Mikrowelle warm mache.«

»Und woher weiß er das?«

»Wir haben jeden Freitag in dieser Pause miteinander telefoniert.« Kristen biss sich auf die Lippe, ihre Augen wurden feucht. »Sie hatten recht. Marylou Battle starb an meiner Stelle. Und Melly hätte es auch treffen können.«

Daran wollte Rose jetzt nicht denken. »Hat der Senator nichts von Ihrer Krankmeldung gewusst?«

»Nein. Ich habe mich erst in letzter Minute entschlossen, zu Hause zu bleiben. Ich wollte ihn zur gleichen Zeit anrufen wie immer – diesmal aber von zu Hause aus.«

»Und warum wollte er Sie töten? Wollte er das Baby nicht? Hatte er Angst vor dem Skandal?«

»Natürlich wollte er das Kind nicht. Natürlich wollte er keinen Skandal. Natürlich wollte er sich *nicht* scheiden lassen. Aber da gibt es noch etwas anderes. Wir haben uns gewöhnlich in einem Landhaus getroffen.«

»In welchem Landhaus?«

»Ungefähr eine Stunde von hier, an der Grenze zu Washington, D.C. Das Haus gehört einem seiner Freunde. Einer, der die Klappe hält. Wenn Paul Zeit hatte, haben wir uns dort getroffen. Er nannte es unser Liebesnest.«

Wie beneidenswert.

»Wir hatten uns verabredet, doch Mrs Nuru wollte an diesem Tag mit mir den Dienstplan durchgehen. Also hatte ich Paul abgesagt, aber dann hat Mrs Nuru mir abgesagt. Ich habe ihm eine Nachricht auf seinem Handy hinterlassen, dass ich doch kommen kann. Er hat mich nicht zurückgerufen, was aber nicht außergewöhnlich war. Er tat das nur, wenn keine Leute bei ihm waren. Ich bin also hingefahren, aber er war nicht allein.«

»Eine andere Frau?«

»Nein, ein Mann.«

»Ist er schwul?«

»Nein. Die beiden saßen im Wohnzimmer. Den Mann kannte ich nicht. Ich habe meinen eigenen Schlüssel, niemand musste mir also aufmachen. Da herrschte dicke Luft, Sie glauben es nicht. Paul hatte mich nicht erwartet.«

»Augenblick. Und Ihre Nachricht?«

»Er hatte die Mailbox wohl nicht abgehört. Manchmal kommen die Nachrichten auch verspätet an. Kennen Sie das?«

Rose nickte.

»Paul hat den Mann sofort hinausgeschickt. Und dann haben wir uns entsetzlich gestritten.«

»Wieso?«

»Paul hat geglaubt, ich hätte ihr Gespräch belauscht. Dabei habe ich nur ein paar Wortfetzen mitbekommen. Ohne Sinn. Aber Paul ist ausgerastet – weil ich ihn mit diesem Kerl gesehen habe.«

»Wer war es?«

»Wie gesagt, ich kannte ihn nicht. Bis ich ihn auf einem Foto in der Zeitung gesehen habe. Es war ein Foto von einem Golfturnier.«

Rose stockte der Atem. »Joe Modjeska.«

»Ja.« Kristen war überrascht. »Kennen Sie ihn?«

»Nein. Er arbeitet für Campanile, den Generalunternehmer der Schule.« Rose richtete sich im Fahrersitz auf. »Wann haben Sie die beiden zusammen gesehen?«

»Am Mittwoch vor der Explosion.«

»Zwei Tage davor. Modjeska hat unter anderem die Lackdosen im Lehrerzimmer deponiert.«

»Woher wissen Sie das alles?«, fragte Kristen erstaunt.

»Das ist jetzt nicht wichtig. Wichtig ist, was Sie von ihrem Gespräch mitbekommen haben.«

»Die beiden haben über Erdnüsse und fremde Länder gesprochen.«

»Bitte genauer.«

»Es ging um Erdnüsse und Jamaica, Chile und andere

lateinamerikanische Länder. Als ich nachgefragt habe, ist er ausgeflippt.« Kristen hob die Hände. »Dabei habe ich bis heute keine Ahnung, worum es bei dem Gespräch ging.«

»Ich schon. Modjeska hat Bill Gigot umgebracht.«

»Amandas Vater? Aber der ist doch schon einige Jahre tot?«

»Ja. Er wurde bei einem Gabelstaplerunfall bei Homestead getötet. Ich vermute allerdings, dass es Mord war. Joe Modjeska war zu der Zeit dort Sicherheitschef. Eine Sache ist mir aber noch unklar.« Rose sah durch die Windschutzscheibe in die Nacht. Sie war auf der Suche nach Antworten. Plötzlich verstand sie. »Jetzt kapiere ich das Ganze. Um Gottes willen.«

»Was kapieren Sie?«

»Bill Gigot wechselte in die Erdnussfabrik, als das Geschäft mit Erdnüssen schlechter wurde. Deshalb wollte die Firma die Maschinen auf Schokoladenprodukte umstellen, aber das brauchte seine Zeit.«

»Die Anzahl der Allergiker nahm vor ein paar Jahren rapide zu. Ich erinnere mich. Jason, zum Beispiel.«

»Was für ein Jason?«, fragte Rose.

»Jason Gigot, Amandas älterer Bruder. Er hat eine schlimme Erdnuss-Allergie. Eileen hat mir die unglaubliche Geschichte erzählt, wie sie es herausgefunden haben.«

»Und wie?«

»Der Vater ist eines Abends von Homestead nach Hause gekommen und hat seinen Sohn in den Arm genommen – und der bekam sofort einen Schock.«

Rose hörte gebannt zu. War das das letzte Stück, das ihr zu dem Puzzle noch fehlte?

»Jasons Hals ist angeschwollen, er konnte kaum noch atmen. Sie haben ihn schnell ins Krankenhaus gebracht. Beinahe wäre er gestorben. Er war damals ungefähr sechs Jahre alt. Amanda war noch ein Baby. Und niemand hatte bis dahin etwas von Jasons Allergie geahnt.«

Rose dachte an das, was Juanita ihr berichtet hatte, und zählte eins und eins zusammen. »Wenn eine Produktlinie bei Homestead nicht läuft, kostet es die Firma hunderttausend Dollar am Tag. Damals standen die Erdnuss-Maschinen sechs Monate lang still. Dabei hatte die Firma eine Menge Nachfragen für Schokoladen-Nuggets. Und so haben sie wohl mit den Erdnuss-Maschinen nachts heimlich Schokoladenprodukte hergestellt.«

»Das ist ja furchtbar!« Kristen schüttelte ungläubig den Kopf. »Kinder können sterben. Wer macht denn so was?«

»Es ging um sehr viel Geld.« Roses Überlegungen schienen Sinn zu machen. »Sie haben nachts heimlich Schokoladen-Cracker und -Nuggets auf den Erdnuss-Maschinen produziert. Niemand hat Bescheid gewusst – außer der Nachtschicht und dem Sicherheitschef.«

»Modjeska?«

»Mr Peanut haben sie ihn genannt, weil er so oft in der Halle war. Jetzt weiß ich, warum. Die Nachtschicht hat man wahrscheinlich gut bezahlt, damit die Männer den Mund hielten. Bill Gigot hat bestimmt auch mitgespielt. Doch als sein Sohn Jason beinahe gestorben wäre, wollte er aussteigen und dem kriminellen Treiben ein Ende bereiten.«

»Ob Bill Eileen auch eingeweiht hat?«

»Das glaube ich nicht. Das wäre zu riskant gewesen. Homestead hatte eine Menge Anfragen aus Lateinamerika und der Karibik. Vielleicht haben sie die Schokoladen-Cracker nur für den Export produziert. Und darüber haben der Senator und Modjeska im Landhaus gesprochen.«

»Ich verstehe.« Kristen nickte. Sie war entsetzt. »Die beiden haben über die Länder gesprochen, in die sie die kontaminierten Snacks ausgeführt haben.«

»Genau.« Rose stockte der Atem. Was für eine Niedertracht! »Das ist kriminell, aber die Sache war gut überlegt. Wenn sie die kontaminierten Snacks exportieren, wird das Risiko kleiner. Kinder aus der Dritten Welt, die sterben, werden kaum einen Anwalt finden, der für sie vor Gericht zieht. Und die Gesundheitsbehörden hier kommen Homestead nie auf die Schliche. Und solange keine amerikanischen Kinder sterben mussten, war es der Firma und Modjeska egal.«

»Aber Bill Gigot war es nach dem Vorfall mit seinem Sohn nicht mehr egal.«

»Er wollte die Erdnuss-Maschinen abstellen. Dafür hat er mit seinem Leben bezahlt.«

Beide verfielen in Schweigen. Ein Augenblick der Stille für einen verantwortungsvollen Vater.

»Eine Sache verstehe ich nicht.« Kristen neigte den Kopf. »Worüber haben Paul und Modjeska gestritten? Der Mord an Gigot lag einige Jahre zurück.«

Rose dachte an Modjeskas Villa. »Und wenn Modjeska den Senator erpresst hat wegen des Mordes an Gigot? Der Senator war doch Generaldirektor bei Homestead gewesen.«

»Ja, bevor er vor sieben Jahren zum Senator gewählt worden ist.«

»Vor sieben Jahren ist auch Bill Gigot gestorben.«

Kristen schnappte nach Luft. »Sie denken, dass Paul …«

»Er war der Generaldirektor. Ich bin mir sicher, es war seine Idee. Deshalb konnte Modjeska ihn auch erpressen.«

»Nein!«

»Für den Profit seiner Firma hat er Leute getötet. Unser Senator ist ein Mörder.«

»Das glauben Sie wirklich?«

»Ja.« Rose dachte laut nach. »Als Bill Gigot nicht mehr mitspielen wollte, hat Modjeska ihn getötet. Aber der Senator war der Strippenzieher. Homestead besitzt eine Menge Land. Sie zahlen eine Menge Steuern. Wahrscheinlich hat Homestead auch Martins Wahlkampagne kräftig unterstützt. Modjeska bekam nach Homestead eine Stelle bei der Regierung von Maryland. Ich wette, der Senator in spe hat sie ihm besorgt.«

»Das ist ein Alptraum.« Kristen wischte sich eine Träne ab. »Was machen wir jetzt?«

»Wir gehen zur Polizei. Mit Ihrer Geschichte haben wir Beweise.«

»Das bringt nichts. Der Senator hat überall seine Leute sitzen.«

»Dann gehen wir zum FBI.«

Kristen biss sich auf die Lippe. »Aber er will mich umbringen. Vielleicht sollte ich besser das Land verlassen.«

»Überleg dir das gut.« Rose war zum Du übergegangen. Sie legte eine Hand auf Kristens Schulter. »Du kannst nicht ewig weglaufen. Das geht nur eine Weile gut. Modjeska ist gefährlich. Wahrscheinlich hat er auch Kurt Rehgard und Hank Powell auf dem Gewissen. Das sind zwei Zimmerleute, die angefangen haben, unbequeme Fragen zu stellen.«

Kristen verstummte. In ihren Augen stand die blanke Angst.

»Sechs Menschen haben die beiden bisher getötet, um ihr Geheimnis zu bewahren. Sie kennen keine Skrupel. Und du bist nicht mehr allein. Du musst auch an das Kind in dir denken.«

»Ich weiß.« Kristen schluchzte. »Was ist er für ein Mensch? Er würde sogar sein eigenes Kind töten.«

»Das FBI kann dich beschützen.« Rose griff nach ihrem Handy. »Ich rufe an.«

»Und das FBI wird uns glauben?«

»Das FBI ist nicht korrupt. Das FBI ist das FBI. Habe ich recht?« Rose sprach mit der Auskunft. »Können Sie mich mit dem FBI in Philadelphia verbinden? Ich muss ein Verbrechen melden.«

Kristens Handy klingelte. Sie sah auf das Display. »Es ist Eileen. Soll ich rangehen?«

»Eileen Gigot ruft dich an?« Rose war überrascht. »Was will sie?«

»Keine Ahnung. Sie hat auf der Fahrt hierher schon mal angerufen. Auf der Mailbox hat sie mich gebeten, so bald wie möglich zurückzurufen.« Kristens Handy klingelte weiter.

O nein. »Es könnte etwas mit Amanda sein. Bitte, geh sofort ran.«

»Ja, hallo?«, sagte Kristen.

»Wie bitte, hallo?«, rief Rose zur gleichen Zeit in ihr Handy. Sie öffnete die Fahrertür, stieg aus dem Wagen und schickte eine stille Fürbitte gen Himmel.

Bitte, lass sie leben.

70

Rose stand am Rand des Maisfeldes und versuchte, mit ihrem Handy die Geheimnisse bundesstaatlicher Bürokratie zu ergründen. Gleichzeitig beobachtete sie Motten, die gegen die Autoscheinwerfer flogen. Beides schien etwas gemeinsam zu haben. Aber da sie für heute Abend bereits genügend Rätsel gelöst hatte, beließ sie es bei der bloßen Vermutung.

»Damit wir uns nicht missverstehen, Sir«, sagte sie, »Sie sind doch vom FBI?«

»Ja. Ich bin als Agent für Anzeigen zuständig.«

»Aber ich kann keine Anzeige erstatten?«

»Richtig. Das geht nur bis siebzehn Uhr und niemals an Wochenenden. Um halb neun abends sind mir also die Hände gebunden.«

Rose hatte ihm von einem Mord erzählt, nicht von sechs Morden, da hätte er sie sofort für verrückt erklärt. Aus dem gleichen Grund hatte sie auch den Senator nicht erwähnt. »Aber die FBI-Telefonzentrale hat mich mit Ihnen verbunden.«

»Ich weiß. Aber nach Büroschluss nehmen wir keine Anzeigen mehr entgegen.«

»Aber warum wurde ich dann mit Ihnen verbunden?«

»Damit ich Ihnen das sagen kann.«

Rose verstand die Welt nicht mehr. »Sie haben also mein Gespräch angenommen, um mir mitzuteilen, dass Sie mein Gespräch nicht annehmen können?«

Der Agent zögerte. »Dem FBI ist es wichtig, dass ein Anrufer mit einem menschlichen Wesen verbunden wird und nicht mit einem Anrufbeantworter.«

»Ich glaube nicht, dass ich mich besser fühle, wenn ich einem menschlichen Wesen mitteilen darf, dass ich Informationen zu einem Mord habe, und dieses Wesen mir dann antwortet, es könne mir jetzt leider nicht zuhören. Ein AB wäre mir da lieber.« Rose sah zum Wagen. Kristen telefonierte noch mit Eileen. »Sir, das Leben meiner Freundin steht auf dem Spiel. Ich weiß nicht, was ich tun soll.«

»Wenn Ihre Freundin in Gefahr ist, rufen Sie die 911 oder die örtliche Polizei an.«

»Das geht nicht. Meine Freundin vermutet, dass diese Behörden mit dem Täter unter einer Decke stecken.« Das klang auch für Roses Ohren recht unglaubwürdig.

»Dann sollten Sie und Ihre Freundin eines unserer

Büros aufsuchen, um Anzeige zu erstatten. Oder wir machen es morgen tagsüber per Telefon.«

»Danke, das überlege ich mir.« Rose legte auf. Im gleichen Augenblick stieg Kristen aus dem Wagen. Wieder waren ihre zarten Wangen mit Tränen bedeckt. Sie hielt Rose ihr aufgeklapptes Handy entgegen. Ob sie gleich zusammenbrach? Denn da war er wieder, der Feuerball. Amanda schreit. Blut verfärbt ihre blonden Haare. Sie liegt auf der Bahre. Mit nur einem Schuh.

»Eileen möchte mit dir sprechen.«

Rose starrte auf das Handy. Unmöglich, es anzufassen. Nein, die Mutter sollte ihr die Schreckensnachricht nicht überbringen.

»Nimm es«, sagte Kristen mit leiser Stimme. »Bitte.«

Rose schüttelte den Kopf. Die Motten schlugen gegen die Scheinwerfer, die Grillen zirpten.

»Nein, nicht, was du meinst.« Kristen las in Roses Gesicht. »Amanda lebt, sie liegt noch in der Intensivstation. Ich habe Eileen von deiner Mordtheorie erzählt. Da ist sie ausgerastet. Kannst du sie beruhigen?«

»*Was?*« Rose war fassungslos. »*Warum* hast du das getan?«

»Es ist mir rausgerutscht.« Kristen deckte das Telefonmikro mit der Hand ab. »Ein Mann ist im Krankenhaus aufgetaucht, der mich gesucht hat. Er hat behauptet, mein Vater zu sein. Deshalb hat mich Eileen angerufen. Wahrscheinlich war es jemand, den Modjeska geschickt hat. Vielleicht war er es sogar selbst. ›Passen Sie auf, das ist ein Mörder‹, habe ich zu Eileen gesagt. Da wollte sie mehr wissen.«

Rose machte sich Vorwürfe. Sie hätte Kristen einschärfen müssen, den Mund zu halten.

»Rose, rede mit ihr. Erklär es ihr. Sie hat ein Recht darauf.«

»Das hat sie. Aber jetzt ist nicht der Zeitpunkt. Sie steht neben dem Bett ihrer todkranken Tochter, verdammt noch mal.«

»Ich habe ihr gesagt, dass wir das FBI einschalten. Sie selbst will zur Fabrik gehen.«

»Zu *Homestead*? Wann?«

»Jetzt, heute Abend. Sie sagt, die Gelegenheit sei günstig. Wegen der Herbstkonferenz sind alle Bosse vor Ort. Sie will reinen Tisch machen, Homestead mit der Wahrheit konfrontieren.«

»Nein, das darf sie nicht.« Rose griff nach dem Handy. »Eileen, bitte gehen Sie nicht zu Homestead. Es ist gefährlich, wenn …«

Die Verbindung war unterbrochen.

»Nein!« Rose drückte auf Rückruf. Eileens Handy klingelte und klingelte, dann sprang die Mailbox an. »Eileen, bitte, tun Sie es nicht. Gehen Sie nicht zur Fabrik. Sie werden Sie …«

»Ende der Nachricht«, sagte eine Automatenstimme.

71

Rose fasste Kristen an der Schulter und sah ihr in die Augen. »Du musst zum FBI gehen. Sofort. Du darfst keine Zeit verlieren.«

»Ohne dich?« Kristen geriet in Panik.

»Ja. Ich muss Eileen stoppen. Wenn die bei Homestead erfahren, dass sie über den Tod ihres Mannes Bescheid weiß, ist sie tot, bevor sie ein Wort sagen kann.«

»Und was ist mit dir? Du bist auch in Gefahr.«

»Nein. Von meinen Recherchen wissen sie nichts. Und außerdem bin ich gut verkleidet. Selbst du hast mich kaum erkannt. Beeilen wir uns.« Rose zog Kristen zum Wagen.

»Aber ich habe Angst.«

»Das weiß ich, meine Liebe.« Rose öffnete die Wagentür. »Aber das ist die einzige Möglichkeit. Du kannst nicht mit mir nach Reesburgh fahren. Da begibst du dich in die Höhle des Löwen.«

»Kann ich nicht hierbleiben?«

»Im Maisfeld?« Rose packte sie fest am Arm. »Je früher du zum FBI gehst, desto eher bist du in Sicherheit. Gibt es nicht jemanden, der dich begleiten kann? Jemand, dem du vertraust?«

»Vielleicht mein Freund. Eric. Er ist der beste Junge, dem ich je begegnet bin. Und ich habe ihn wegen Martin abserviert. Er wollte mich heiraten. Er würde alles in der Welt für mich tun.«

»Dann ruf ihn sofort an. Er soll dich hier abholen.

Fahr mit ihm zum FBI in Philadelphia. Nehmt seinen Wagen.« Rose stieg in ihren. »Und versuch, Eileen anzurufen.«

»Okay.«

»Das schaffst du schon. Keine Sorge. *Alohomora.*«

Kristen lächelte unsicher. »Der Spruch öffnet Türen.«

»Pass auf dich auf.«

Kristen zwang sich, Mut zu zeigen. »Du auch.«

Rose raste los. Ihr Ziel war die Mautstraße nach Reesburgh. Sie hielt nach Polizeiwagen Ausschau. Ihr Herz klopfte wild. Sie wollte rechtzeitig in der Fabrik ankommen. Eileen hatte einen Vorsprung von ungefähr vierzig Minuten. Vielleicht war sie aber auch im Krankenhaus aufgehalten worden.

Rose fühlte sich nicht so sicher, wie sie Kristen hatte glauben lassen. Schließlich war sie als angeblich neue Arbeitskraft heute Hals über Kopf aus der Fabrik geflohen. Und wenn die Aufsicht bei Trish sich über ihre sogenannte Cousine erkundigt hatte, dann gute Nacht. Der Sicherheitsdienst hätte ihre Beschreibung und würde nach ihr Ausschau halten, vor allem heute Abend beim Firmenball.

Mit der linken Hand hielt sie das Steuer fest, mit der rechten fummelte sie auf ihrem Handy herum. Sie drückte auf L, rief Leo an. Wieder einmal klingelte es, wieder einmal sprang die Mailbox an. Sie wollte ihm keine Angst einjagen, doch es gelang ihr nicht, ihre Erregung zu verbergen. »Mein Schatz, ruf mich bitte, bitte an. Ich bin auf dem Weg zu Homestead. Bitte, beeile …«

Ein langgezogener Pfeifton. Das Handy verabschiedete sich. Der Akku war leer.

»Verdammt!« Rose warf das Telefon auf den Beifahrersitz und gab Gas.

72

Rose jagte die Mautstraße hinunter und erreichte Reesburgh in neuer Rekordzeit. Dennoch hatte sie das ungute Gefühl, dass es nicht gereicht hatte. Sie wagte einen Blick auf die Uhr am Armaturenbrett – 21:17 Uhr.

Sie war zu spät. Wahrscheinlich war Eileen vor knapp fünfzehn Minuten angekommen. Bitte, bitte, nicht noch mehr Tote. Tränen traten ihr in die Augen, die sie zurückzuhalten versuchte.

Sie fegte die Überholspur entlang und blinkte einen weißen VW vor sich an, doch der wurde stattdessen noch langsamer. Denn es gab etwas zu sehen. Die Staatspolizei hatte ein Auto gestoppt, ein Polizeiwagen stand mit rotierendem Blaulicht hinter einem blauen Van. Rose sah zweimal hin. Der Fahrer des gestoppten Van kam ihr bekannt vor.

Rose wechselte auf die Spur rechts außen. Der Fahrer war eine Frau. Sie hatte kurzes blondes Haar. Es war *Eileen.* Mit demselben Wagen war sie auch an jenem furchtbaren Abend zum Krankenhaus gekommen.

Bist du jetzt beruhigt?

Rose fuhr an Eileen und dem Polizeiwagen vorbei,

ihre Gedanken überschlugen sich. Was, wenn die Polizei Eileen nicht wegen überhöhter Geschwindigkeit angehalten hatte? Wenn die Polizei wusste, dass Eileen zur Herbstkonferenz wollte? Würde sie den Sicherheitsdienst von Homestead warnen? Vielleicht sogar Mojo persönlich?

Rose atmete schwer. Zumindest fuhr sie jetzt nicht mehr hinter Eileen her. Rose bog in die Allen Road ein, den blauen Van behielt sie im Auge. Reesburgh schlief schon, die Straßen waren dunkel und leer. Sie raste an der Apotheke und all den anderen Geschäften vorbei. Schließlich passierte sie die Grundschule. Dort hatte alles angefangen.

Und bald sollte es auch zu Ende gehen.

Heute Nacht.

73

WILLKOMMEN BEI HOMESTEAD. Rose las das Schild an diesem Abend mit anderen Augen. Ohne das Chaos der Schulgruppen und Besucher wirkte das Gelände verwaist. Aber in den Büros brannten noch die Lichter, was Rose an eine unbewohnte Miniaturstadt aus Plastik erinnerte.

Sie fuhr die Zufahrtsstraße hinunter, vorbei an den Ausfahrtsschildern für Busse und Besucher. Die Fabrik hatte keine Fenster, doch das Dröhnen der Maschinen drang trotzdem nach draußen. Dampfwolken stiegen zischend aus den Schornsteinen. Der Mitarbeiterparkplatz war nur zum Teil besetzt.

Der blaue Van war außer Sichtweite. Die ganze Fahrt hierher hatte Rose ihn im Rückspiegel beobachtet. Dabei hatte sie darauf geachtet, dass er nicht zu ihr aufschließen konnte. Das gehörte zu ihrem Plan.

Sie bog zum Konferenzzentrum ab, auf dessen Parkplatz kaum noch ein Platz frei war. Kaltes Licht fiel auf die abgestellten Wagen. Rose parkte hinten in der Nähe der Einfahrt; dort, wo es recht dunkel war. Sie stellte den Motor ab und sah sich um.

Auf dem Parkplatz war es still, alle vergnügten sich bei der Party im Konferenzzentrum. Das Gebäude hatte Fenster vom Boden bis zur Decke. Festlich gekleidete Paare tanzten miteinander, andere standen an den runden Bankettischen und genossen im Kerzenschein das Büfett. Eine große Band spielte, ihren schlechten Siebzigerjahre-Rock konnte man bis auf den Parkplatz hören. Der Beat ging plötzlich in eine Art Fanfare über, die von den Bläsern intoniert wurde. Männer im Smoking betraten ein mit Blumen geschmücktes Podium. Vermutlich leitende Angestellte und der Generaldirektor von Homestead. Als letzter stieg Senator Martin die Stufen hoch. Er winkte der Menge zu und wurde mit donnerndem Applaus empfangen.

Ein paar Raucher standen vor dem Eingang. Ihre Zigaretten glühten. Zwei Sicherheitsbeamte unterhielten sich. Rose erkannte sie an ihren strahlend weißen Hemden und Mützen. Eine weiße Limousine, auf der HOMESTEAD SECURITY stand, parkte etwas abseits des Eingangs. Senator Martin hatte bestimmt seine eigenen Leibwächter mitgebracht.

Rose stieg vorsichtig aus dem Wagen, schlich sich über die Zufahrtsstraße auf die andere Seite und versteckte sich hinter einem Gebüsch. Der Boden war kalt. Aber sie musste nicht lange warten.

Der blaue Van bog langsam in die Zufahrtsstraße ein. Eileen fuhr in Richtung Konferenzzentrum und parkte in der Nähe von Roses Wagen.

Jetzt war es so weit.

Rose zählte.

Eins, zwei, drei.

74

»Eileen, machen Sie auf, schnell!« Rose versuchte, die Tür zu öffnen, aber sie war abgeschlossen. Sie klopfte mit der Hand gegen das Seitenfenster. »Ich bin's, Rose.«

Eileen stand die Angst ins Gesicht geschrieben. Sie wandte sich ab und wollte auf den Beifahrersitz klettern.

»Machen Sie auf! Ich bin's, Rose.«

Eileen sah sie wieder an, dann öffnete sie die Tür. »Sind Sie unter die Rothaarigen gegangen? Was machen Sie hier?«

»Pst, man kann uns hören.« Rose kletterte auf den Beifahrersitz und machte behutsam die Tür zu. »Sie wecken schlafende Hunde. Wollen Sie das?«

»Und was wollen Sie? Was ist in Sie gefahren?«

»Eileen, wir müssen hier weg. Wir müssen zum FBI …«

»Sie sind total irre.« Im Licht der Straßenlaterne konnte man Eileens vor Kummer verzerrtes Gesicht erahnen. »Haben Sie meiner Familie nicht schon genug angetan? Lassen Sie uns endlich in Ruhe.«

»Eileen, es war sicher schrecklich für Sie zu erfahren, dass Bill …«

»Nennen Sie ihn nicht mit Vornamen, als würden Sie ihn kennen. Sie haben ihn nicht gekannt. Und mich kennen Sie auch nicht. Verschwinden Sie.«

»Ich bin auf Ihrer Seite.«

»Das sind Sie nicht. Sie haben Amanda im Stich gelassen.«

»Das stimmt nicht. Aber das ist nicht die Zeit und der Ort, Ihnen das zu erklären. Sie können mich hassen, so viel Sie wollen, aber jetzt lassen Sie uns dafür sorgen, dass diese Typen verhaftet werden. Einer von ihnen ist Senator Martin!«

»Das ist meine Angelegenheit, ganz allein meine Angelegenheit. Was mischen Sie sich ein?«

»Ich habe die Brandursache recherchiert. Die Spur führt zu Homestead. Das ist alles. Aber Sie müssen jetzt …«

»Erzählen Sie mir nicht, was ich zu tun habe«, unterbrach Eileen sie. »Es geht hier um *meinen* Mann. Sie haben Ihren Mann noch!«

»Eileen, vielleicht beobachten sie uns. Man hat Sie mit Ihrem Van angehalten. Warum?«

»Woher wissen Sie das? Verfolgen Sie mich? Stellen Sie mir nach?«

»Eileen, Sie sind in Lebensgefahr. Diese Typen tun alles, um nicht ins Gefängnis zu müssen. Aber wenn die Wahrheit herauskommt, sind sie dran.« Rose zeigte auf den Eingang des Konferenzzentrums. »Sehen Sie, dort stehen zwei Sicherheitsbeamte. Die werden Sie nie hineinlassen.«

»Ich kenne die beiden. Sie waren einmal bei uns zum Grillen. Die würden mir nie etwas antun.« Eileen zog am Türgriff, doch Rose packte sie am Arm.

»Bitte gehen Sie nicht!«

»Verschwinde!«

Eine Faust bewegte sich auf Roses Gesicht zu.

Dann sah Rose nichts mehr.

75

Rose kam wieder zu sich. Sie öffnete die Augen und fühlte sich kraftlos. Ihre linke Wange tat entsetzlich weh. Sie lag zusammengesackt auf dem Fahrersitz. Ihr erster Gedanke:

Eileen.

Sie richtete sich auf. Am Eingang zum Konferenzzentrum herrschte Aufruhr. Zwei Sicherheitskräfte von Homestead versuchten, Eileen in ihre Limousine zu befördern. Der eine hielt ihr den Mund zu, während der andere sie an ihren Armen packte. Schließlich verfrachteten sie Eileen auf den Rücksitz und knallten die Tür zu.

Um Gottes willen.

Im Konferenzzentrum ging die Party weiter, als sei nichts geschehen. Die Gäste saßen an den Banketttischen, dem Podium zugewandt, wo Senator Martin vor den Fabrikbesitzern eine Rede hielt.

Ein Sicherheitsbeamter spurtete zum Eingang zurück, während die Limousine mit Eileen auf dem Rücksitz Richtung Zufahrtsstraße lospreschte.

Rose duckte sich, als die Limo an ihr vorbeiraste. Ihr Herz pochte. Würde sie jetzt aus dem Van aussteigen und Krach schlagen, würde man sie wie Eileen abtransportieren. Sie konnte niemanden anrufen, der Handy-Akku war leer. Zum Glück wusste niemand von der Security, dass sie hier war. Doch früher oder später würden sie sich um Eileens Van kümmern. Diese Leute hinterließen keine Beweise. Das hatten sie bisher nicht getan, und das würden sie auch in Zukunft nicht tun. Erst recht nicht, wenn sie jemanden töten wollten.

Der Wagenschlüssel steckte noch im Zündschloss. Rose konnte der Limousine hinterherfahren, doch die verließ nicht das Gelände, sondern fuhr zur Fabrik, wo sie mit Eileen als Gefangener in einer großen Halle verschwand.

Rose stieg vorsichtig aus dem Van und schlich sich bis zur Stoßstange vor. Die Tür ließ sie offen. Der Sicherheitsbeamte stand noch vor dem Eingang. Ein Raucher kam zurück und zündete sich die nächste Zigarette an. Keiner von beiden sah in ihre Richtung.

Sie holte tief Luft und sprintete geduckt bis zur nächsten Wagenreihe. Dort wartete sie und atmete tief durch. Die Hauptgebäude der Fabrik befanden sich auf einem Hügel, und dahinter links, wo die Limousine verschwunden war, lag eine Lagerhalle, vor der gewaltige Sattelschlepper standen. Eine der Rampen war offen, gleißendes Licht drang nach draußen. Doch nichts rührte sich.

Rose rannte bis zur nächsten Wagenreihe. Ihr Herz hämmerte vor Anspannung und Angst. Sie war eine Mutter und keine Actionheldin. Aber dann begriff sie:

Jede Mutter ist eine Actionheldin.

Sie spurtete von einer Wagenreihe zur nächsten, bis sie am Rand des Parkplatzes angekommen war. Sie schaute vorsichtig zum Eingang. Der Sicherheitsbeamte und der Raucher standen noch davor. Dann rannte sie los. Ihr Herz schlug wie verrückt, doch sie hastete den Hügel hinauf. Die beiden konnten sie jetzt sehen. Aber ihr blieb keine andere Wahl.

Renn, renn, renn!

Sie ließ sich keuchend hinter den erstbesten Sattelschlepper fallen, dann suchte sie Schutz zwischen zwei Lkws. Sicherheitslampen erhellten das Gelände, aber niemand war zu sehen. Nichts war zu hören. Das machte ihr Mut.

Insgesamt waren es vier Laster, die vor der Lagerhalle standen. Die offene Rampe war rechts außen. Sie musste nach links.

Sie sprintete von einem Laster zum nächsten. Dann rannte sie zum hinteren Ende der Fabrik und lehnte sich an die Außenwand. Sie konnte die Maschinen hören, ihre Vibration spüren. Es gab keine Fenster, keine Türen. Sie lugte um die Ecke.

Niemand. Eine asphaltierte Fläche lag vor ihr, die von Lampen dürftig erhellt wurde. Der Platz war leer, keine Lkws, keine anderen Fahrzeuge. Etwas weiter oben gab es eine Öffnung in der Wand. Durch die, vermutete Rose, war die Limousine der Security verschwunden.

Renn!

Sie rannte bis zu der Öffnung, dann blieb sie stehen. Kein Geräusch, kein Laut. Es war still. Sie wagte einen Blick nach innen. Die weiße Limousine stand in einer u-förmigen Rampe neben blauen Abfalltonnen und Pappkartons. Die Rampe war gelb gestrichen und hatte drei Türen. Keine davon war beschriftet. Eine Tür musste zum Büro des Sicherheitschefs führen, zu dem man Eileen vielleicht gebracht hatte. Aber welche Tür war es?

Rose war ratlos. Sie konnte sich nicht orientieren. Bei der Führung hatten sie das Gebäude von der anderen Seite betreten. Das machte es schwierig.

»Du hältst mich wohl für blöd«, sagte jemand hinter ihr.

76

Rose wurde gegen eine Wand gestoßen. Rose wusste, mit wem sie es tun hatte, bevor sie ihm in die Augen blicken konnte.

Mojo.

»Da hat sich unser Mütterchen ein bisschen zu weit vorgewagt«, schnarrte Mojo. Er stank nach Zigarre.

Rose ließ sich nicht von ihm terrorisieren. Sie hatte sich nicht so weit vorgearbeitet, um sich jetzt abservieren zu lassen. Mojo hielt sie bloß für eine Mutter, aber sie war – was er nicht wusste – auch eine Actionheldin. Mit voller Wucht trat sie ihm in die Eier.

»Auaaa!« Mojo taumelte nach hinten, und Rose rannte um ihr Leben.

»Hilfe! Hilfe!« Es war Zeit für Plan B. In der beleuchteten Lagerhalle arbeiteten bestimmt Leute. »Hilfe!«

Plötzlich knackste es in den Lautsprechern, die an der Decke befestigt waren. Eine Ansage kam vom Band: »Alle Mitarbeiter verlassen sofort das Gebäude durch den Haupteingang. Dies ist keine Übung.«

O nein. Rose konnte das Stimmengewirr in der Produktionshalle hören. Besorgte Menschen schrien durcheinander. Doch Rose rannte weiter.

»Ich bring dich um!« Mojo keuchte. Er war ihr dicht auf den Fersen. Schießen konnte er nicht, das würde Aufsehen erregen. Zwar war er kräftiger, aber sie war schneller.

»Hilfe!«, rief sie wieder. Doch ihr Schrei ging in der Ansage, die endlos wiederholt wurde, unter.

Es war nicht mehr weit bis zur Rampe. Nur noch vier Lkws. Noch drei, zwei, einer. Die Laderampe war hoch, ungefähr zwei Meter.

Spring, spring, spring!

Sie sprang und schlug mit der Hüfte gegen den Beton. Schmerzen durchzuckten sie. Sie klammerte sich am Beton fest, ihre Beine hingen in der Luft.

»Du verdammtes Miststück!«, brummte Mojo, denn Rose hatte sich hochgezogen. Sie war wieder auf den Beinen und lief durch die Lagerhalle.

»Hilfe!«, schrie sie, doch niemand konnte sie hören. Die Scheinwerfer an den Gabelstaplern waren noch eingeschaltet, aber die Fahrer waren alle weg.

Sie hetzte durch die Verpackungsabteilung, auch hier war niemand mehr. Vor dem Scanner stapelten sich die Kartons.

Sie musste es bis zum Haupteingang schaffen. Sie wollte hier nicht sterben. Auch Eileen durfte hier nicht sterben.

»Du blödes Luder«, schrie Mojo. Er war außer Atem, gab aber nicht auf.

Rose stieß zwei Schwingtüren auf, rannte einen langen Flur entlang, durch mehrere Türen, bis sie in einem Raum ankam, der voller Maschinen stand. Eine Unzahl von roten Leitungen ragte aus ihnen hervor.

Surrende Messer zerschnitten Kartoffeln. Stahlarme warfen sie in Trichter. Laufbänder beförderten sie in Behälter voll kochenden Fetts. Es war unerträglich heiß. Sie rang nach Luft und suchte nach einem Ausgang.

Da!

Sie hetzte eine Metalltreppe hoch, in der Hoffnung, dass sie schneller wäre als der schwergewichtige Mojo. Die Treppe führte zu einem wackeligen Metallsteg. Der Steg begann zu schwingen, als Rose darüberhastete.

»Ich krieg dich!«, schrie Mojo. Sein Gewicht ließ den Steg noch mehr schaukeln.

Die nächste Treppe lag vor ihr. Diesmal ging es abwärts. Unten wartete ein gekachelter Flur auf sie. Sie blickte über die Schulter.

Mojo war dicht hinter ihr, doch seine Kräfte ließen nach. Also lief sie die nächste Treppe hoch, die auch zu einem Metallsteg führte, um ihn müde zu machen.

»Stinkendes Miststück!«, schrie er. Rose lief über den Steg. Sie hielt sich am Metallgeländer fest, um nicht hinzufallen.

Mojo war hinter ihr, er ließ sich nicht abhängen. Sie liefen oberhalb der Packabteilung entlang, dann wurde es wieder heiß, denn unter ihnen wurden in offenen Kesseln die Chips in kochendem Öl frittiert.

Rose jagte die nächste Treppe hinunter. Der Raum endete keine fünf Meter vor ihr. Sie hatte sich verschätzt. Sie drehte sich um die eigene Achse, voller Schrecken. Nein, es gab keinen Ausgang.

Sie saß in der Falle.

77

Mojo sprang von der Treppe herab, nahm von der Wand eine lange Metallstange, an der ein Haken befestigt war, und bedrohte sie.

Rose hob die Hände und wich zurück. Der Haken traf sie am Unterarm. Sie schrie vor Schmerz. Mojo schlitzte mit dem Haken eine der roten Leitungen auf. Ein Knäuel von Elektrodrähten sprang heraus.

»Ich krieg dich schon!« Mojo zog eine Fratze. Die Elektrodrähte knisterten und zischten. Mojos dunkle Augen funkelten. Er ging auf sie zu.

Die Treppe war zu weit weg. Die einzige Tür war auf der gegenüberliegenden Seite. Wohin?

Mojo stellte sich ihr in den Weg. Er holte mit seinem Todeswerkzeug aus, dabei rutschte er auf dem gefliesten Boden, und der Haken blieb in einem der Schläuche stecken.

Rose floh in die nächste Ecke. Die Elektrokabel hüpften herum, Funken sprühten.

Mojo gelang es, den Haken zu befreien. Heißes Öl ergoss sich aus dem Schlauch auf die Fliesen. Er wich der kochenden Flüssigkeit aus, hob den Haken hoch über seinen Kopf, und als er weit nach hinten ausholte, um Rose mit einem einzigen Schlag zu töten, berührte der Haken die unter Spannung stehenden Elektrodrähte.

Mojo riss entsetzt die Augen auf. Er wurde von Krämpfen geschüttelt, als Strom durch seinen Körper fuhr. Ein widerlicher Gestank erfüllte die Luft. Mojo sank zusammen, der Strom hatte ihn hingerichtet. Der Haken fiel aus seiner Hand, der Stromkreis war unterbrochen. Die Kabel schnellten zurück, Funken flogen, die das Öl entzündeten. Mojos Körper ging in Flammen auf.

Rose drückte sich gegen die Wand, immer mehr Öl floss aus dem Ofen und ergoss sich über die Fliesen. Das Feuer suchte sich einen Weg zum Ofen, der mit einem riesigen Knall explodierte.

Das Öl war leicht entflammbar wie Kerosin, und bald knallte und explodierte es überall. Alle Öfen standen in Flammen.

Sirenen heulten, dass es in den Ohren schmerzte. Hauben über den Öfen versprühten chemische Löschmittel. Die Sprinkleranlage verteilte Löschwasser. Das heiße Öl zischte, entzündete sich und verwandelte die Halle in ein einziges Inferno.

Rose brüllte. Eine Flammenwand erhob sich zwischen ihr und dem Ausgang. Überall war Rauch. Sie konnte in der Hitze kaum atmen. Und dazu das Wasser aus der Sprinkleranlage, das das ausströmende Fett in ein tödliches Flammenmeer verwandelte. Das Feuer in der Cafeteria – es brach vor ihren Augen wieder aus. Diesmal würde sie richtig handeln. Sie würde Eileen retten.

Aber wie? Wie? Wie?

Irgendwo mussten Feuerlöscher sein. Rose rannte an der Wand entlang. Sie entdeckte einen, der sie an ihren Feuerlöscher in der Küche erinnerte, nur dass dieser riesengroß war. Sie riss ihn aus seiner Halterung, konnte ihn aber kaum tragen, so heiß und schwer war er.

Sie zog den Sicherungsstift heraus, schlug auf den Auslöseknopf und bahnte sich einen Weg durch die Flammen. Endlich war sie an der Tür. Sie ließ den schweren Feuerlöscher fallen, der mit einem klirrenden Geräusch auf dem Boden landete und wegrollte.

Dichter Rauch vernebelte den Flur. In der Ferne heulten Sirenen. Sie hustete und hustete. Ihre Augen tränten.

»Eileen!«

78

Rose blickte nach rechts, dann nach links. Welchen Flur sollte sie entlanglaufen? Sie hustete und hustete. Ihre Lungen brannten. Die Büros lagen an einem Gang, der die Brezel- und die Kartoffelchipproduktion verband. Das hatte sie von der Führung in Erinnerung behalten.

Wahrscheinlich war es der rechte Flur. Sie rannte diesen Flur hinunter und landete im nächsten. Durch das Fenster zur Fabrik bot sich ein entsetzlicher Anblick. Holzpaletten, Verpackungsmaterial, Pappkartons – alles stand in Flammen. Sie war also über der Lagerhalle. Was hatte die Führerin gesagt?

Sind das nicht viele Kisten und Kartons? So weit das Auge reicht!

Die Lagerhalle befand sich zwischen Chip- und Brezelproduktion. Sie war also richtig. Sie rannte den Gang hinunter. Brezelgeruch drang in ihre Nase.

Schnell, schnell, schnell.

Der Gestank von verbrannten Brezeln wurde stärker. Der Flur machte eine Biegung nach links, dann nach rechts. Schließlich erreichte sie ihr Ziel, den Büroflur. QUALITÄTSKONTROLLE stand an der ersten Tür, SECURITY an der nächsten.

»Eileen!« Rose rüttelte an der Tür, sie war abgeschlossen. Durch das Fenster neben der Tür konnte sie in das Vorzimmer blicken, das sich allmählich mit Rauch füllte. Niemand war zu sehen. Die Tür zum Büro des Sicherheitschefs war geschlossen. Falls Eileen hier war, wurde sie dahinter festgehalten.

Rose sah sich um. Ein paar Meter weiter oben stand ein großer Abfallkübel aus Metall. Rose schleppte ihn zum Sicherheitsbüro und schlug ihn gegen das Fenster.

Die Scheibe zersprang. Das Loch war aber noch zu klein. Rose schlug wieder zu. Ihre Augen tränten. Wegen des Rauchs konnte sie kaum atmen.

Sie schlug noch zweimal zu. Das Loch war größer geworden. Sie hätte den Abfalleimer keine Sekunde länger halten können. Mit einem lauten Knall fiel er zu Boden.

Vorsichtig streckte sie die Hand durch das Loch und suchte den Türknopf. Er ließ sich drehen! Die Tür war offen.

»Eileen!«

79

»Eileen!« Rose war erleichtert. Das Büro war zwar voller Rauch, doch Eileen lebte. Rose versuchte, das Seil zu lockern, mit dem man Eileen an einen Metallstuhl festgebunden hatte. Ihr Mund war mit Klebeband zugeklebt. An der Stirn blutete sie. Sie gab kehlige Laute von sich. Sie wollte reden.

»Keine Sorge, keine Sorge.« Rose eilte zu ihr. Mit Klebeband waren auch ihre Fußgelenke zusammengebunden, die Arme hinter ihrem Rücken ebenfalls.

»Achtung. Das tut weh.« Rose riss das Klebeband von ihrem Mund, was einen dicken roten Striemen hinterließ.

»O Gott.« Eileen atmete die verräucherte Luft ein und begann zu husten.

»Wir brauchen Sauerstoff.« Rose sah sich um. Zwischen zwei Bücherregalen gab es eine fensterlose Metalltür. »Haben die Typen Sie durch diese Tür hereingebracht?«

»Ja.« Eileen hustete. Ihr Gesicht lief rot an.

»Geduld.« Rose drehte den Knauf nach rechts. Die Rampe hinter der Tür war leer. Die weiße Limousine war nicht mehr da. Frische Luft drang in das Büro und wirbelte den Rauch auf. Eileen musste noch stärker husten. Rose lief zu ihr und klopfte ihr auf den Rücken. »Alles in Ordnung?«

»Fassen Sie mich nicht an!« Wieder hustete sie. »Glauben Sie ja nicht, wir sind jetzt Freundinnen.«

Darauf zu antworten, hatte Rose keine Zeit. Mit einer Schere aus dem Schreibtisch wollte sie das Seil um Eileens Hände zerschneiden.

»Sie haben meine Tochter im Stich gelassen. Ich würde jeden Tag mein Leben für sie geben.«

Das Seil wurde dünner, bis es schließlich zerriss.

»Dreckskerle.« Eileen wand und krümmte sich. Sie wollte sich aus der Fesselung befreien. »Sie haben Bill getötet. Und jetzt haben sie es auf mich abgesehen. Wenn Mojo zurückkommt, ist es so weit.«

»Er wird nicht zurückkommen.« Rose zerschnitt das letzte Stück Seil. »Er ist tot.«

»Was?« Eileen riss sich das Klebeband vom linken Fußgelenk. »Wieso? Das Feuer?«

»Mehr oder weniger.« Rose riss ihr das Klebeband vom rechten Fußgelenk.

»Es tut mir leid, dass ich Sie geschlagen habe. Aber Sie hatten es verdient.« Eileen sprang auf.

»Auch ich könnte mich entschuldigen, aber als Erstes müssen wir hier raus. Folgen Sie mir.«

»Moment mal. Ich kenne diese Fabrik wie meine Westentasche.«

Eileen rannte aus der Tür, Rose ihr nach.

80

Es stank nach verbranntem Gummi, Plastik und Öl. Schwarzer Rauch stieg aus den Abluftgittern und den Kaminen hoch, Asche und Funken fielen wie Regen vom nächtlichen Himmel. Um die dreißig Löschzüge waren im Einsatz. Feuerwehrleute in mehrschichtigen Schutzmänteln verlegten Schläuche. Sirenen heulten, Menschen schrien durcheinander, hektisches Treiben hatte das gesamte Fabrikgelände erfasst.

Rose und Eileen liefen in Richtung Zufahrtsstraße, die mit Krankenwagen, Streifenwagen und Ü-Wagen der Fernsehsender zugeparkt war.

Sie waren in Sicherheit. Tränen traten Rose in die Augen. Sie dachte an Leo und die Kinder und spürte ein sehnsüchtiges Verlangen nach ihnen. Sie wollte wieder mit ihnen zusammen sein, glücklich und zufrieden. Ob Leo ihre Nachricht bekommen hatte? Ob er es vielleicht sogar hierher geschafft hatte? Sie suchte ihn in der Menschenmenge, aber sie nahm im Blaulichtgewitter nur Silhouetten wahr.

Jemand schrie. Beamte der Staatspolizei, FBI-Agenten in marineblauen Windjacken, Sanitäter in schwarzen Uniformen sowie Bezirksstaatsanwalt Howard Kermisez und sein Assistent Rick Artiss rannten auf Rose und Eileen zu.

»Hilfe!«, rief Eileen. Die Sanitäter erreichten sie als erste.

»Beeinträchtigt diese Wunde Ihr Sehvermögen? Können Sie noch sehen?« Ein Sanitäter besah sich Eileens Stirn.

»Alles in Ordnung.« Eileen wollte mit der Polizei sprechen. Ein zweiter Sanitäter kümmerte sich um Rose.

»Wir bringen Sie ins Krankenhaus.« Er fasste Rose am Arm. »Sie müssen behandelt werden.«

»Meinen Sie?« Rose hielt vergeblich Ausschau nach Leo.

»Ein Glück, dass Sie alle hier sind!«, rief Eileen den FBI-Agenten, der Staatspolizei und dem Staatsanwalt zu. »Ich bin Eileen Gigot. Beinahe hätte man mich heute Abend umgebracht. Drei Männer von der Homestead-Security wollten mich ins Jenseits befördern. Ich habe ihre Namen und kann sie beschreiben. Vor sieben Jahren musste mein Mann dran glauben.«

»Mrs Gigot, kommen Sie mit uns«, sagte ein Beamter von der Staatspolizei mit besorgtem Blick. »Ihre Aussage können Sie später machen. Hier auf dem Gelände ist es zu gefährlich.«

Howard Kermisez fasste Eileen am Arm. »Mrs Gigot, unser Büro ist über alles informiert. Wir …«

»Howard, so geht's nicht.« Der FBI-Agent fasste Eileen am anderen Arm und zeigte ihr seinen Dienstausweis. »Ich bin Special Agent Jacob Morrisette vom FBI-Büro in Wilmington. Dieser Fall fällt in unsere Zuständigkeit.« Er wandte sich an Rose. »Sie sind wohl Rose McKenna. Kristen Canton ist in unserem Büro in Philadelphia. Kommen Sie bitte auch mit uns.«

Howard gab nicht auf. »Jake, das ist unser Fall. Die

Verbrechen sind im Reesburgh County begangen worden.«

»Nein, nein, meine Herren.« Der erste Sanitäter ging mit Entschiedenheit dazwischen. »Diese beiden Damen brauchen als Erstes medizinische Betreuung.«

»Ich hab doch gesagt, dass es mir gut geht.« Eileen drängte ihn weg. »Wir müssen als Allererstes diese Typen schnappen. Sie sind erst seit zwanzig Minuten weg.«

»Hören Sie mir mal alle zu!« Special Agent Morrisette wurde ungehalten. »Die Staatspolizei wird eine Fahndung herausgeben, danach werden Sie, meine Damen, medizinisch versorgt, und dann werden wir in unserem Büro Licht in die ganze Angelegenheit bringen.«

Rose hielt noch immer nach Leo Ausschau. Unter all den Homestead-Arbeitern in gelben Overalls, Festbesuchern in Smoking und Abendkleid und den Neugierigen aus Reesburgh konnte sie ihn nicht entdecken. Alle blickten gebannt auf das Feuer. Kummer und Schmerz standen in ihren Gesichtern. Einige Arbeiter weinten hemmungslos.

Rose dachte an Juanita, June und Sue, die so nett zu ihr gewesen waren. Ob sie bald ohne Arbeit sein würden? Sie ging an den Direktoren und Verkaufsmanagern vorbei, die alle niedergeschlagen wirkten. Was für ein enormer Schaden für die Region. Was für ein enormer Schaden für Reesburgh. Diese Stadt war Roses neue Heimat.

»Eileen, Rose, hierher!« Tanya Robertson und ihr Team waren mit Kamera, Scheinwerfern und Mikros natürlich auch vor Ort. Doch die Polizei hinderte sie, die Absperrung zu durchbrechen.

»Eileen, wie sind Sie in das Feuer geraten?«, rief Tanya ihr zu. »Was ist passiert? Wieso sind Sie mit Rose zusammen?«

»Tanya, ich habe einen Knüller für Sie.« Eileen sprach direkt in die Kamera. »Mein Mann Bill ist vor sieben Jahren umgebracht worden. Und heute Abend sollte ich an die Reihe kommen.«

»*Was?*« Tanya war schockiert. »Sie?« Ein aufgeregtes Gemurmel setzte in der Menschenmenge ein. Die Schaulustigen reckten die Hälse. Die FBI-Agenten versuchten, Eileen von der Kamera wegzuziehen. Aber sie griff nach dem Mikrofon.

»Die Mörder meines Mannes müssen gefasst werden. Roger Foster, Paul Jensen und Deke Rainwater heißen die drei, die mich abmurksen wollten. Sie stecken mit Joseph Modjeska unter einer Decke. Der ist übrigens in den Flammen verbrannt. Ich möchte, dass die drei wegen versuchten Mordes einkassiert werden.«

»Haben Sie für Ihre Anschuldigungen auch Beweise?«, fragte Tanya. Sie konnte ihre Erregung kaum zurückhalten.

»Natürlich. Ebenso wie Rose, die mir das Leben gerettet hat.« Eileen nickte Rose zu und zeigte mit dem Daumen nach oben.

»Haben Sie, Ms McKenna, wirklich Eileen das Leben gerettet?« Tanya hielt Rose das Mikrofon hin. »Wollen Sie vielleicht heute mit mir reden?«

Plötzlich sah Rose, wie eine Kolonne von schwarzen

Limousinen wegfuhr. Sie verließ das Fabrikgelände in Richtung Highway. Das waren sicher Senator Martin und sein Gefolge.

»Ja, ich habe etwas zu sagen.« Rose zeigte auf die Wagenkolonne. »Da fährt er, der Senator Martin. Er ist übrigens der Drahtzieher. Er ist verantwortlich für die Morde an Bill Gigot, Kurt Rehgard und Hank Powell.« Den Zuschauern ringsum verschlug es den Atem. Rose sprach weiter in ruhigem, sachlichem Ton. »Er steckt sogar hinter dem Feuer in der Grundschule, bei dem drei Menschen starben und Amanda Gigot schwer verletzt wurde. Das Feuer war kein Unfall, es war Brandstiftung und vorsätzlicher Mord, begangen von Senator Martin und seinen Komplizen.«

Tanya stand mit offenem Mund da, Eileen jubelte, und die Menschen konnten nicht glauben, was sie gerade gehört hatten. Die FBI-Agenten blickten zur Staatspolizei, und die Staatspolizei blickte zum Staatsanwalt.

»Das reicht für heute, meine Damen«, meinte der Special Agent und packte Rose am Arm.

»Halt, einen Augenblick.« Rose entdeckte Leo, der sich einen Weg durch die hysterische Menge bahnte.

»Lasst sie reden!«, rief er. Er drängte sich an einem Polizisten vorbei, doch der FBI-Agent stoppte ihn.

»Sir, Sie bleiben hinter der Absperrung. Wer, denken Sie, dass Sie sind?«

»Ich bin der Ehemann dieser Dame. Und wenn meine Frau etwas zu sagen hat, hindern Sie sie nicht daran.« Leo wandte sich an Rose. »Deine neue Haarfarbe ist übrigens klasse.«

»Ich habe etwas bekanntzumachen«, verkündete Rose und fasste Leo am Arm. »Ich liebe dich.«

81

Händchen haltend verließen Rose und Leo im Morgengrauen die FBI-Büros in Philadelphia. Die Sonne ging gerade hinter den Hochhäusern auf und malte gelbe Streifen an den Himmel, die wie frisch aufgetragene Bahnen von Latexfarbe aussahen. Die Stadt erwachte. Erst wenige Menschen waren unterwegs. Vor dem FBI-Gebäude unterhielten sich zwei Polizisten, ein Wagen der Straßenreinigung putzte mit einer Walzenbürste die Bordsteine. Der Donuts-Laden auf der gegenüberliegenden Straßenseite hatte bereits geöffnet. Der Duft seiner Backwaren erfüllte die kühle Morgenluft.

Rose atmete tief durch. Der Herbst hatte begonnen. »Hier riecht's gut.«

»Für eine Großstadt schon.« Leo blickte sich um. »Aber ich bin die ganze Woche hier. Das reicht eigentlich.«

»Du Glücklicher.«

Leo schenkte Rose ein leichtes Lächeln. Er war müde. Bartstoppeln zierten sein Gesicht, aber er wirkte entspannt und glücklich. »Dabei bist du der wahre Glückspilz. Schließlich hast du mit Erfolg einen blutrünstigen Senator gejagt und nebenbei noch ein kapitales Industrieverbrechen aufgedeckt.«

Rose lächelte zufrieden. »Nicht schlecht für eine Woche Arbeit.«

Leo drückte ihre Hand. »Was, nur eine Woche?«

»Ja.« Rose konnte es selbst kaum glauben. »Heute ist Freitag. Genau vor einer Woche ist die Cafeteria ausgebrannt.«

»Unglaublich!« Leo schüttelte den Kopf. Rose dachte an Amanda. Hoffentlich überlebte sie. Gestern Nacht waren sie und Eileen vom FBI und dem Staatsanwalt getrennt voneinander verhört worden. Eileen war danach noch ins Krankenhaus gefahren. »Schade, dass wir uns von Eileen nicht verabschieden konnten.«

»Wie bitte?« Leo sah sie an, als sei sie verrückt geworden. »Schatz, sie hat dir die Fresse poliert.«

»Hätte ich in ihrer Lage vielleicht auch getan.« Rose hatte seltsamerweise kein Problem damit. Vielleicht, weil es nicht mehr wehtat. Gestern Abend hatte sie die Beule gekühlt und ihre Make-up-Tarnung abgewaschen. Die rote Haarfarbe allerdings, die wollte sie vielleicht behalten.

»Aber so etwas machst du, bitte, nie wieder. Du hättest tot sein können.« Leo erschauderte bei dem Gedanken.

»Es ist vorbei.« Rose drückte seine Hand. Wie warm sie sich anfühlte. »Mir geht es gut.«

»Niemals mehr. Versprich es.«

»Versprochen.«

»Denn eine Frau, die so schön ist, finde ich nie mehr.«

»Jetzt reicht's aber.«

Leo lächelte. »Eine Sache verstehe ich nicht. Wieso ist Campanile nicht gegen Mojo vorgegangen?«

»Die hatten sicher keine Ahnung von seinem Treiben. Es wird schwierig zu beweisen, dass auch Kurt und Hank Powell ermordet worden sind. Ich bin mir sicher, dass Kurts neue Freunde ihm ein Pülverchen ins Bier gemischt haben. Aber um das zu beweisen, bräuchte man Kurts Blut.«

»Vielleicht finden sie in seinem Wagen welches.« Leo sah zu Rose. »Ich habe eine Idee. Wenn das alles hier vorbei ist, könnten wir doch Kurts Nichte einladen. Die Baseball-Saison ist zwar vorbei, aber ich könnte mit ihr und Melly zum Football gehen.«

»Keine schlechte Idee.« Rose drückte wieder seine Hand. »Allerdings frage ich mich, wann das alles hier vorbei sein wird. Senator Martin war ganz schön gerissen. Nur ein paar Mitarbeiter von der Nachtschicht waren eingeweiht. Und Mojo hat für ihn die Drecksarbeit erledigt. Wie ich den Tag seiner Anklage herbeisehne!« Rose war angewidert. »Was sind das für Menschen? Haben sie keine Kinder?«

»Wenn es um Geld geht, gelten andere Gesetze. Und außerdem waren ihre eigenen Kinder nicht betroffen.« Leo schüttelte den Kopf. »Sie werden Martin kriegen. Das ist nur eine Frage der Zeit. Er wird den Rest seines Lebens hinter Gittern verbringen.«

Das glaubte Rose auch. Gestern waren spät am Abend die drei Sicherheitsbeamten von Homestead in Virginia festgenommen worden. »Vielleicht wird einer von der Security singen.«

»Singen?«

»Ja, singen, seine Komplizen verpfeifen.« Rose lächelte. »Hoffentlich können sie die Fabrik wieder aufbauen. Zahlt das die Versicherung?«

»Schon. Diejenigen, die Dreck am Stecken haben, wandern ins Gefängnis. Die Fabrik bekommt eine neue Leitung. Homestead wird wieder aufgebaut. Das Unternehmen war immer sehr erfolgreich.« Wieder drückte Leo ihre Hand. »Und wir haben übrigens wieder eine weiße Weste.«

»Gott sei's gedankt.« Rose seufzte erleichtert. Der Staatsanwalt würde sie weder für Amandas Verletzungen noch für Mojos Tod verantwortlich machen. »Ob Eileen mich noch verklagen wird? Ich glaube nicht.«

»Du hast ihr das Leben gerettet.« Leo lächelte. »Ende gut, alles gut.«

»Noch ist nicht alles gut. Amanda muss es noch schaffen.«

»Das hoffe ich auch.« Beide verfielen in Schweigen.

Der Wind legte sich. Sie kamen an dem tristen Untersuchungsgefängnis vorbei, dessen Fenster wie Schießscharten aussahen. Vor ihnen lag das zentrale Polizeigebäude und der Expressway, auf dem die Rushhour einsetzte. Das Herz der Stadt begann zu schlagen. Das Leben würde für Rose in Reesburgh neu beginnen. Dessen war sie sich sicher. Hoffentlich würde auch für Melly das Leben jetzt einfacher werden. Aber vielleicht durfte sie nicht zu viel erwarten.

»Wow.« Leo schüttelte den Kopf. »Ich kann es noch immer nicht fassen, wie du das alles herausgefunden hast. Ein Feuer, das eine Brandstiftung ist und das gelegt wurde, um eine Lehrerin zu töten, die von einem Senator schwanger war. Dann ist da noch ein Unfall mit einem Gabelstapler, der aber keiner war. Sein Fahrer wusste einfach zu viel über kriminelle Unternehmenspraktiken, für die unschuldige Kinder ihr Leben lassen mussten.«

»So viele Menschen sind gestorben.« Rose dachte an Marylou Battle, Serena Perez, Ellen Conze, Kurt Rehgard, Hank Powell und Bill Gigot. Sie dachte sogar an Mojo. Alle diese Tode waren tragisch und sinnlos.

»Du hast es herausgefunden. Ich bin stolz auf dich. Und vor allem, ich entschuldige mich.« Leo blieb stehen. Er sah Rose in die Augen. Sein Blick wurde ernst. Er bewegte sich nicht. »Ich habe Fehler gemacht. Ich hätte dir Oliver nicht aufzwingen dürfen. Er muss sofort eine Erklärung veröffentlichen, dass wir die Schule nicht verklagen werden.«

»Das ist gut.«

»Von jetzt an reden wir über alles, bis uns die Köpfe rauchen. Verzeihst du mir, Partner?«

»Das tue ich.«

»Das hast du schon einmal vor dem Altar versprochen. Ich übrigens auch.« Die beiden lächelten sich zu.

»Heißt das, dass wir gerade ein zweites Mal geheiratet haben?«

»Ja. Und ich darf die Braut jetzt küssen.« Leo gab ihr einen zärtlichen Kuss, und auch Rose gab ihm einen zärtlichen Kuss. Die beiden waren ein Paar, das wieder zueinandergefunden hatte.

»Ich liebe dich«, sagte Rose.

»Ich liebe dich auch. Ich vermisse die Kinder.«

»Ich auch.«

»Dann führen wir unsere Familie doch wieder zusammen.« Leo legte den Arm um ihre Schulter, Rose legte den Arm um seine Taille.

Und so gingen sie gemeinsam zum Wagen.

82

Mellys Haar flatterte im Wind. Rose und Leo waren gerade bei der Hütte angekommen. Melly lief ihnen entgegen, Prinzessin Google jagte hinter ihr her und wedelte wild mit dem Schwanz.

»Mom, Leo!«, rief Melly. Rose breitete die Arme aus.

»Mein Engel!« Rose drückte sie fest an sich. Wie angenehm, den Duft ihres Körpers wieder einzuatmen. »Ich habe dich vermisst.«

»Ich hab eine Überraschung für euch.«

»Wirklich?« Rose gab ihr einen Kuss. »Zeig sie uns.«

»Sie ist nicht hier. Wir müssen von hier weggehen.«

»Okay, du bist der Boss.« Rose lächelte und tätschelte Prinzessin Google, die an ihr hochsprang. »Hi, mein braves Hundemädchen.«

»Leo!« Melly lief zu ihm. Er hob sie hoch und begrüßte sie mit seinem bewährten Bärenknurren.

»Melly Belly! Wo, um alles in der Welt, hast du gesteckt?« Er gab ihr einen Kuss auf die Wange. Mo und

Gabriella kamen aus dem Haus. Sie trug John auf den Armen.

»Wie geht's meinem kleinen Mann?«

Ein Lächeln erhellte Johns Gesicht. In seinem weißen T-Shirt und seinen Jeans sah er richtig flott aus. Und dann seine zwei Zähne!

»Wie ich meinen großen Jungen vermisst habe!« Rose drückte ihn fest an sich und küsste ihn auf den Kopf. »Und wie kann ich mich bei euch bedanken? Mit einem Essen? Oder mit einem neuen Auto?«, fragte sie schmunzelnd Gabriella.

»So ein Unsinn. Es hat uns Spaß gemacht.« Gabriella strahlte. »Du bist jetzt eine Berühmtheit. Über dich wird in allen Zeitungen geschrieben.«

»Stimmt«, pflichtete ihr Mo von hinten bei. »Wieso hast du uns nicht verraten, dass du seit Neuestem Verbrecher jagst?«

»Ha!« Leo lachte. »Nicht einmal ich wusste Bescheid. Nehmt es ihr also nicht übel.«

»Gehen wir, Mo!« Melly sprang ungeduldig auf und ab. Erst jetzt bemerkte Rose, dass Melly neue braune Schuhe trug.

»Wo hast du die neuen Schuhe her?«

»Das sind Stiefel! Gehen wir, Mr V!« Melly lief zu Mo, der auf seine Uhr blickte.

»Du hast recht. Sonst wird es zu spät.«

»Wo geht ihr hin?«, fragte Rose. Offenbar gab es da ein Geheimnis.

»Es ist nicht weit von hier«, antwortete Gabriella. »Ihr alle macht euch auf den Weg, ich bleibe mit dem

Hund hier und bereite das Mittagessen vor. Komm zu mir, Googie.«

Mo nickte. »Packen wir's. Rose, am besten fährst du mit Leo in eurem Wagen hinter uns her.«

Melly sprang zu Mo. »Ich fahre mit Mr V.«

Das war das erste Mal, dass Melly nicht mit Rose fahren wollte. Rose sah zu Leo.

»Mich darfst du nicht fragen«, sagte er und zuckte vergnügt mit den Schultern.

83

Rose und Leo standen auf einer Weide, die zu einem Pferdehof unterhalb ihrer Hütte gehörte. Die Bäume erstrahlten goldfarben, die grasbedeckten Hügel verloren sich im Unendlichen. Lattenzäune trennten die Weiden voneinander. In der Mitte stand ein Stall mit einem Blechdach, das verrostet war. Melly und Mo waren in dem Stall verschwunden. Rose und Leo sollten draußen auf sie und ihre Überraschung warten.

»Sag mir, dass es nicht wahr ist.« Rose küsste John, der das linke Ärmchen um ihren Hals gelegt hatte. »Mo setzt Melly doch nicht auf ein Pferd?«

»Entspann dich.« Leo legte einen Arm um ihre Schultern. »Er würde Melly nie in Gefahr bringen.«

»Leo, dann schau doch mal!«

Melly saß auf einem schwarzen Pferd und strahlte über das ganze Gesicht. Sie trug einen schwarzen Helm und Reithosen aus Hirschleder. Mo stand zwar neben ihr, doch Rose beruhigte das nicht.

»Ihr passiert schon nichts.«

»Bsbsb!« John quiekte und bewegte sein Ärmchen auf und ab, als er Melly entdeckte.

»Woher willst du wissen, dass ihr nichts passiert?«

»Pst. Mo kommt.«

»Mo!« Rose vermied jedes Anzeichen von Hysterie. »Weißt du, was du tust? Melly ist nicht gerade eine tolle Sportlerin. Sie fällt manchmal über ihre eigenen Füße.«

»Keine Angst.« Mo legte eine Hand auf ihre Schulter und lächelte. »Sie hat alles unter Kontrolle.«

»Mo, sie ist *acht*.«

»Na und? Biegsame Gelenke sind gut fürs Reiten. Schau dir die Beweglichkeit ihrer Fußgelenke an. Und wie tief sie die Fersen hat. Das ist gut für die Stabilität. Auf geht's, Mel!«

Melly gab dem Pferd einen Klaps und ritt im Kreis herum. Rose hielt den Atem an. »Kann das Pferd nicht langsamer gehen?«

»Das wäre doch für beide langweilig.«

Leo sah belustigt zu.

»Mo, wie bist du auf diese verrückte Idee gekommen?«

»Nun, Melly wollte nach einer gewissen Zeit nicht mehr in unseren Blumenbeeten wühlen. So sind wir aufs Reiten gekommen. Und sie ist talentiert. Ihre Haltung ist perfekt. Melly, Kopf nach oben, Füße nach unten! Braves Mädchen.«

Melly winkte ihnen zu. Sie war glücklich.

Leo winkte zurück. »Hallo, Cowgirl. Gut siehst du aus!«

»Nimm beide Hände, mein Schatz«, rief Rose ihr zu.

»Sie kann auch freihändig reiten. Sie hat ein ausgezeichnetes Gleichgewichtsgefühl. Soll sie es vorführen?«, fragte Mo ein wenig boshaft.

»O nein. Bitte nicht.«

Mo und Leo lachten. »Und jetzt traben«, rief Mo Melly zu.

Das Pferd beschleunigte seine Gangart, Melly hüpfte im Sattel auf und ab.

Mo nickte zufrieden. »Churchill hat gesagt, dass der Körper eines Pferdes gut für die Seele des Menschen ist.«

»Churchill war keine Mutter«, stellte Rose lapidar fest. »Warum hüpft sie so auf und ab?«

»Damit gleicht sie die Bewegungen des Pferdes aus. Manche brauchen Stunden, um das zu lernen. Sie konnte es sofort. Sieh sie dir an. Sie scheint in sich zu ruhen. Aber wer auf dem Rücken eines Pferdes sitzt, muss trotzdem die Augen offen halten. Und ein Mädchen, das sich einem so starken Tier anvertraut, lernt auch Vertrauen in die Welt.«

Rose beobachtete ihre Tochter. Sie schien glücklich zu sein.

»Pferde haben ihre eigene Gangart, mit der sie durchs Leben gehen. Menschen auch. Melly ist bisher mit gesenktem Kopf durchs Leben gegangen. Sie hat sich hinter Büchern und ihrem Computer versteckt.«

Rose zuckte zusammen. »Mo, es gibt Schlimmeres.«

»Versteh mich nicht falsch. Bücher und Computer

sind sicher wichtig für sie. Aber Melly liebt Pferde. Sie hat keine Angst vor ihnen. Nicht einmal vor den wildesten Springpferden.«

»Sie kann gut mit Tieren umgehen. Das weiß ich. Aber woran sie arbeiten muss, ist der Umgang mit Menschen. Sie braucht Freunde. Und Reiten ist kein Schulsport.«

»Schau, sie fängt gerade erst mit dem Reiten an, und schon findet sie einen Freund. Direkt vor deinen Augen.«

»Ja, ein Pferd.«

»Nicht nur. Sie lernt auch, sich *selbst* zu mögen.«

So hatte es Rose noch nicht gesehen.

»Wir alle kennen Mellys Problem. Sie hat zu wenig Selbstvertrauen. Aber die Selbstsicherheit, die sie schon jetzt beim Reiten zeigt, könnte sie vielleicht bald auch in der Schule zeigen. Schau, sie dirigiert dieses große Pferd *ganz allein*.«

Rose sah die schönen Weiden, die herbstliche Blätterpracht an den Bäumen und ihre Tochter, wie sie in der strahlenden Morgensonne friedlich umherritt. Ihr wurde warm ums Herz. Es hatte sich etwas geändert. Ob das ein Wendepunkt in Mellys Leben war?

»Ein Versuch ist es wert«, sagte Leo vorsichtig.

»Das ist es.« Mo nickte. »Wenn ihr hier raufkommt, kann ich sie unterrichten. Und es gibt eine Menge Reitschulen in Reesburgh. Ich habe im Internet schon mal nachgesehen.«

Rose stiegen Tränen in die Augen. Endlich gab es wieder Hoffnung. »Ob sie Reitstunden nehmen will?«

»Frag sie«, antwortete Leo.

84

»Ab in die Federn!« Rose brachte Melly zu Bett. Sie war wieder sie selbst, hatte geduscht und frische Sachen angezogen. Es dämmerte. Das war Roses liebste Tageszeit hier oben. Der Tag war vorbei, und auch sie gingen jetzt bald schlafen wie die Tiere draußen in der Natur. Zu Hause saß sie meist abends vor dem Fernseher oder erledigte die Hausarbeit.

»Heute Abend ist es kalt.« Melly zog die Daunendecke hoch bis zum Hals. Prinzessin Google, die neben ihr lag, schlief schon. »Ist Ebony nicht süß, Mom?«

»Sehr süß.« Rose setzte sich auf den Bettrand. In dem Zimmer gab es nur das Nötigste. Neben dem Bett waren das ein Schreibtisch und ein Bücherregal. Die Leselampe, die am Kopfende des Betts festgeklemmt war, schaltete Rose aus. Sie wollte das Halbdunkel genießen.

»Und du magst ihn wirklich?«

»Ebony? Klar. Er hat so ein schönes Fell. Du hast toll auf ihm ausgesehen.«

»Harry reitet auf Besen, ich reite auf Pferden.« Melly lachte. Rose gab ihr einen Kuss auf die Wange.

»Macht dir das Reiten Spaß?«

»Und wie! Ebony fühlt sich so weich an.«

»Das stimmt.« Rose hatte ihn gestreichelt, bevor sie wegfuhren. Ihr war er wahnsinnig groß vorgekommen, als sie so nahe neben ihm stand. »Willst du vielleicht Reitstunden nehmen? Mo sagt, es gibt Schulen bei uns in der Nähe. Willst du es mal probieren?«

»Was denkst du?«

Rose sagte zunächst nichts. Sie sah riesige Haufen von Pferdemist vor sich. Das musste sie für sich behalten, sonst würde Melly wieder abspringen. Deshalb sagte sie: »Ich halte es für eine gute Idee. Und du bist gut, es macht dir Spaß, und es ist etwas Besonderes.«

»Ich kenne aber keine Kinder, die reiten. Niemand in meiner Klasse reitet.«

»Viele Kinder reiten. Denk an die Mädchen, die wir heute auf dem Hof gesehen haben.«

»Und wenn sie sich in der Schule darüber lustig machen?«

»Falls sie es wirklich tun – da stehst du doch drüber.« Rose dachte an Mos Worte. »Melly, Kopf nach oben und Füße nach unten! Was meinst du? Willst du es probieren?«

»Ob ich das hinkriege?«

»Natürlich, mein Schatz«, antwortete Rose, ohne zu zögern. Sie hörte Leos Schritte auf der Treppe. »Da kommt noch jemand, der dir einen Gutenachtkuss geben will.«

»Leo«, rief Melly, »ich lerne richtig reiten.«

»Großartig!« Leo trug John auf dem Arm. Er beugte sich zu Rose. »Telefon für dich. Eileen ist am Apparat, es geht um Amanda.«

85

Rose ging den blank geputzten Krankenhausflur entlang, sie hielt Melly an der Hand. Amanda war aus dem Koma erwacht und lag nicht mehr auf der Intensivstation. Den linken Arm konnte sie noch nicht richtig bewegen, und die Erinnerung kam erst allmählich zurück. Eileen hatte Rose gebeten, am Sonntagnachmittag vorbeizuschauen. Ob das eine gute Idee war?

»Alles in Ordnung, Mel?«

»Ja.« Melly trug etwas unter dem Arm. »Gibst du ihr das Geschenk oder ich?«

»Das ist deine Entscheidung. Du hast es ausgesucht. Aber ich gebe es ihr gern.«

»Nein, ich gebe es ihr.«

»Gut.« Rose drückte ihr die Hand. »Sie erinnert sich nicht an alles, und vielleicht sieht sie noch nicht gut aus. Aber mit der Zeit wird es ihr besser gehen. In die Schule darf sie erst wieder zum Jahresende.«

»Erinnert sie sich an die Marmelade, die sie sich ins Gesicht geschmiert hat?«

Rose zuckte zusammen. »Das weiß ich nicht.«

»Wird noch jemand da sein? Kinder aus meiner Klasse? Danielle und Emily?«

»Das glaube ich nicht. Aber ich weiß es nicht.«

Melly verstummte.

»Mel, bist du aufgeregt?«

»Nein. Ich halte den Kopf hoch und die Füße nach unten.«

Rose lachte, und Melly kicherte. Die Spannung hatte sich gelöst. Niemand war auf dem Flur. Es roch leicht nach Desinfektionsmitteln. In einem Zimmer unterhielt man sich sehr leise, in einem anderen lief im Fernsehen ein Footballspiel. Amandas Zimmertür stand offen. Rose klopfte an den Türpfosten. »Ist jemand da?«

»Rose!« Eileen stand auf. Amanda lag wach im Bett. Ihr Kopf war noch bandagiert, ihr Gesicht war blass. Ihre blauen Augen wirkten müde.

»Hi, Ms McKenna.« Amandas Stimme war schwach. »Hi, Melly.«

»Schön, dass ihr beide gekommen seid.« Eileen begrüßte sie. Sie trug Jeans und ein Sweatshirt und hatte nur wenig Make-up aufgetragen.

»Ich bin froh, dass es Amanda besser geht.«

Eileen nickte. Ihre Augen strahlten. Sie sah zu Melly. »Gut, dass du heute Nachmittag gekommen bist. Amanda wollte dich unbedingt sehen.«

»Warum?«, fragte Melly ungläubig.

»Das ist eine gute Frage.« Eileen wandte sich an ihre Tochter. »Amanda, sag es ihr.«

»Ich darf in zwei oder drei Wochen nach Hause. Dann feiern wir eine große Halloween-Party. Willst du kommen?«

»Warum nicht?« Melly blieb skeptisch. Sie ging zum Bett und präsentierte Amanda ihr Geschenk. »Das ist für dich.«

»Danke.« Amanda nahm es mit der rechten Hand entgegen, ihr linker Arm bewegte sich nicht. »Meine Hand und mein Arm funktionieren nicht mehr richtig. Mein

Gehirn hat zu wenig Sauerstoff bekommen. Ich muss mich erholen.«

Rose empfand Mitleid mit Amanda. Eileen wollte Amanda beim Auspacken helfen, doch Melly kam ihr zuvor, und die beiden Mädchen versuchten gemeinsam, das Geschenk von der lästigen Hülle zu befreien. Schließlich zerrissen sie das Geschenkpapier in viele Stücke und kicherten dabei. Eileen und Rose lächelten sich glücklich und erleichtert zu. Noch nie hatte das gewaltsame Auspacken eines Geschenks so viel Hoffnung auf Frieden geweckt.

»Cool!« In Amanda kam Leben, stolz hielt sie das Buch aus der American-Girl-Reihe hoch. »Mom, das ist ein Buch über Lanie, die ich am meisten mag.« Dann fragte sie Melly: »Wen magst du am meisten?«

»Harry Potter.«

Rose verbarg ihr Lächeln.

»Ich mag die Filme mit Harry Potter. Und du?«, fragte Amanda Melly.

»Ich auch. Wenn du willst, bringe ich dir die Hausaufgaben ins Krankenhaus. Nur mittwochs kann ich nicht, da reite ich.«

»Du reitest?«, fragte Amanda überrascht.

»Ja. Auf Ebony.«

»Felicity reitet auch. Ich *liebe* Felicity. Sie mochte ich am meisten. Jetzt mag ich aber Lanie am meisten.«

»Wer ist Felicity?«, fragte Melly verwundert.

»Sie ist auch ein American Girl. Sie wohnt in Virginia. Ich habe eine DVD mit ihr. Wenn ich wieder zu Hause bin, sehen wir sie uns an. Okay?«

»Okay.« Melly war begeistert. »Ich hab noch nie ein American-Girl-Buch gelesen. Aber ich habe auch eines. Mit Nicki.«

»Nicki mag Hunde.«

Eileen lächelt Rose zu. »Amanda weiß alles über die American Girls. Sie kennt alle Figuren. Sie ist *besessen.* Du kannst es dir nicht vorstellen.«

»O doch, das kann ich schon.« Rose lachte.

»Wollen wir nicht hinausgehen? Hier können wir sowieso nicht mitreden.«

»Eine gute Idee.« Rose folgte Eileen auf den Flur. Die Worte sprudelten nur so über die Lippen von Melly und Amanda. Ihr Thema: Felicity und Hermine. Rose lächelte. »Ist das nicht großartig?«

»Ja, das ist großartig.« Eileens Gesichtsausdruck wurde ernst. »Rose, ich möchte mich in aller Form bei dir persönlich für alles entschuldigen.«

»Lass es gut sein.«

»Nein, hör zu. Ich habe dir am Telefon von Amandas Gedächtnisstörungen erzählt. Sie erinnert sich nur bruchstückhaft.«

»Okay.«

»Gestern haben wir über dich und Melly geredet – und sie hat sich an etwas erinnert.« Eileen verzog die Stirn, ihr Bedauern war offensichtlich. »Sie hat sich an den Ausbruch des Feuers erinnert. Du bist mit ihr und Emily auf den Flur gegangen und hast sie auf den Schulhof geschickt. Aber sie hatte Jasons iPod vergessen und ist zurückgelaufen. Dabei hat sie sich im Rauch verirrt. Es war nicht deine Schuld.« Tränen stiegen in Eileens

Augen. »Ich habe dich zu Unrecht beschuldigt. Dafür schäme ich mich.«

»Pst. Weine doch nicht. Die Kinder könnten es hören.« Rose umarmte Eileen, die einen tiefen Seufzer ausstieß.

»Und ich habe gedacht, du hättest Amanda wegen Melly im Stich gelassen. Es tut mir leid.«

»Sei mal still. Hörst du unsere Kinder? Sie lachen.«

Und Eileen weinte nicht mehr. Die beiden Mütter belauschten Amanda, wie sie Melly die traurige Geschichte von Lanie erzählte, als sie einmal ihren besten Freund Dakota aus den Augen verloren hatte. Und sie belauschten Melly, wie sie Amanda die traurige Geschichte von Harry erzählte, als er einmal seinen besten Freund Ron aus den Augen verloren hatte. Danach beratschlagten die beiden Mädchen über ihre Kostümierung an Halloween. Ein unerschöpfliches Gesprächsthema, wie jede Mutter wusste.

Am Ende dieses Nachmittags waren sich die Töchter, aber auch die Mütter, nähergekommen, was für Rose die beste Nachricht seit Langem war.

86

Der Morgen war klar und kalt. Der Herbst machte wohl ernst. Rose begleitete Melly zur Schule, John schlummerte warm eingepackt in seiner Babytrage. Mellys Ranzen saß schief auf ihrem roten Mantel.

Beim Gehen hantierte Rose am Riemen des Ranzens herum. »Wenn wir zu Hause sind, müssen wir ihn neu justieren.«

»Es ist nicht der Ranzen, Mom. Es ist der Mantel. Er ist zu schwer.«

»Aber es ist kalt heute.«

»*So* kalt auch wieder nicht.«

Rose war froh, sich wieder über die banalen Dinge des Alltags streiten zu können. Die Mütter, die ihren Weg kreuzten, lächelten freundlich und winkten ihr zu. In allen Medien war über sie berichtet worden. Gegen den Finanzvorstand von Homestead lief eine Anklage, den Opfern wurde eine Entschädigung zugesagt. Mit Eileen war bereits ein Vergleich auf freiwilliger Basis ausgehandelt worden. Die Fabrik sollte wieder aufgebaut werden.

»Gut gemacht«, rief eine Mutter Rose zu. Ein Vater zeigte mit dem Daumen nach oben. »Hi, Rose! Hi, Melly!«

»Hallo!«, rief Rose zurück. Melly sah nach oben und blinzelte in den blauen Himmel.

»Wer war das, Mom?«

»Keine Ahnung.«

Melly kicherte verdutzt. »Mom, was ist hier los?«

»Leo und ich haben es dir doch erklärt. Ich habe geholfen, ein paar Gangster einzufangen, und jetzt sind alle froh darüber.« Rose und Leo waren bei der Erklärung nicht allzu sehr ins Detail gegangen. Ein achtjähriges Mädchen musste man mit den Einzelheiten verschonen.

»Es ist alles so anders.« Melly staunte über all die Leute, die sie freundlich grüßten. »Es ist wie Weihnachten.«

Mr Rodriguez marschierte in großen Schritten auf sie zu. Dabei machte er sich noch schnell an seinem Jackett zu schaffen. »Rose! Melly!«

»Hi, Mr Rodriguez. Schön, Sie zu sehen.«

»Rose, ich kann Ihnen nicht genug danken. Sie haben Ihr Leben …« Rodriguez hielt inne. Schließlich stand Melly neben ihm. »Nun, wir sind Ihnen alle sehr dankbar. Lassen wir es dabei.«

»Etwas liegt auch mir auf dem Herzen«, sagte Rose. »Leo und ich wollten die Schule nie verklagen.«

»Ich weiß. Heute Morgen hat mich Ihr Anwalt Oliver Charriere angerufen.« Rodriguez fasste Melly an der Schulter. »Und du willst Amanda die Hausaufgaben bringen?«

Melly nickte.

»Das ist lieb von dir. Du bist ein Vorbild für alle Schüler. Jemandem helfen, das macht eine Gemeinschaft aus.« Rodriguez wandte sich wieder an Rose. »Schauen Sie bitte im Büro vorbei. Dort will man sich persönlich bei Ihnen bedanken.«

Rose war überrascht. »Sehr gern.«

»Hätten Sie etwas dagegen, wenn ich Ihre Tochter in den Unterricht geleite?«

»Überhaupt nicht.« Rose lachte.

Rodriguez nahm Melly bei der Hand. »Im Klassenzimmer wartet jemand auf dich. Du wirst staunen.«

»Wer?«

Die Eingangstüren zur Schule gingen auf, und dahinter stand niemand anderes als Kristen Canton. Sie wartete darauf, Melly und ihre Klasse wieder zu unterrichten.

»Melly!«

Die beiden liefen aufeinander zu.

Rose überlegte kurz, aber dann ließ sie die zwei allein.

87

Halloween bei den Gigots, das war ein Haus voller Vampire, Hexen und Iron Men. Zur Fütterung der Monster lagen Sandwiches, Plätzchen und Schokoladenriegel bereit. Um letztere lieferten sich die Jungs wahre Schlachten, während die Mädchen mit der Herstellung von Liebesäpfeln beschäftigt waren. Rose hatte sich als Anwältin verkleidet. Sie trug einen Dreiteiler und eine gestreifte Krawatte. Leo war ihr Gefangener, ein orangefarbener Overall war seine Büßerkluft. John trug einen schwarzen Strampelanzug, schließlich stand er der Gemeinde als ihr Baby-Richter vor.

Rose hob ihr Plastikglas mit Apfelsaft und stieß mit Leo an. »Du weißt, worauf ich mein Glas erhebe?«

Leo lächelte, auch er hob sein Glas. »Auf die Anklage von Senator Martin?«

»Nein. Du darfst noch einmal raten.«

»Weil du mit deinem roten Haar so scharf aussiehst. Und weil du deshalb alles mit mir anstellen kannst, was dir in den Sinn kommt. Als Erstes wirst du mich in den Knast befördern. Hast du überhaupt Handschellen?«

Rose beugte sich zu ihm. »Alles falsch. Das ist das erste Halloween, an dem Melly keine Maske trägt.«

»Wow. Das ist mir nicht aufgefallen.« Leo sah sich nach Melly um. Sie war als Reiterin gekleidet, trug gefranste Überhosen, Reitstiefel und ein Sweatshirt, auf dem stand: ICH ÜBERNEHME DIE VERANTWORTUNG FÜR ALLES. Im Moment allerdings starrte sie mit Amanda, Emily und Danielle auf eine Schale voller blutroter Liebesäpfel. Die vier waren nicht gerade die besten Freundinnen geworden, aber sie vertrugen sich einigermaßen miteinander. Amanda war seit ihrem Krankenhausaufenthalt viel mitfühlender.

»Auf dein Wohl, du Schwerverbrecher.« Rose und Leo stießen an, tranken und küssten sich.

»Braucht ihr beiden ein Separee?« Eileen trug ein glitzerndes Diadem im Haar.

»Hey, Prinzessin.« Rose lächelte. Die beiden Frauen verstanden sich immer besser. Dazu hatten auch Mellys Besuche im Krankenhaus beigetragen. »Dein Kostüm gefällt mir. Jede Mutter hat ein Diadem verdient.«

»Das stimmt. Allerdings bin ich Paris Hilton.« Eileen lachte. Wanda, als Hexe verkleidet, kam herein. Ihr folgten mehrere Elternpaare aus Mellys Klasse: Rachel und Jacob Witmer als Barack und Michelle Obama, Susan und Abe Kramer als Bill und Hillary Clinton, und Elida und Ross Kahari als Sarah und Todd Palin. Rose war mit allen befreundet, trotz unterschiedlicher politischer Vorlieben.

»Ich kann es nicht oft genug sagen. Es tut mir leid, wie ich dich behandelt habe«, sagte Wanda zu Rose.

»Geht in Ordnung«, sagte Rose. Viele Menschen hatten sich bei ihr entschuldigt. Ihre neue Facebook-Seite quoll von Freunden über.

»Der neue Generaldirektor hat dich sogar in seiner Antrittsrede erwähnt und versprochen, reinen Tisch zu machen.«

»Ich bin so froh, dass Senator Martin sein Fett abbekommen hat«, fügte Rose hinzu.

»Darüber freut sich niemand mehr als ich!«, sagte jemand. Alle drehten sich um.

»Kristen!« Rose umarmte sie. Die junge Lehrerin sah hübsch aus, obwohl sie sich als Humpty Dumpty verkleidet hatte.

»Rose, Leo, ich möchte euch allen jemanden vorstellen.« Sie deutete auf einen Ritter neben ihr, der in einer Rüstung aus Alufolie steckte. »Das ist Erik. Mein Freund. Oder besser, mein Verlobter.«

»Juhu!«, johlte Rose. Die Frauen versammelten sich um Kristen und bestaunten ihren Verlobungsring.

»Mom!«, rief ein Kind. Alle vier Frauen drehten sich um, denn alle vier hörten sie auf diesen Namen.

»Ja, mein Schatz«, fragte Eileen. Amanda stand neben ihr, ihr Mund war rot vom Liebesapfelessen.

»Mein Blitz ist locker. Kannst du ihn wieder festmachen?«

Rose lächelte, als sie Amanda sah.

Denn Amanda war als Harry Potter verkleidet.

88

Rose parkte am Ende der Straße und blieb eine Weile in ihrem Mietwagen sitzen. Ihr Herz schlug ein bisschen schneller, Schweißperlen bildeten sich auf der Stirn. Sie sah auf die Uhr am Armaturenbrett – 10:49. Sie war zehn Minuten zu früh. Sie atmete tief durch und versuchte, ihre Nerven zu beruhigen. Seit sie in diese Straße eingebogen war, hatte sich etwas in ihr verändert. Ein Schauder hatte sie erfasst, ein Schauder, der tief aus ihrer Seele kam.

Sie sah um sich und nahm alles in sich auf. Die Straße hatte sich verändert. Dennoch sah Rose sie vor sich, wie sie vor zwanzig Jahren gewesen war. So wie sie, wenn sie heute in Mellys Gesicht blickte, auch noch das Baby, das ihre Tochter einmal gewesen war, sah. Die Vergangenheit lebte in der Gegenwart weiter. Niemand wusste das besser als eine Mutter.

Mama!

Die Häuser waren alle noch da, auch wenn man sie anders gestrichen hatte. Die Bäume waren größer und mächtiger geworden, ihre Wurzeln hatten sich durch den Belag der Gehwege gedrückt. Braune Papiersäcke mit eingesammelten Laub standen auf dem Randstein zum Abholen bereit.

Rose schloss die Augen. Es war Halloween, sie war achtzehn Jahre alt und gerade in die Straße eingebogen, als sie diese weiße Kugel auf den Wagen zurollen sah. Dann der Aufprall. Dann der Schrei von Thomas' Mutter.

Thomas!

Rose trocknete sich die Augen. Das Haus hatte sich überhaupt nicht verändert. Die Veranda mit den Holzstufen davor war noch da. Die Pelals lebten noch hier, ihre Telefonnummer war im Internet leicht zu finden gewesen. Gestern hatte Rose sie angerufen und gefragt, ob sie sie besuchen dürfe. Die Pelals hatten den heutigen Tag vorgeschlagen. Über den Grund ihres Besuchs wollten sie nichts wissen.

Rose zog den Schlüssel aus dem Zündschloss. Man hatte ihr damals gesagt, sie solle nicht mit den Pelals reden, und als junge Frau wollte sie das auch nicht. Sie wollte damals nur fliehen und sich verstecken. Aber jetzt war sie erwachsen. Sie und Leo waren Eltern wie Jim und Janine. Das Kind der beiden hatte sie getötet. Rose wollte keinen Tag mehr verstreichen lassen.

Sie stieg aus dem Wagen und sprach sich Mut zu. Dann drückte sie auf den Klingelknopf.

89

»Danke, dass ich vorbeikommen durfte.« Rose saß in einem Ohrensessel, der schönsten Sitzgelegenheit im Wohnzimmer. Es gab ein abgenutztes braunes Sofa und einen einfachen Holztisch, auf dem in einem Aschenbecher eine Pfeife lag. Es roch nach verbranntem Kirschholz.

»Das ist doch selbstverständlich.« Jim saß neben seiner Frau Janine auf dem Sofa. Beide hatten kurzes Haar – ihres war braun, seines schon grau. Beide trugen ein einfaches Polohemd, Jeans und modische Sneakers. Ihre Brillen hatten einen Metallrand. Man hätte sie für Geschwister halten können, aber sie waren ein Ehepaar. Beide waren zuvorkommend und liebenswürdig.

»Ich hatte Glück, dass Sie noch hier wohnen«, begann Rose mit trockenem Mund. »So habe ich Sie schnell gefunden.«

»Wir sind bodenständig.« Jim nickte. »Uns gefällt es hier. Wir sind beide hier geboren. Jetzt sind wir im Halbruhestand. Alle unsere Freunde leben hier, unsere Kirche ist hier. Unsere Tochter wohnt in Seattle. Ihr Mann ist Ingenieur bei Boeing.«

Rose sah die Tochter vor sich, wie sie damals von der Veranda zu ihrem verunglückten Bruder gelaufen war.

»Wie haben zwei Enkelkinder, beides Buben. Wir besuchen sie gern, fahren aber auch gern wieder nach Hause.« Jim schmunzelte. »Sie haben auch Kinder. Das habe ich in der Zeitung gelesen.«

»Ja, ein Junge und ein Mädchen.« Rose fühlte sich bei dem Small Talk unwohl. Vor allem, weil Janine nichts sagte. »Mein Anruf muss eine Überraschung für Sie gewesen sein.«

»Wir hatten erwartet, dass Sie sich eines Tages melden werden. Damals waren Sie so jung. Sie waren selbst noch ein Kind.«

»Ein Kind war ich nicht mehr. Ich hätte früher vorbeikommen müssen.«

»Wir haben nicht gewusst, wo Sie stecken. Bis zu dem

Feuer in der Schule. Freunde von uns haben es im Fernsehen gesehen und uns angerufen.«

»Hoffentlich wurde nicht alter Schmerz wieder … geweckt.« Rose tat sich schwer, die richtigen Worte zu finden.

»Nein, überhaupt nicht. Eine Fernsehreporterin hat uns auch angerufen. Tanya …« Jim rieb sich die Stirn. »Wie war ihr Nachname?«

»Robertson.« Rose spürte ein Stechen in der Brust. »Die hat sich bei Ihnen gemeldet?«

»Nein, bei meiner Frau. Aber sie wollte nicht mit ihr reden. Sie haben in Pennsylvania offenbar ganze Arbeit geleistet. Einen Senator vor Gericht zu bringen, alle Achtung.« Jim sah zu seiner Frau, die aber weiter schwieg.

»Danke schön«, sagte Rose. »Aber um auf den Grund meines Besuchs zurückzukommen. Ich bin dankbar, dass ich vorbeikommen durfte. Ich wollte mich bei Ihnen beiden entschuldigen und Ihnen sagen, wie leid es mir tut. Ich weiß, Worte … sind nur Worte.« Es fiel ihr schwer zu reden. »Ich denke jeden Tag an Thomas. Ich sehe den Unfall vor mir und versuche, mir ein anderes Ende vorzustellen. Wäre ich doch nur langsamer gefahren. Dann hätte ich ihn vielleicht früher gesehen. Oder noch besser, hätte ich doch nur einen anderen Weg nach Hause genommen. Wie eine Sekunde ein ganzes Leben verändern kann. Er würde leben. Er wäre jetzt hier bei Ihnen. Ich trauere um ihn. Er war Ihr Sohn. Ich schäme mich für das, was ich in dieser Nacht getan habe. Bitte nehmen Sie meine Entschuldigung an, falls Sie es können.«

Jims Blick traf den ihren. Janine senkte den Kopf. Eine kleine Geste, die Rose zutiefst rührte.

»Danke. Danke für das, was Sie gesagt haben. Sie müssen sich nicht entschuldigen. Es war nicht Ihre Schuld. Wir haben gesehen, was passiert ist. Wir standen nicht weit weg.«

Das hatte Rose nicht gewusst. Die Anwälte hatten vermutet, dass die Pelals den Unfall nicht gesehen hatten.

»Thomas ist direkt vor den Wagen gerannt.« Jims Unterlippe zitterte. »Es war schrecklich, das zu sehen und nichts tun zu können. Thomas hatte Ameisen in seinen Hosen, rannte immer herum.« Jim schüttelte den Kopf. »Wie oft hatten wir ihm gesagt, er darf nicht ohne zu gucken auf die Straße rennen. Es war nicht das erste Mal, dass er es getan hat. Aber an jenem Abend war sein Schutzengel nicht bei ihm.«

»Ich wünschte, es wäre nicht passiert.« Roses Herz schlug ihr bis zum Hals.

»Wir haben unseren Glauben. Der hilft. Immer.« Jim nickte. Dann ließ er die Schultern sinken. Janine sagte noch immer kein Wort. Die beiden sahen so traurig aus, wie sie da auf dem abgenutzten Sofa nebeneinandersaßen.

Jim seufzte. »Janine wäre gerne bei seinen letzten Atemzügen bei ihm gewesen. Das quält sie noch heute. Davon wacht sie noch heute nachts auf. Jede Mutter würde es quälen.«

Rose erinnerte sich, wie Thomas zu ihr hochgesehen hatte. Und wie er sie in dieser dunklen Nacht für seine Mutter gehalten hatte.

»Sie wollte bei ihm sein«, fuhr Jim fort. »Sie wollte ihn halten. Er sollte wissen, dass wir ihn lieben, dass sie ihn liebt. Für alle Zeiten. Er war unser Jüngster. Unser kleiner Sonnenschein. *Ihr* kleiner Sonnenschein.«

Vielleicht war da etwas, das Rose für Janine tun konnte. Vielleicht waren die Worte, die sie Thomas, kurz bevor er starb, gesagt hatte und die sie all die Jahre verfolgt hatten, genau die Worte, die Janines Herz erleichtern konnten.

»Sie verstehen doch meine Frau? Sie sind ja selbst Mutter.«

»Ja, ich verstehe sie.« Rose holte tief Atem. »Janine, da gibt es etwas, das Sie wissen sollten.«

Danksagung

Siebzehn Romane habe ich bisher in der fast gleichen Zahl von Jahren geschrieben. In jedem waren Gefühle, Emotionalität das Wichtigste für mich. Vor nicht allzu langer Zeit habe ich begonnen, über die emotionalste aller Beziehungen zu schreiben, über die von Mutter und Kind. Komischerweise hatten da alle Kinder mein Nest schon verlassen, aber vielleicht sind Distanz (und viel Zeit!) notwendig, um das Geheimnis dieser Beziehung zu ergründen. Nur so lässt sie sich vielleicht sinnvoll in Fiktion verwandeln. Nicht genug danken kann ich meiner Mutter Mary und meiner Tochter Francesca. Alles, was ich über diese vielschichtige und wunderbare Beziehung weiß, weiß ich von ihnen. Dass sie mich auch gelehrt haben, was Liebe ist, muss ich nicht extra erwähnen.

In diesem Zusammenhang möchte ich auch meinen Freundinnen danken, die alle großartige Mütter sind: Nan Daley, Jennifer Enderlin, Molly Friedrich, Rachel Kull, Laura Leonard, Paula Menghetti und Franca Palumbo. Sie sind eine nie versiegende Quelle für mich, denn wenn wir uns nicht über unsere Kinder unterhalten, reden wir über unsere Mütter. Mädels, danke, und bleibt so, wie ihr seid.

Dieser Roman stellte mich vor eine Vielzahl von juristischen und ethischen Fragen. Ohne die Experten, denen ich an dieser Stelle danken möchte, wäre ich verloren gewesen. Sollten sich dennoch Fehler eingeschlichen haben, ich nehme sie auf meine Kappe. Ich bedanke mich bei dem genialen Detective Arthur Mee, bei dem Strafverteidiger Glenn Gilman und bei Nicolas Casenta von der Bezirksstaatsanwaltschaft in Chester County. Besonders möchte ich mich bei Professor Martin Scordato von der Katholischen Universität von Amerika für seine exzellente Beratung bedanken. Sein bahnbrechender Aufsatz über den Umstand, dass es im amerikanischen Strafrecht keine Verpflichtung zur Hilfeleistung gibt, hat mir sehr weitergeholfen.

Dank an den Schulrektor Christopher Pickell und an die Lehrer Ed Jameson, June Regan, Kathy Kolb und Brett Willson. Auch bei allen anderen Mitarbeitern der Grundschule von Charlestown möchte ich mich herzlich bedanken. Hätte Rektor Pickell mir nicht seine wertvolle Zeit geopfert, wäre *Rabenmutter* niemals so wirklichkeitsnah geworden. Die Grundschule von Reesburgh ist übrigens frei erfunden und hat nichts mit der Schule in Charlestown zu tun. Ich möchte mich bei allen Lehrern für ihre Unterstützung bedanken und – was viel wichtiger ist – für ihre aufopfernde Arbeit mit den Kindern. Ich habe Lehrer immer bewundert. Aber nie hätte ich geahnt, wie anstrengend dieser Beruf ist, bis ich selbst an der juristischen Fakultät von Pennsylvania einen Kurs über Justiz und Fiktion abhalten durfte. Deshalb bedanke ich mich bei all meinen Lehrern, den ehemaligen und den zukünftigen, und bei meinen Schülern – die auf ihre Weise auch Lehrer sind.

Bedanken möchte ich mich bei den Feuerwehrleuten, die nicht nur für unsere Sicherheit sorgen, sondern mir auch halfen, die Feuer in dem Roman Wirklichkeit werden zu lassen. Vielen Dank an Mike Risell, Karen und Duke Griffin, Dave Hicks und Mark Hughes von der Feuerwehr in Kimberton. Dank auch an die Sanitäter Rebecca Buonavolanta und Sergey Borsov. Danke, Robin Lynn Katz.

Ich bedanke mich beim gesamten Team von St. Martin's Press. Als Erstes bei meiner Lektorin Jennifer Enderlin, die mich immer wieder inspiriert und auch dieses Buch liebevoll betreut hat. Dank auch an John Sargent, Sally Richardson, Matthew Shear, Matt Baldacci, Jeff Capshew, Nancy Trypuc, Monica Katz, John Murphy, John Karle, Sara Goodman und an all die wunderbaren Vertreter aus der Verkaufsabteilung. Umarmen möchte ich Mary Beth Roche und Laura Wilson von der Hörbuchabteilung. Euch alle schätze und liebe ich.

Ich danke meiner wunderbaren Agentin und Freundin Molly Friedrich, dem großartigen Paul Cirone und der talentierten Lucy Carlson. Laura Leonard ist seit zwanzig Jahren meine passionierte und unverzichtbare Assistentin und Freundin. Eine wunderbare Mutter ist sie übrigens auch. Dank auch an Annette Earling, meine Web-Diva, die sich um scottoline.com kümmert, wo man mich, mit Photoshop bearbeitet, bewundern kann.

Dank an meine Familie und an meine Freunde. Danke für alles. Normalerweise gelten die letzte Zeilen ihnen.

Doch bei diesem Buch ist es anders. Die letzten Zeilen widme ich Joseph Drabyak, der kürzlich, viel zu früh, verstorben ist. Ihm widme ich dieses Buch, weil er sein Leben der Literatur gewidmet hat.

Ich habe Joe vor fast zwanzig Jahren als Buchhändler in der Buchhandlung in meinem Heimatort kennengelernt. Mit der Zeit sind er, seine Frau Reggie und ich Freunde geworden. Er war einer der ersten Verfechter meiner Bücher. Für unabhängige Buchhandlungen und Bücher, die er liebte, stritt und kämpfte er. So wurde er der unermüdliche Präsident der New Atlantic Independent Booksellers Association. Joe wusste, dass Bücher Menschen zusammenbringen können, dass Lesen uns bereichert und uns Kraft schenkt. Vor seinem Tod saß ich mit ihm zusammen. Ich habe ihm versprochen, dass ich mein nächstes Buch ihm widmen werde. Das hat ihn gefreut. Er hat alle meine Bücher in Manuskriptform gelesen. Dieses nicht mehr.

Ich werde ihn immer vermissen.